O Diário da Princesa
+
A Princesa sob os Holofotes

Obras da autora publicadas pela Editora Record:

Avalon High
Avalon High – A coroação: a profecia de Merlin
Cabeça de vento
Sendo Nikki
Como ser popular
Ela foi até o fim
A garota americana
Quase pronta
O garoto da casa ao lado
Garoto encontra garota
Todo garoto tem
Ídolo teen
Pegando fogo!
A rainha da fofoca
A rainha da fofoca em Nova York
A rainha da fofoca: fisgada
Sorte ou azar?
Liberte meu coração
Insaciável
Mordida
Sem julgamentos

Série O Diário da Princesa
O diário da princesa
A princesa sob os holofotes
A princesa apaixonada
A princesa à espera
A princesa de rosa-shocking
A princesa em treinamento
A princesa na balada
A princesa no limite
Princesa Mia
Princesa para sempre
Lições de princesa
O presente da princesa
O casamento da princesa

Série Heather Wells
Tamanho 42 não é gorda
Tamanho 44 também não é gorda
Tamanho não importa
Tamanho 42 e pronta para arrasar
A noiva é tamanho 42

Série A Mediadora
A terra das sombras
O arcano nove
Reunião
A hora mais sombria
Assombrado
Crepúsculo
Lembrança

Série As leis de Allie Finkle para meninas
Dia da mudança
A garota nova
Melhores amigas para sempre?
Medo de palco
Garotas, glitter e a grande fraude
De volta ao presente

Série Desaparecidos
Quando cai o raio
Codinome Cassandra
Esconderijo perfeito
Santuário

Série Abandono
Abandono
Inferno
Despertar

Série Diário de uma Princesa Improvável
Diário de uma princesa improvável
Desastre no casamento real

O Diário da Princesa
+ A Princesa sob os Holofotes

Tradução
Ruy Jungmann
Celina Cavalcante Falck

2ª edição

— Galera —
RIO DE JANEIRO
2025

REVISÃO
Jorge Luz

CAPA
Isadora Zeferino

TÍTULO ORIGINAL
The princess diaries
Princess in the spotlight

CIP-BRASIL. CATALOGAÇÃO NA PUBLICAÇÃO
SINDICATO NACIONAL DOS EDITORES DE LIVROS, RJ

C116d
    Cabot, Meg, 1967-
        O diário da princesa ; Princesa sob os holofotes / Meg Cabot ; tradução Ruy Jungmann, Celina Cavalcante Falck. – 2. ed. – Rio de Janeiro : Galera Record, 2025.
        (O diário da princesa ; 1 , 2)

        Tradução de: The princess diaries ; Princess in the spotlight
        ISBN 978-65-5981-138-0

        1. Ficção. 2. Literatura infantojuvenil americana. I. Jungmann, Ruy. II. Falck, Celina Cavalcante. III. Título: Princesa sob os holofotes. IV. Título. V. Série.

22-76765
        CDD: 808.899282
        CDU: 82-93(73)

Meri Gleice Rodrigues de Souza – Bibliotecária – CRB-7/6439

Copyright © 2022 Meg Cabot, LLC.

Todos os direitos reservados.
Proibida a reprodução, no todo ou em parte, através de quaisquer meios.
Os direitos morais do autor foram assegurados.

Texto revisado segundo o novo Acordo Ortográfico da Língua Portuguesa.

Direitos exclusivos de publicação em língua portuguesa somente para o Brasil adquiridos pela
EDITORA RECORD LTDA.
Rua Argentina, 171 - Rio de Janeiro, RJ - 20921-380 - Tel.: (21) 2585-2000,
que se reserva a propriedade literária desta tradução.

Impresso no Brasil

ISBN 978-65-5981-138-0

Seja um leitor preferencial Record.
Cadastre-se e receba informações sobre nossos
lançamentos e nossas promoções.

Atendimento e venda direta ao leitor:
sac@record.com.br

O Diário da Princesa

Agradecimentos

A autora deseja expressar sua gratidão às pessoas que, de tantas maneiras, contribuíram para a criação e publicação deste livro: Beth Ader, Jennifer Brown, Barbara Cabot, Charles e Bonnie Egnatz, Emily Faith, Laura Langlie, Ron Markman, Abigail McAden, A. Elizabeth Mikesell, Melinda Mounsey, David Walton, Allegra Yeley e, a mais do que ninguém, Benjamin Egnatz.

"O que quer que aconteça", disse ela, "não pode mudar uma coisa. Se sou uma princesa em trapos e andrajos, posso ser uma princesa por dentro. Seria fácil ser princesa se eu estivesse vestida com tecido de fios de ouro, mas é um triunfo muito maior ser princesa o tempo todo, sem ninguém saber."

A P<small>RINCESINHA</small>
F<small>RANCES</small> H<small>ODGSON</small> B<small>URNETT</small>

Terça, 23 de setembro

À s vezes parece que tudo que faço é mentir.
Mamãe acha que estou reprimindo meus sentimentos sobre isso. Eu digo a ela: "Não, mamãe, não estou. Acho legal, de verdade. Enquanto você for feliz, eu serei feliz."

Mamãe respondeu: "Acho que você não está sendo sincera comigo."

Daí ela me deu este caderno. Disse que é pra eu escrever meus sentimentos nele, já que, segundo ela, eu obviamente não acho que posso falar com ela sobre eles.

Ela quer que eu escreva sobre meus sentimentos? Tudo bem, vou dizer, por escrito, quais são meus sentimentos.

NÃO CONSIGO ACREDITAR QUE ELA ESTEJA FAZENDO ISSO COMIGO!

Como se todo mundo já não me achasse uma aberração. Sou praticamente a maior aberração de toda a escola. Quero dizer, preciso reconhecer: tenho quase 1,80m de altura, nenhum peito e estou no primeiro ano. Do que mais uma pessoa precisa para ser uma aberração?

Se o pessoal da escola descobrir isso, estou ferrada. Isso mesmo. Ferrada.

Ai, Deus, se você realmente existe, não deixe que eles descubram isso.

Há quatro milhões de habitantes em Manhattan, certo? Isso significa que uns dois milhões deles são homens. E, entre DOIS MILHÕES de caras, ela foi namorar logo o Sr. Gianini. Ela não pode sair com um cara que eu não conheço. Ou com um que ela tenha conhecido no D'Agostinos ou em qualquer outro lugar. Ah, não.

Ela tem que namorar meu professor de álgebra.

Obrigada, mamãe. Muitíssimo obrigada.

Quarta, 24 de setembro, quinto tempo

I sso é bem a cara da Lilly mesmo: "O Sr. Gianini é legal."
É isso aí. Ele é legal se você é Lilly Moscovitz. Ele é legal se você é boa

em álgebra, como Lilly Moscovitz. Mas não é tão legal se você vai reprovar em álgebra, como eu.

Ele não é tão legal assim se obriga a gente a ficar na escola TODOS OS DIAS, das 14h30 até as 15h30, para estudar o método DEMONSTRAÇÃO POR ABSURDO quando você podia estar passeando com a galera. Ele não é tão legal assim se chama sua mãe para uma conversa particular mãe/professor, diz que a filha vai reprovar em álgebra e depois CONVIDA ELA PRA SAIR.

E não é tão legal assim se está enfiando a língua na boca da sua mãe.

Não que eu tenha mesmo visto eles fazerem isso. Eles nem saíram ainda. E não acho que minha mãe vá deixar um cara enfiar a língua na boca dela no primeiro encontro.

Pelo menos espero que não.

Na semana passada, vi Josh Richter enfiar a língua na boca da Lana Weinberger. Vi bem de perto, porque os dois estavam encostados no armário do Josh, que é colado no meu. Achei aquilo nojento.

Embora eu não possa dizer que me importaria se Josh Richter me beijasse desse jeito. Um dia desses, Lilly e eu fomos ao Bigelows comprar hidratantes faciais pra mãe dela e vi Josh esperando perto do caixa. Ele me viu e até pareceu dar um sorriso, e disse: "Oi."

Ele estava comprando Drakkar Noir, um perfume masculino. A vendedora até me deu uma amostra grátis. Agora posso sentir o cheiro do Josh sempre que quiser, na privacidade da minha própria casa.

Lilly diz que as sinapses do Josh provavelmente estavam falhando naquele dia, devido à insolação ou algo do tipo. Disse que ele provavelmente me confundiu com alguém, mas que não podia situar minha cara sem as paredes de blocos de cimento da Escola Albert Einstein atrás de mim. Por qual outro motivo, perguntou ela, o cara mais popular do último ano do ensino médio diria "oi" para mim, Mia Thermopolis, uma caloura desconhecida?

Mas eu sei que não tinha nada de insolação. A verdade é que, quando está longe da Lana e dos amigos atletas, Josh é uma pessoa inteiramente diferente. O tipo de pessoa que não se importa se uma garota não tem peito e usa sapato 40. O tipo de cara que pode ver além de tudo isso, que pode enxergar as profundezas da alma de uma garota. Sei disso porque, naquele dia no Bigelows, quando olhei em seus olhos, vi a pessoa profundamente sensível que há dentro dele lutando para sair.

Lilly diz que eu tenho imaginação fértil e uma necessidade patológica de inventar situações de intenso conflito. E diz ainda que o fato de eu estar tão perturbada com minha mãe e o Sr. G é um exemplo clássico disso.

"Se você está tão perturbada assim, simplesmente diga isso a sua mãe", aconselha Lilly. "Diga que não quer que ela saia com ele. Eu não te entendo, Mia. Você está sempre mentindo sobre como se sente. Por que, para início de conversa, você não diz realmente o que sente? Seus sentimentos importam, sabia?"

Ah, certo. Como se eu fosse encher o saco da minha mãe com isso. Mamãe está tão completamente feliz com esse encontro que me dá até vontade de vomitar. Ela passa o dia todo *cozinhando*. Não estou brincando. Pela primeira vez em meses, ela fez um prato de massa. Eu já havia aberto o cardápio de comida chinesa do Suzie's para pedir delivery quando ela disse: "Ah, não, hoje à noite nada de macarrão frio com gergelim. Eu fiz um prato de massa de verdade."

Massa! Minha mãe fez um prato de *massa*!

Ela chegou até a respeitar meus direitos como vegetariana e não botou almôndegas no molho.

Eu não estou entendendo nada.

COISAS PARA FAZER

1. Comprar areia para o gato
2. Terminar o exercício DEMONSTRAÇÃO POR ABSURDO para o Sr. G
3. Parar de contar tudo para Lilly
4. Ir até a Pearl Paint: comprar lápis macios, spray fixador e moldura de tela (pra mamãe)
5. Dever de casa de Civilizações Mundiais sobre a Islândia (5 páginas, com espaçamento duplo)
6. Parar de pensar tanto em Josh Richter
7. Levar a roupa para a lavanderia
8. Aluguel de outubro (confirmar se mamãe depositou o cheque do papai!!!)
9. Ser mais positiva
10. Medir o busto

Quinta, 25 de setembro

Hoje, na aula de álgebra, a única coisa em que consegui pensar foi que o Sr. Gianini, amanhã à noite, talvez enfie a língua na boca da minha mãe durante o encontro. Fiquei simplesmente sentada, olhando para ele. Ele me fez uma pergunta muito fácil — juro que ele reserva para mim todas as perguntas fáceis, como se não quisesse que eu me sentisse excluída ou coisa assim — e nem mesmo a ouvi. Eu fiquei tipo: "O quê?"

Depois, Lana Weinberger fez aquele som de sempre e se virou para mim, com toda aquela cabeleira loura varrendo minha carteira. Fui atingida por aquela gigantesca onda de perfume e, em seguida, ela sussurrou em uma voz realmente maldosa:

"ABERRAÇÃO."

Só que ela disse isso como se a palavra tivesse mais de quatro sílabas. Como se fosse pronunciada como A-A-BE-BE-RRA-RRA-ÇÃO.

Como pessoas tão bacanas como a Princesa Diana morrem em um acidente de carro e pessoas mesquinhas como Lana nunca morrem? Eu não entendo o que Josh Richter vê nela. Quer dizer, sim, ela é bonitinha. Mas é tão malvada. Será que ele não nota isso?

Talvez, porém, Lana seja boa para o Josh. Tenho certeza de que eu seria. Ele é o cara mais gato da Escola Albert Einstein. A maioria dos garotos parece uns verdadeiros espantalhos no uniforme da escola, que, no caso deles, é calça cinza, camisa branca, suéter preto e casaco ou colete. Mas não Josh. De uniforme, ele parece um modelo. É sério.

Enfim. Hoje notei que as narinas do Sr. Gianini se destacam muito. Por que alguém iria querer namorar um cara que tem narinas que se destacam tanto? Na hora do almoço, perguntei isso a Lilly e ela respondeu: "Eu nunca notei as narinas dele antes. Você vai comer esse bolinho?"

Lilly diz que eu preciso parar de ficar tão obcecada com as coisas. Diz que eu estou nervosa assim porque este é nosso primeiro mês na escola, porque fui mal em alguma matéria e estou transferindo para ela esse nervosismo com minha mãe e o Sr. Gianini. Diz que isso é chamado de transferência.

Uma palavra dessa aparece quando os pais da nossa melhor amiga são psicanalistas.

Hoje, depois da aula, os Drs. Moscovitz estavam doidos para me analisar. Quero dizer, Lilly e eu estávamos apenas sentadas, jogando *Boggle*, e, a cada cinco minutos, a gente ouvia: "Meninas, vocês querem um pouco de suco? Meninas, há um documentário muito interessante sobre lulas passando no Discovery. E, por falar nisso, Mia, o que você acha da sua mãe namorar seu professor de álgebra?"

Eu digo:

"Acho legal."

Por que eu não posso ser mais convincente?

Mas o que acontece se os pais da Lilly encontrarem, por acaso, minha mãe no Supermercado Jefferson ou num lugar assim? Se eu contasse a eles a verdade, eles *definitivamente* contariam a ela. Não quero que minha mãe saiba como eu me sinto esquisita sobre esse namoro, não quando ela está tão feliz com isso.

Pior ainda foi que o irmão mais velho da Lilly ouviu tudo e, imediatamente, começou a rir como um doido, apesar de eu não ver nada de engraçado nisso.

E disse:

"Sua mãe está namorando Frank Gianini? Hahaha!"

Que maravilha. Agora Michael, o irmão da Lilly, sabe.

Então tive que começar a implorar pra ele não contar pra ninguém. Ele está no quinto tempo de Superdotados & Talentosos comigo e com Lilly, a aula que é a maior piada, já que a Sra. Hill, a encarregada do programa S & T na Albert Einstein, não dá a mínima para o que a gente faz, desde que a gente não faça muito barulho. Ela odeia ter que sair da sala dos professores, que fica bem do outro lado da sala de S & T no corredor, para gritar com a gente.

De qualquer modo, Michael supostamente usaria o quinto tempo para trabalhar na sua newsletter, *Crackhead*. Eu supostamente usaria pra botar em dia meu dever de casa de álgebra.

Mas, de qualquer modo, a Sra. Hill nunca aparece para ver o que a gente está fazendo em S & T, o que eu acho bom, porque na maioria das vezes a gente está trancando aquele novo garoto russo, que todo mundo diz que é um gênio musical, no almoxarifado, para não ter que ouvir mais Stravinsky naquele violino chato dele.

Mas não pense que, porque estamos juntos contra Boris Pelkowski e seu violino, Michael vai ficar calado sobre mamãe e o Sr. G.

O que Michael continuava dizendo era:

"O que você vai fazer por mim, Thermopolis? O que você vai fazer por mim?"

Mas não há nada que eu possa fazer por Michael Moscovitz. Não posso me oferecer para fazer o dever de casa dele ou qualquer outra coisa. Michael está no último ano (exatamente como Josh Richter). Michael tirou nota 10 durante toda a vida (exatamente como Josh Richter). Ele provavelmente vai estudar em Yale ou Harvard no ano que vem (exatamente como Josh Richter).

O que *eu* poderia fazer por uma pessoa assim?

Não que Michael seja perfeito, nada disso. Ao contrário de Josh Richter, Michael não está na equipe de esportes da escola. Não está nem mesmo na turma de debate. Michael não acredita em esporte em grupo, ou em qualquer coisa organizada, aliás. Michael passa a maior parte do tempo no quarto. Uma vez perguntei a Lilly o que tanto ele fazia lá, e ela disse que os pais dela adotam uma política de não perguntar e não contar nada ao Michael.

Aposto que ele está fabricando uma bomba. Talvez faça a Albert Einstein explodir como um trote de mau gosto de veterano.

Às vezes Michael sai do quarto e faz comentários sarcásticos. Algumas vezes ele está até sem camisa. Mesmo que não acredite em esporte em grupo, notei que Michael tem um peito bem bonito. Os músculos da barriga dele são bem definidos.

Eu nunca disse isso a Lilly.

De qualquer modo, acho que Michael se cansou de eu me oferecer para fazer coisas, como levar o cachorrinho dele, Pavlov, pra passear e levar as latas vazias de Tab da mãe dele para o Gristedes e pegar o dinheiro do depósito, que é uma das suas tarefas semanais. Isso porque Michael, no fim, simplesmente disse, naquele tom entediado de voz: "Esqueça isso, ok, Thermopolis?" e voltou para o quarto.

Perguntei a Lilly por que ele estava tão zangado e ela respondeu que ele vinha me provocando sexualmente, mas eu não notava.

Que constrangedor! Vamos supor que Josh Richter algum dia começasse a me provocar sexualmente (como eu ia gostar!) e eu não notasse? Deus do céu, às vezes sou mesmo burra.

De qualquer modo, Lilly disse pra eu não me preocupar com Michael contando aos amigos na escola sobre minha mãe e o Sr. G, porque ele não tem amigos. E em seguida perguntou por que eu me importava que as narinas do Sr. Gianini fossem tão destacadas, já que não sou eu a pessoa que tem que olhar para elas, mas, sim, minha mãe.

E eu disse: "Peraí, eu tenho que olhar pra elas das 9h55 às 10h55 e das 14h30 até 15h30 TODOS OS DIAS, menos nos sábados, domingos, feriados e nas férias. Isso se eu não me der mal e ficar em recuperação."

E, se eles se casarem, vou ter que olhar para elas TODOS OS DIAS, SETE DIAS POR SEMANA, E NOS FERIADOS E NAS FÉRIAS TAMBÉM.

*Definir conjunto: coleção de objetos, elementos ou membros que pertencem a um conjunto.

A = {Gilligan, Skipper, Mary Ann}

a regra especifica cada elemento

A = {x/x é um dos náufragos na ilha Gilligan}

Sexta, 26 de setembro

LISTA DOS CARAS MAIS GATOS

POR LILLY MOSCOVITZ
(COMPILADA DURANTE A AULA DE CIVILIZAÇÕES MUNDIAIS, COM COMENTÁRIOS DE MIA THERMOPOLIS)

1. **Josh Richter** (concordo: 1,92m do que há de mais gostoso. Cabelos louros caindo muitas vezes sobre os olhos azul-claros e um sorriso doce e sonhador. Único defeito: tem o mau gosto de namorar Lana Weinberger)

2. **Boris Pelkowski** (discordo totalmente. Só porque ele tocou aquele violino chato no Carnegie Hall quando tinha doze anos de idade, isto não o torna gostoso. Além disso, ele coloca o suéter por dentro da calça, em vez de usar solto, como toda pessoa normal)
3. **Pierce Brosnan**, o melhor James Bond que já existiu (discordo: gosto muito mais do Timothy Dalton)
4. **Daniel Day Lewis**, no filme *O Último dos Moicanos* (concordo: ele continua vivo, aconteça o que acontecer)
5. **Príncipe William**, da Inglaterra (argh)
6. **Leonardo,** no filme *Titanic* (Ele era mesmo! Isto é, em 1998)
7. **Sr. Wheaton**, o professor de Educação Física (gato, mas já está comprometido. Foi visto abrindo a porta da sala dos professores para Mademoiselle Klein)
8. **O cara de jeans naquele cartaz gigantesco** na *Times Square* (concordo inteiramente. Quem *é* aquele cara? Deviam dar uma série de TV só pra ele)
9. **O namorado da Curandeira** na série *Dr. Quinn* (o que foi que aconteceu com ele? Ele era gostoso!)
10. **Joshua Bell,** o violinista (concordo inteiramente. Seria tão legal namorar com um músico — desde que não fosse Boris Pelkowski).

Mais tarde na sexta

Eu estava medindo meus seios e nem de longe pensando que minha mãe tinha saído com meu professor de álgebra quando meu pai ligou. Não sei por que, mas menti e disse a ele que mamãe estava no estúdio, o que foi muito esquisito da minha parte, porque papai sabe que mamãe namora. Mas, por alguma razão, eu simplesmente não consegui dizer nada a ele sobre o Sr. Gianini.

Naquela tarde, durante minha aula de reforço obrigatória com o Sr. Gianini, eu estava sentadinha, praticando o método de DEMONSTRAÇÃO POR ABSURDO (primeiro, por fora, por dentro, por último; primeiro, por fora, por dentro, por último... Ai, meu Deus, será que algum dia na vida eu realmente vou ter que usar o método de DEMONSTRAÇÃO POR ABSURDO? QUANDO???) e de repente o Sr. Gianini disse: "Mia, espero que você não se sinta, bem, constrangida, com o fato de eu sair socialmente com sua mãe."

Só que por alguma razão, e por um segundo, pensei que ele havia dito SEXUALMENTE, não socialmente. E logo senti meu rosto ficando quente, quente. Quero dizer, como se eu estivesse QUEIMANDO. E eu disse: "Ah, não, Sr. Gianini, eu realmente não me incomodo."

E o Sr. Gianini disse: "Porque, se a incomodar, nós podemos conversar sobre isso."

Acho que ele deve ter percebido que eu estava mentindo, já que meu rosto estava completamente vermelho.

Mas tudo o que eu disse foi: "Pra dizer a verdade, não me incomoda. Quero dizer, me incomoda um POUCO, mas, pra ser sincera, tudo bem. Quero dizer, é só um namoro, não é? Por que eu devo ficar preocupada com um namoro bobo?"

E foi nesse momento que o Sr. Gianini disse: "Bem, Mia, não sei se vai ser um namoro bobo. Eu realmente gosto muito da sua mãe."

E logo em seguida, nem mesmo sei como, mas, de repente, me ouvi responder: "É melhor que goste. Porque se o senhor fizer alguma coisa que a faça chorar, vou te dar um chute no saco."

Ai, meu Deus! Não acredito que disse a palavra "saco" pra um professor! Meu rosto ficou ainda MAIS VERMELHO depois disso, o que eu jamais teria julgado possível. Por que a única vez em que posso dizer a verdade é quando isso na certa vai me meter numa encrenca?

Mas acho que estou me sentindo meio esquisita sobre essa situação toda. Talvez os pais da Lilly tenham razão.

O Sr. Gianini, porém, ficou inteiramente calmo. Sorriu daquele jeito esquisito e disse: "Eu não tenho a menor intenção de fazer sua mãe chorar, mas, se isso acontecer, você tem minha permissão para me dar um chute no saco."

Então estava tudo bem, mais ou menos.

De qualquer modo, papai pareceu muito esquisito ao telefone. Mas, também, ele sempre parece. Telefonemas transatlânticos me tiram do sério porque posso ouvir o mar se mexendo no fundo e isso me deixa toda nervosa, como se peixes estivessem escutando, ou coisa assim. Além disso, papai nem mesmo queria conversar comigo. Queria falar com mamãe. Acho que alguém morreu e ele queria que mamãe, com jeito, me desse a notícia.

Talvez tenha sido Grandmère. Hummmm...

Meus seios não cresceram absolutamente nada desde o último verão. Mamãe estava totalmente errada. Eu não tive uma explosão de crescimento quando fiz catorze anos, como aconteceu com ela. Provavelmente nunca vou ter uma explosão de crescimento, pelo menos não no peito. Só tive explosões de crescimento PARA CIMA, e não PARA FORA. Eu sou agora a garota mais alta da turma.

Se alguém me chamar para o Baile da Diversidade Cultural no mês que vem (ah, tá), não vou poder usar tomara-que-caia, porque não há nada no meu peito pra segurar o vestido.

Sábado, 27 de setembro

Eu estava dormindo quando mamãe voltou do encontro (fiquei acordada o máximo que pude porque queria saber o que tinha rolado, mas acho que toda aquela medição me esgotou), então não perguntei a ela como foi a coisa até hoje de manhã, quando entrei na cozinha para dar ração ao Fat Louie. Mamãe já estava de pé, o que era esquisito, porque em geral ela acorda mais tarde do que eu, e eu sou uma adolescente, e todo mundo espera que seja eu que durma o tempo todo.

Mas mamãe andava meio deprimida desde que descobriu que seu último namorado era republicano.

De qualquer modo, ela estava ali, cantarolando feliz e fazendo panquecas. Quase caí pra trás quando a vi preparando alguma coisa tão cedo assim pela manhã, ainda mais uma coisa vegetariana.

Ela obviamente se divertiu horrores. Foram jantar no Monte's (nada mal, Sr. G!), depois passearam pelo West Village, foram para algum bar e ficaram sentados no jardim dos fundos até quase duas da matina, apenas conversando. Eu meio que tentei descobrir se tinha rolado uns beijos, principalmente beijo de língua, mas ela simplesmente sorriu e pareceu muito constrangida.

Tudo bem. Eca!

Eles vão sair juntos novamente esta semana.

Acho que não me importo, se isso a faz tão feliz assim.

Hoje, Lilly vai mostrar uma cena do filme *A Bruxa de Blair* no seu programa de TV, *Lilly manda a real*. *A Bruxa de Blair* é sobre uns adolescentes que entram numa floresta à procura de uma bruxa e acabam desaparecendo. Tudo que encontram deles são alguns metros de filme e umas pilhas de gravetos. Mas, em vez de *A Bruxa de Blair*, a versão da Lilly se chama *A Bruxa Verde*. A ideia dela é levar uma câmera até o Washington Square Park e filmar turistas que se aproximam de nós e perguntam se sabemos como se chega a Green Witch Village. (Na verdade, é Greenwich Village, mas a gente não deve pronunciar o *w* em *Greenwich*. Só que as pessoas de fora da cidade sempre pronunciam o nome errado.)

De qualquer modo, quando turistas se aproximarem e nos perguntarem como ir a Green Witch Village, a gente deve começar a gritar e fugir correndo, apavorada. No fim, tudo que sobrar de nós, disse Lilly, vai ser uma pequena pilha de bilhetes de metrô. Lilly diz que depois que o programa for transmitido, ninguém mais vai pensar sobre bilhetes de metrô da mesma maneira.

Eu disse que era uma pena a gente não ter uma bruxa de verdade. Pensei que a gente poderia convencer Lana Weinberger a fazer esse papel, mas Lilly disse que isso seria usar um personagem real. Além do mais, a gente teria que aguentar a Lana o dia inteiro e ninguém quer isto. Isso se ela desse mesmo as caras, sabendo que nos considera as garotas mais impopulares da escola. Ela provavelmente não vai querer manchar sua reputação sendo vista em nossa companhia.

Mas, também, ela é tão fútil que provavelmente agarraria com unhas e dentes a oportunidade de aparecer na TV, mesmo em um programa de acesso público.

Terminadas as filmagens do dia, todas nós vimos o Cara Cego cruzando a Bleecker. Ele tinha uma nova vítima. Aquela turista alemã totalmente inocente não fazia a menor ideia de que o gentil deficiente visual que ajudava a atravessar a rua iria passar a mão nela logo que chegassem do outro lado e depois fingir que não havia feito isso de propósito.

Que sorte a minha! O único cara que passou a mão em mim (não que seja algo pra se admirar) nem viu direito quem eu era.

Lilly disse que vai fazer uma denúncia à 6ª Delegacia de Polícia. Como se eles fossem ligar pra isso. Eles têm coisas mais importantes com que se preocupar. Como prender assassinos.

COISAS PARA FAZER

1. Comprar a areia do gato
2. Fazer mamãe depositar o cheque do aluguel
3. Parar de mentir
4. Projeto para o trabalho de inglês
5. Pegar a roupa na lavanderia
6. Parar de pensar em Josh Richter

Domingo, 28 de setembro

Papai ligou hoje e, desta vez, mamãe realmente estava no estúdio, então não me senti mal por ter mentido na noite passada e não ter contado a ele sobre o Sr. Gianini. Ele pareceu muito esquisito ao telefone de novo, então perguntei: "Papai, vovó morreu?" Ele tomou um susto e disse: "Não, Mia, por que você pensaria uma coisa dessa?"

Eu disse que era porque ele parecia muito esquisito, e ele disse: "Ah, eu não estou nada esquisito", o que era uma mentira, porque ele parecia MESMO esquisito. Mas resolvi deixar passar e contei pra ele sobre a Islândia, porque a gente está estudando a Islândia em Civilizações Mundiais. A Islândia tem a taxa de alfabetização mais alta do mundo, porque o povo de lá não tem nada pra fazer além de ler. E lá também existem aquelas fontes de água quente e todo mundo nada nelas. Uma vez, quando uma companhia de ópera foi à Islândia, todos os espetáculos tiveram lotação esgotada e cerca de 98 por cento da população compareceram. Todos conheciam as letras das óperas e passaram o dia inteiro cantando.

Eu gostaria de viver lá um dia. Parece um lugar divertido. Muito mais do que Manhattan, onde, às vezes, pessoas cospem em nós sem razão.

Mas papai não pareceu tão impressionado assim com a Islândia. Acho que, em comparação, a Islândia faz todos os outros países parecerem chatos. Mas papai mora em um país muito pequeno. Acho que se a companhia de ópera fosse até lá, uns 80 por cento da população iriam assistir, o que seria certamente motivo de orgulho.

Eu só dei essa informação a ele porque ele é um político e achei que poderia lhe dar algumas ideias sobre como tornar as coisas melhores em Genovia, onde ele mora. Mas eu também acho que Genovia não precisa ser melhor do que é. A principal importação de Genovia é de turistas. Sei disso porque, na sétima série, tive que fazer uma redação sobre todos os países da Europa e Genovia empatava com a Disneylândia na renda gerada pelos turistas. Acho que é por isso que os habitantes de Genovia não precisam pagar impostos. O governo tem dinheiro suficiente. Esse lugar é chamado de principado. O único lugar igual é Mônaco. Meu pai diz que a gente tem um bocado de primos em Mônaco, mas até agora não conheci nenhum deles, nem na casa da Grandmère.

Sugeri ao papai que, no próximo verão, em vez de passar as férias com ele no castelo francês da Grandmère, em Miragnac, a gente vá para a Islândia. A gente teria que deixar Grandmère no castelo, lógico. Ela odiaria a Islândia. Ela odeia qualquer lugar onde a gente não pode pedir um bom Sidecar, que é a bebida preferida dela, 24 horas por dia.

Tudo que papai disse foi: "A gente fala sobre isso outra hora", e desligou.

Mamãe está certíssima sobre ele.

Valor absoluto: a distância entre um dado número e o zero em uma série de números... sempre positivo.

Segunda, 29 de setembro, S & T

Hoje observei o Sr. Gianini com todo cuidado, procurando sinais de que ele poderia não ter gostado tanto do encontro quanto mamãe. Mas ele parecia estar de excelente humor. Durante a aula, quando estávamos aprendendo a fórmula da equação do segundo grau (o que foi que aconteceu com a DEMONSTRAÇÃO POR ABSURDO? Eu estava justamente começando a entender aquilo quando, de repente, aparece uma coisa NOVA. Não é de espantar que eu esteja indo mal em álgebra), ele perguntou se alguém havia se apresentado para um papel no musical de outono da escola, *My Fair Lady*.

Em seguida, empolgado, ele disse o seguinte: "Sabem quem seria uma boa Eliza Doolittle? Mia, acho que você seria ótima para o papel."

Achei que fosse morrer na hora. Acho que o Sr. Gianini só queria ser bonzinho — quero dizer, ele está namorando com minha mãe, afinal de contas —, mas estava TÃO por fora. Em primeiro lugar porque, lógico, já fizeram audições para a protagonista, e mesmo que eu tivesse me apresentado para um papel (o que eu não podia fazer, porque estou indo mal em álgebra, alô, Sr. Gianini, o senhor se lembra disso?) eu NUNCA teria conseguido, ainda mais O PAPEL PRINCIPAL. Eu não sei cantar. E mal consigo *falar*.

Nem Lana Weinberger, que sempre ganhava o papel principal na escola, conseguiu. Ele foi dado a uma veterana. Lana interpreta uma empregada doméstica, uma espectadora nas Corridas de Ascot e uma prostituta londrina. Lilly é a gerente da casa. O trabalho dela é ligar e desligar as luzes durante os intervalos.

Fiquei tão apavorada com o que o Sr. Gianini disse que nem consegui responder. Fiquei simplesmente sentada no meu lugar e senti que estava corando. Talvez esse tenha sido o motivo por que, quando Lilly e eu passamos pelo meu armário na hora do almoço, Lana, que estava ali esperando Josh, disse, com a voz mais melosa possível: "Ah, olá, *Amelia*", embora ninguém me chame de Amelia (exceto Grandmère) desde o jardim de infância, quando eu pedi a todo mundo que não me chamasse assim.

Quando me curvei para tirar o dinheiro da mochila, Lana deve ter dado uma boa olhada pelo decote da minha blusa, porque, de repente, disse: "Ah, que fofo. Estou vendo que você ainda não pode usar sutiã. Que tal Band-Aids?"

Eu devia ter partido pra briga e dado um soco na cara dela — bem, provavelmente, não; os Drs. Moscovitz dizem que eu tenho problemas com confronto — se Josh Richter não tivesse passado por ali NAQUELE EXATO MOMENTO. Tenho certeza de que ele ouviu muito bem, mas tudo que disse foi "Dá licença?" para Lilly, que estava bloqueando o caminho dele para o armário.

Eu estava disposta a deixar passar, ir para a lanchonete e esquecer tudo aquilo — Deus, é só o que faltava, minha ausência de seios mencionada bem na frente do Josh Richter! —, mas Lilly não se conformou. Ficou toda vermelha e disse a Lana: "Por que você não faz um favor pra gente? Vai, sei lá, fazer o cabelo em algum canto e morre, Weinberger."

Bem, ninguém diz a Lana Weinberger para ir fazer o cabelo em algum canto e morrer. Quero dizer, ninguém mesmo. Isto é, a menos que queira seu nome escrito em todas as paredes do banheiro. Não que isso fosse uma coisa horrível — quero dizer, nenhum garoto ia ver isso no banheiro —, mas eu gosto de manter, na maior parte do tempo, meu nome longe das paredes.

Mas Lilly não se importa com essas coisas. Quer dizer, ela é baixinha, cheia de curvas e parece um pug, mas não dá a mínima para sua aparência. Quer dizer, ela tem seu próprio programa de TV, caras ligam para ela o tempo todo e dizem que a acham horrível, e pedem para ela levantar a blusa (*ela* tem peitos, já usa até sutiã), mas simplesmente morre de rir.

Lilly não tem medo de nada.

Então, quando Lana Weinberger partiu pra cima dela por ter mandado ela fazer o cabelo em algum canto e morrer, Lilly simplesmente a encarou como se dissesse "Venha, se tiver coragem".

A coisa poderia ter se transformado em uma enorme briga de garotas — Lilly assistiu a todos os episódios de *Xena, a princesa guerreira*, e sabe chutar como ninguém — se Josh não tivesse fechado a porta do armário com força e dito "Tô indo nessa" de um jeito entediado. Nesse momento, Lana desistiu da briga e saiu correndo atrás dele, dizendo: "Josh, espera aí. Espera, Josh!"

Lilly e eu ficamos nos encarando sem conseguir acreditar. Eu ainda não consigo. Quem são essas pessoas e por que eu tenho que ficar presa com elas todos os dias?

* DEVER DE CASA

<u>Álgebra</u>: problemas 1-12, pág. 79

<u>Inglês</u>: projeto

<u>Civilizações Mundiais</u>: questões no fim do Capítulo 4

<u>S&T</u>: nenhum

<u>Francês</u>: usar *avoir* em uma frase negativa, ler lições um a três, *pas de plus*

<u>Biologia</u>: nenhum

B = {x/x é um número inteiro}

D = {2, 3, 4}

4ED

5ED

E = {x/x é um número integral maior que 4, mas menor do que 258}

Terça, 30 de setembro

Aconteceu uma coisa muito esquisita. Voltei da escola para casa e encontrei mamãe lá (ela geralmente passa o dia inteiro no estúdio durante a semana). Estava com uma cara estranha quando disse: "Precisamos conversar."

Ela não estava mais cantarolando e nem havia cozinhado nada, então tive certeza de que era coisa séria.

Eu meio que torcia pra que Grandmère tivesse morrido, mas sabia que devia ser algo muito pior do que isto, e fiquei preocupada, pensando que alguma coisa havia acontecido com Fat Louie, tipo ele ter engolido outra meia. Na última vez que ele fez isso, o veterinário cobrou mil dólares para tirar a meia do intestino delgado dele e ele andou pela casa com uma expressão estranha no rosto durante quase um mês.

Fat Louie, quero dizer. Não o veterinário.

Mas descobri que a coisa não tinha nada a ver com meu gato. Era sobre papai. A razão pra ele continuar ligando era nos dizer que tinha acabado de descobrir que, por causa de um câncer, não poderia ter mais filhos.

Câncer é uma coisa assustadora. Por sorte, o tipo de câncer que meu pai tinha era fácil de curar. Os médicos tiveram apenas que cortar a parte cancerígena e, em seguida, ele passou a fazer quimioterapia. Após um ano, mais ou menos, o câncer não voltou.

Infelizmente, a parte que haviam cortado era o...

Não gosto nem de escrever isso.

O *testículo*.

ECA!

Acontece que, quando o cara tem um dos testículos removido e em seguida faz quimioterapia, a probabilidade de se tornar estéril é muito grande. E era isso que meu pai tinha acabado de descobrir.

Mamãe disse que ele está realmente arrasado. E que vamos precisar ser muito compreensivas com ele agora, porque homens têm suas necessidades e uma delas é a de sentir que é capaz de procriar.

O que eu não entendi foi: qual é o grande problema? Para que ele quer mais filhos? Ele já tem a mim! Tudo bem, eu só o vejo no Natal e nos verões, mas isto é suficiente, não é? Quer dizer, ele anda muito ocupado governando Genovia. Não é brincadeira fazer com que um país inteiro, mesmo que só tenha uns dois quilômetros de comprimento, funcione direito. A única coisa para a qual ele tem tempo, depois de mim, são as namoradas dele. Ele sempre tem uma nova namorada. No verão, quando vamos para o castelo da Grandmère na França, ele sempre leva "a mulher da vez". Elas sempre ficam babando com as piscinas, os estábulos, a cachoeira, os 27 quartos, o salão de baile, a adega, a fazenda, a pista de pouso...

Uma semana depois, ele dispensa a mulher.

Eu não sabia que ele queria casar com uma delas e ter filhos.

Quer dizer, ele nunca se casou com minha mãe. Ela diz que foi porque, na época, ela rejeitava os costumes burgueses de uma sociedade que nem mesmo aceitava as mulheres como iguais aos homens e se recusava a reconhecer os direitos delas como pessoa.

Sempre achei que meu pai talvez nunca a tivesse pedido em casamento.

De qualquer modo, ela me disse que papai vem de avião para Nova York amanhã, para conversar comigo sobre esse assunto. Não sei por quê. Quer dizer, o assunto não tem nada a ver comigo. Mas quando eu perguntei "Por que papai tem que voar essa distância toda até aqui para conversar comigo sobre não poder ter filhos?", ela ficou novamente com aquela expressão estranha, começou a dizer alguma coisa, mas depois parou.

Em seguida, disse simplesmente: "Você vai ter que perguntar ao seu pai."

Isso não é nada bom. Mamãe só diz "pergunte ao seu pai" quando eu quero saber alguma coisa que ela não tem vontade de me contar, como o motivo por que pessoas às vezes matam os próprios filhos e por que os americanos comem tanta carne vermelha e leem muito menos do que os habitantes da Islândia.

*Nota para mim mesma: Procurar no dicionário as palavras *procriador*, *onipotente* e *costumes*.

LEI DISTRIBUTIVA

$5x + 5y - 5$

$5(x + y - 1)$

Distribuir O QUÊ??? DESCUBRA ANTES DO TESTE!!!

Quarta, 1º de outubro

Meu pai está aqui. Bem, não aqui no apartamento. Está hospedado no Plaza, como sempre. Devo visitá-lo amanhã, depois de ele ter "repousado". Meu pai repousa bastante depois que teve câncer. Ele também parou de jogar polo. Mas acho que isso aconteceu porque um cavalo pisou nele uma vez.

De qualquer maneira, eu odeio o Plaza. Na última vez que meu pai esteve lá, não me deixaram subir por eu estar usando short. A dona do lugar estava lá, disseram, e ela não gosta de ver pessoas seminuas na recepção do seu luxuoso hotel. Tive que ligar para meu pai e pedir a ele que me trouxesse uma calça. Ele me disse apenas que botasse a recepcionista na linha, e de repente todo mundo estava me pedindo desculpas, como uns malucos. Até me deram uma cesta grande cheia de frutas e chocolates. Isso até que foi legal. Mas eu não queria as frutas, então dei tudo a um morador de rua que vi no metrô no caminho de volta ao Village. Eu acho que ele também não queria as frutas, porque jogou tudo na calçada e ficou só com a cesta para usar como chapéu.

Contei a Lilly o que meu pai havia dito sobre não poder mais ter filhos, e ela disse que aquilo era muito impressionante. Ela achou que o fato revelava que meu pai ainda tinha problemas não resolvidos com os pais dele, e eu respondi: "Humm, ahn. Grandmère é um saco."

Lilly disse que meu pai talvez esteja com medo de perder a juventude, o que para muitos homens é igual a perder a virilidade. Eu realmente acho que deviam passar Lilly para uma turma mais adiantada, mas ela diz que gosta de ser caloura. Diz ainda que, assim, vai ter quatro anos inteiros para fazer observações sobre a condição de ser um adolescente na América Pós-Guerra Fria.

A PARTIR DE HOJE, EU...

1. Serei legal com todas as pessoas, goste delas ou não
2. Não vou mais mentir o tempo todo sobre meus sentimentos
3. Nunca mais vou esquecer meu caderno de álgebra
4. Vou guardar meus comentários para mim mesma
5. Não vou mais fazer minhas anotações de álgebra neste diário

*A terceira potência de x é chamada de cubo de x — números negativos não têm raiz quadrada.

Notas de S & T

Lilly, não aguento mais isso. Quando é que ela vai voltar para a sala dos professores?

>Talvez nunca. Ouvi dizer que estavam lavando o carpete hoje. Deus, ele é uma GRACINHA.

Quem é uma gracinha?

>BORIS!

Ele não é uma gracinha. Ele é esquisito. Olha só o que ele faz com o suéter dele. Por que ele Faz isso?

>Você tem uma visão muito limitada.

Eu não tenho visão limitada! Mas alguém deve dizer a ele que, nos Estados Unidos, a gente não usa o suéter dentro da calça.

>Bem, na Rússia talvez façam isso.

Mas aqui não é a Rússia. Além disso, alguém deve dizer a ele para aprender uma música nova. Se eu tiver que ouvir mais uma vez aquele réquiem ao falecido Rei Como-É-o-Nome-Dele...

>Você só está com ciúme porque Boris é um gênio da música, enquanto você está se dando mal em álgebra.

Lilly, ir mal em álgebra NÃO significa que eu sou burra.

>OK, OK. O que há de errado com você hoje?

NADA!!!!

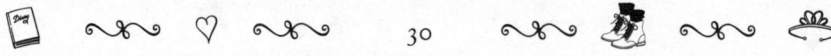

* Inclinação: a inclinação de uma linha chamada de m é

$$m = \frac{y2 - y1}{x2 - x1}$$

* Encontrar a equação de uma linha com inclinação = 2
* Encontrar o grau de inclinação das narinas do Sr. G

Quinta, 2 de outubro, Banheiro do Plaza

Bem...
Acho que agora sei por que meu pai está tão preocupado por não ser mais capaz de ter filhos.

PORQUE ELE É UM PRÍNCIPE!!!

Meu Deus! Por quanto tempo eles acharam que poderiam esconder isso de mim?

Embora, pensando bem, tenham conseguido fazer isso por muito tempo. Quer dizer, eu ESTIVE em Genovia. Miragnac, aonde vou todos os verões, e também na maioria dos Natais, é o nome da casa da minha avó na França. Ela fica, na verdade, na fronteira com a França, bem perto de Genovia, que fica entre a França e a Itália. Eu vou a Miragnac desde que nasci. Mas nunca com minha mãe. Só com meu pai. Minha mãe e meu pai nunca moraram juntos. Ao contrário de um monte de garotas que conheço, que vivem desejando que seus pais voltem a viver juntos depois de terem se divorciado, eu me sinto perfeitamente feliz com esse arranjo. Meus pais se separaram antes de eu nascer, embora sempre tenham mantido relações amigáveis. Isto é, exceto quando meu pai está mal-humorado, ou quando minha mãe está sensível, como acontece de vez em quando. Acho que as coisas piorariam muito se morassem juntos.

De qualquer modo, Genovia é o lugar aonde minha avó me leva para fazer compras no final de todos os verões, quando se cansa de olhar para minhas roupas. Mas ninguém lá jamais disse algo sobre meu pai ser um PRÍNCIPE.

Agora me lembro que, há uns dois anos, fiz um dever de casa sobre Genovia e copiei o nome da família real, que é Renaldo. Mas mesmo nessa ocasião não liguei o nome da família ao do meu pai. Sei que o nome dele é Phillipe Renaldo. Mas o nome do príncipe de Genovia estava listado, na enciclopédia que consultei, como Artur Christoff Phillipe Gerard Grimaldi Renaldo.

E aquela foto dele devia ser muito velha. Antes mesmo de eu nascer papai já quase não tinha mais cabelo nenhum (então, quando fez quimioterapia, não dava nem pra ver, porque ele já estava praticamente careca). A foto do príncipe de Genovia mostrava alguém com BASTANTE cabelo, costeletas e até bigode.

Agora entendo por que minha mãe se apaixonou por ele quando estava na faculdade. Ele parecia o Alec Baldwin.

Mas um PRÍNCIPE? De um PAÍS inteiro? Isto é, eu sabia que ele estava envolvido com política e que tinha dinheiro... Quantas garotas da minha escola têm casa de veraneio na França? Em Martha's Vineyard, talvez, mas não na França. Mas um PRÍNCIPE?

Então, o que eu quero saber é o seguinte: se meu pai é um príncipe, por que eu tenho que aprender álgebra?

É sério.

Não acho que tenha sido uma boa ideia papai me dizer na Palm Court, no Plaza, que era um príncipe. Em primeiro lugar, quase tivemos uma reprise do incidente com o short. No início, o porteiro não quis nem me deixar entrar. Ele disse: "Nenhum menor de idade sem a companhia de um adulto", o que acabava com toda a trama do filme *Esqueceram de mim 2*, certo?

E eu só dizia: "Mas eu vim aqui para encontrar meu pai..."

"Nenhum menor de idade", repetiu o porteiro, "sem a companhia de um adulto".

Isso parecia totalmente injusto. Eu nem estava usando short. Estava vestida com meu uniforme da Albert Einstein. Quer dizer, saia plissada e meias até os joelhos, a coisa toda. Tudo bem, eu talvez estivesse usando Doc Martens, mas, poxa, qual é! Eu ERA praticamente aquela garota, Eloise, que supostamente mandava e desmandava no Plaza.

Finalmente, depois de ficar em pé ali durante quase meia hora, dizendo o tempo todo "Mas meu pai... mas meu pai... mas meu pai...", a recepcionista apareceu e perguntou: "Quem é o seu pai, mocinha?"

Assim que eu disse o nome, ela me deixou entrar. Acho que foi porque até ELES sabiam que ele era um príncipe. Mas à filha dele, à própria filha dele, ninguém contou!

Encontrei papai me esperando em uma mesa. Todo mundo acha que chá no Plaza é um negócio importante à beça. Vocês deviam ver todos aqueles turistas alemães tirando fotos uns dos outros enquanto comiam bolinhos de aveia com chocolate. De qualquer modo, eu ficava toda animada quando era pequena, e, como meu pai se recusa a acreditar que 14 anos não é mais idade de criança, a gente ainda se encontra lá quando ele está na cidade. Ah, a gente também vai a outros lugares. Por exemplo, a gente sempre vai assistir à *Bela e a Fera*, meu eterno musical favorito da Broadway. Não dou a mínima para o que Lilly diz sobre Walt Disney e sua suposta aversão a mulheres. Eu vi a peça sete vezes.

E meu pai também. A parte favorita dele é quando aparecem os garfos dançantes.

De qualquer modo, a gente estava ali tomando chá quando começa a me dizer em uma voz muito séria que ele é o príncipe de Genovia e essa coisa terrível acontece:

Eu começo a soluçar!

Isso só acontece quando bebo alguma coisa quente e como pão depois. Não sei por quê. Isso nunca aconteceu antes no Plaza, mas, de repente, meu pai começou a falar assim: "Mia, eu quero que você saiba a verdade. Acho que você já tem idade suficiente agora e o fato é o seguinte: agora que eu não posso mais ter filhos, essa situação vai produzir um impacto enorme em sua vida e é apenas justo que eu lhe diga. Eu sou o príncipe de Genovia."

E tudo que eu disse foi: "É mesmo, papai?" *Soluço*.

"Sua mãe sempre acreditou sinceramente que não havia nenhuma razão para você saber isso, e eu concordei com ela. Eu tive uma infância... bem, muito insatisfatória..."

E ele não estava brincando. Viver com Grandmère não podia, de jeito nenhum, ter sido um piquenique. *Soluço*.

"Concordei com sua mãe que um palácio não é lugar para se criar uma menina." Logo depois ele começou a resmungar consigo mesmo, o que sempre acontece quando digo a ele que sou vegetariana ou surge o assunto da mamãe. "Tudo bem, na ocasião eu não pensava que ela tivesse a intenção de criar você no apartamento de uma artista boêmia no Greenwich Village, mas reconheço que isso não parece ter lhe causado qualquer mal. Para dizer a verdade, acho que crescer na cidade de Nova York instilou em você um sadio volume de ceticismo sobre a raça humana em geral..."

Soluço. E ele nem conhecia Lana Weinberger.

"... que é algo que só adquiri na faculdade, e que acredito ser responsável, em parte, pelo fato de eu ter tanta dificuldade em estabelecer relacionamentos interpessoais íntimos com mulheres..."

Soluço.

"O que estou querendo dizer é que sua mãe e eu pensamos que, não lhe dizendo nada, estávamos lhe fazendo um favor. O fato é que nunca imaginamos que poderia surgir uma situação na qual você poderia ascender ao trono. Eu tinha apenas vinte e cinco anos quando você nasceu. Eu tinha certeza de que ia conhecer outra mulher, casar com ela e ter mais filhos. Mas agora, infelizmente, isso nunca vai acontecer. Então, é o seguinte, Mia: você é a herdeira do trono de Genovia."

Tive outro soluço. A coisa estava ficando constrangedora. Não eram soluços bonitinhos de mocinha educada. Eram enormes e faziam meu corpo todo pular da cadeira como se eu fosse algum tipo de rã de 1,80m de altura. Eles eram altos também. Quer dizer, altos mesmo. Os turistas alemães continuavam a olhar para nós, soltando risinhos e fazendo outras coisas. Eu sabia que aquilo que papai me dizia era realmente verdade, mas não podia controlar os soluços. Simplesmente continuava soluçando! Tentei prender a respiração e contar até trinta... Só cheguei até dez antes de soluçar de novo. Coloquei um cubo de açúcar sobre a língua e deixei que se dissolvesse. Não adiantou nada. Tentei pregar um susto em mim mesma, pensando em minha mãe e o Sr. Gianini em um beijo de língua — e nem isto funcionou.

Finalmente, papai disse: "Mia? Mia, você está me ouvindo? Ouviu alguma palavra do que eu disse?"

Eu disse: "Papai, você pode me dar licença por um minuto?"

Ele pareceu magoado, como se seu estômago doesse, e voltou a se afundar na cadeira, daquele seu jeito de derrotado, mas disse: "Pode ir", e me deu cinco dólares para dar à funcionária do banheiro, que eu, obviamente, guardei para mim. Cinco dólares para a funcionária! Meu Deus, minha mesada inteira é de dez dólares por semana!

Não sei se você já esteve alguma vez no banheiro do Plaza, mas ele é, com certeza, o mais legal de Manhattan. É todo cor-de-rosa, com espelhos e pequenos sofás por todos os lados, para o caso de a gente se olhar e sentir ânsia de desmaiar por causa da nossa beleza ou qualquer coisa assim. Entrei batendo a porta, soluçando ruidosamente, e todas aquelas mulheres em seus penteados chiques ergueram os olhos, aborrecidas com a interrupção. Acho que fiz com que elas borrassem o batom ou algo do tipo.

Fui até uma das cabines, onde, além do vaso, tem uma pia particular com um espelho enorme e uma penteadeira com uma banqueta com borlas pendentes. Sentei no vaso e me concentrei não em parar de soluçar, mas apenas no que meu pai havia dito.

Ele é o príncipe de Genovia.

Nesse momento, um monte de coisas começou a fazer sentido. Como, por exemplo, quando eu viajava de avião para a França, entrava pelo terminal, mas, quando chegava lá, era escoltada para fora do avião antes de todo mundo e embarcava numa limusine para ir ao encontro dele em Miragnac.

Eu sempre pensei que isso acontecesse porque ele tinha privilégios de passageiro frequente na companhia.

Agora acho que era porque ele é príncipe.

E também o fato de que sempre que Grandmère me levava às compras em Genovia isto acontecia antes ou depois do expediente das lojas. Ela telefonava antes para que houvesse gente à nossa espera e jamais alguém disse "não". Em Manhattan, se minha mãe tentasse fazer isso, as vendedoras da Gap teriam morrido de rir.

E quando estou em Miragnac nós nunca saímos para jantar em algum lugar. Sempre fazemos as refeições no castelo ou, às vezes, em outro castelo próximo, Mirabeau, de propriedade de um daqueles nojentos britânicos que têm um monte de filhos esnobes, que dizem coisas como "Isso é podre" ou "Você é um punheteiro". Uma das meninas mais novas, Nicole, era meio que minha amiga, mas, uma noite, ela me contou que estava fazendo amor francês com um garoto francês, e eu não sabia o que era amor francês. Eu só tinha 11 anos nessa época, o que não é desculpa, porque ela também só tinha 11 anos. Eu simplesmente achei que amor francês fosse alguma esquisitice britânica, como gafanhoto frito, ataques aéreos ou coisa assim. E falei sobre isso à mesa do jantar, na frente dos pais de Nicole, e daí em diante nenhuma das crianças falou mais comigo.

Eu bem que gostaria de saber se os britânicos sabem que meu pai é o príncipe de Genovia. Aposto que sabem. Deus, eles devem ter pensado que eu era uma idiota ou coisa parecida.

A maioria das pessoas nunca ouviu falar em Genovia. Sei disso porque, quando tivemos que fazer nossas pesquisas, nenhum dos garotos sabia que país era esse. Nem minha mãe, é o que ela diz, antes de conhecer meu pai. Ninguém famoso nasceu lá. E quem nasceu jamais inventou alguma coisa, escreveu alguma coisa ou se tornou astro ou estrela do cinema. Muitos genovianos, como meu avô, lutaram contra os nazistas na Segunda Guerra Mundial, mas, fora isso, não são realmente conhecidos por coisa nenhuma.

Ainda assim, pessoas que ouviram falar em Genovia adoram ir lá porque o lugar é belíssimo, com sol quase o tempo todo, com os Alpes cobertos de neve lá no fundo e o Mediterrâneo cristalino bem à frente. O país tem um monte de colinas, algumas delas tão inclinadas quanto as de São Francisco e a maioria com oliveiras crescendo nos lados. O principal produto de exportação de Genovia, lembro por causa da minha pesquisa, é azeite de oliva, o tipo caro pra caramba que mamãe só usa para temperar salada.

Lá também tem um palácio. É mais ou menos famoso porque foi usado uma vez como cenário de um filme sobre os três mosqueteiros. Eu nunca estive lá, mas passamos de carro por fora, eu e Grandmère. O palácio tem todas aquelas torretas, contrafortes avançados, esse tipo de coisa.

Estranho que Grandmère nunca tenha dito, quando a gente passava de carro por lá, que morou ali em outros tempos.

Meus soluços passaram. Acho que posso voltar sem medo a Palm Court.

Vou dar um dólar à atendente do banheiro, mesmo que ela não tenha me atendido.

Ei, eu tenho dinheiro para esbanjar: meu pai é príncipe!

Mais tarde na quinta, na Casa dos Pinguins no Zoológico do Central Park

Estou com tanto medo que mal consigo escrever. Além disso, pessoas continuam esbarrando no meu cotovelo e aqui é escuro, mas tanto faz.

Tenho que escrever exatamente o que aconteceu. Senão, quando acordar amanhã, posso pensar que foi apenas um pesadelo.

Mas não foi um pesadelo. Foi REAL.

Não vou contar a ninguém, nem mesmo a Lilly. Lilly NÃO entenderia. NINGUÉM entenderia. Porque ninguém que conheço jamais esteve nessa situação antes. Ninguém foi dormir uma noite como uma pessoa e acordou na manhã seguinte descobrindo que era alguém inteiramente diferente.

Quando voltei para nossa mesa, depois dos soluços no banheiro do Plaza, notei que os turistas alemães haviam sido substituídos por japoneses. O que era um avanço. Os japoneses são muito mais tranquilos. Quando sentei, papai falava ao celular (com minha mãe, descobri logo). Ele tinha aquela expressão que só usa quando fala com ela. E dizia: "Sim, contei a ela. Não, ela não parece nervosa." Olhou para mim e disse: "Você está perturbada?"

Eu disse: "Não", porque não estava... não naquele MOMENTO.

Ele continuou ao telefone: "Ela disse que não." Escutou por um minuto e em seguida voltou a me olhar. "Você quer que sua mãe venha aqui para ajudar a explicar as coisas?"

Sacudi a cabeça. "Não. Ela tem que terminar aquela peça de vários estilos para a Kelly Tate Gallery. A galeria quer a peça na próxima semana."

Papai repetiu essas palavras pra mamãe. Ouvi quando ela resmungou alguma coisa em resposta. Ela sempre resmunga quando lembro a ela que tem que entregar quadros em uma certa data. Mamãe gosta de trabalhar quando as Musas dão uma ajudinha. Uma vez que papai paga a maioria das nossas contas, isto geralmente não é problema, mas também não é uma maneira muito responsável de um adulto se comportar, mesmo que seja uma pintora. Juro que, se um dia for apresentada às Musas da minha mãe, dou uns chutes tão rápidos na túnica delas que elas nem saberão quem foi que as atingiu.

Finalmente, papai desligou e me olhou. "Está melhor?", perguntou.

Então, afinal de contas, acho que ele notou os soluços. "Estou", respondi.

"Você realmente entende o que estou lhe dizendo, Mia?"

Inclinei a cabeça. "Você é o príncipe de Genovia."

"Sim, sou...", disse ele, como se houvesse mais.

Eu não sabia mais o que dizer. Então tentei: "Grandpère era o príncipe de Genovia antes de você?"

"Era", disse ele.

"De modo que Grandmère é... o quê?"

"A princesa-viúva."

Eu me encolhi toda. Uau. Isso explicava um bocado de coisas sobre Grandmère.

Papai poderia dizer, nesse momento, que eu estava desnorteada. Ele continuava me encarando, parecendo muito esperançoso. Finalmente, depois de tentar apenas sorrir inocentemente para ele durante um tempo, e falhando, me afundei na cadeira e perguntei: "Ok. E daí?"

Ele pareceu desapontado. "Mia, você ainda não entendeu?"

Eu estava com a cabeça apoiada na mesa. Ninguém espera que alguém faça isso no Plaza, mas eu também não havia notado que Ivana Trump estava olhando em nossa direção. "Não...", disse. "Acho que não. Entender o quê?"

"Você não é mais Mia Thermopolis, querida", disse ele. Por ser nascida fora do casamento e minha mãe não acreditar no que chama de culto do patriarcado, ela me batizou com o nome de solteira dela, em vez do nome do papai.

Levantei a cabeça da mesa ao ouvir essas palavras. "Não sou?", perguntei, piscando algumas vezes. "Quem eu sou então?"

E ele continuou falando, bondosa e tristemente: "Você é Amelia Mignonette Grimaldi Thermopolis Renaldo, Princesa de Genovia."

OK.

O QUÊ? PRINCESA? EU???

Ahan, sei.

É assim que NÃO sou princesa. Tanto NÃO sou que, quando meu pai começou a me dizer que eu era, comecei a chorar desesperadamente. Vi meu reflexo no grande espelho dourado, do outro lado do salão, e meu rosto estava todo inchado, como acontece na Educação Física, quando a gente joga queimado e leva uma bolada na cara. Olhei para meu rosto naquele espelho enorme, vi como estava e me perguntei: É assim que uma princesa se parece?

Você devia ter visto com o que eu parecia. Nunca veria uma pessoa que parecesse MENOS princesa do que eu. Quero dizer, meu cabelo tem um aspecto terrível, nem liso nem ondulado. É meio triangular, então tenho que cortá-lo bem curto ou pareço um espantalho. E nem é louro nem escuro, fica no meio-termo, o tipo de cor que chamam de cor de rato, ou louro-água-suja. Atraente, ahn? E tenho um bocão e tanto, nenhum peito e pés que parecem esquis. Lilly diz que meu único aspecto atraente está nos olhos, que são acinzentados, mas naquele exato momento estavam apertados e vermelhos porque eu fazia força para não chorar.

O que quero dizer é que princesas não choram, certo?

Nesse momento, papai estendeu o braço e começou a alisar minha mão. Ok, eu amo meu pai, mas ele simplesmente não tinha ideia do que fazer. Continuava dizendo que sentia muito. Eu não podia responder porque tinha medo de que, se falasse, fosse chorar ainda mais. Ele continuou tentando dizer que a situação não era tão ruim assim, que eu iria gostar de morar no palácio em Genovia com ele, e que eu poderia voltar quando quisesse para visitar meus amiguinhos.

Foi aí que não entendi mais nada.

Eu não só era uma princesa, mas teria que me MUDAR???

Parei de chorar quase imediatamente, porque nesse momento eu estava com raiva. Realmente furiosa. Eu não me irrito com frequência, porque tenho medo de briga e tal, mas quando fico, é melhor sair da frente.

"Eu NÃO VOU me mudar para Genovia", disse, em voz bem alta. Sei que era alta porque todos os turistas japoneses se viraram e olharam para mim e, em seguida, começaram a conversar baixinho entre si.

Papai pareceu meio chocado. A última vez que gritei com ele foi há anos, quando ele concordou com Grandmère que eu devia comer um pouco de *foie gras*. Não dou a mínima se isso é comida fina na França. Eu não vou comer coisa nenhuma que andava e grasnava.

"Mas, Mia", disse papai naquele tom de voz vamos-ser-sensatos, "eu pensei que você havia entendido".

"Tudo que eu entendi", respondi, "foi que você mentiu pra mim durante toda a minha vida. Por que eu deveria ir morar com você?".

Entendi logo que essa era a coisa inteiramente errada pra se dizer, e lamento não ter pedido desculpa. Levantei muito rápido, joguei a cadeira dourada para trás e saí correndo dali, quase derrubando aquele porteiro metido a besta.

Acho que papai tentou me seguir, mas eu corro bem rápido quando quero. O Sr. Wheeton vive tentando me convencer a entrar na equipe de atletismo da escola, mas isto até parece piada, porque odeio correr sem motivo. Uma letra numa camiseta idiota não é motivo para correr, pelo menos para mim.

De qualquer modo, saí correndo para a rua, passei por aquelas estúpidas charretes usadas por turistas, passei pela grande fonte com as estátuas douradas dentro, passei por todo o tráfego na porta da F.A.O. Schwarz, e entrei no Central Park, que estava ficando meio escuro, frio, fantasmagórico e coisas assim, mas não me importei. Ninguém ia me atacar, porque eu era uma garota de quase 1,80m de altura correndo com coturnos e uma grande mochila nas costas com adesivos como **APOIE O GREENPEACE** e **EU LUTO PELOS ANIMAIS**. Ninguém se mete com uma garota usando coturnos, principalmente quando ela também é vegetariana.

Depois de algum tempo, cansei de correr e tentei pensar aonde poderia ir, já que ainda não era hora de voltar para casa. Eu sabia que não podia ir pra casa da Lilly. Ela é inteiramente contra toda forma de governo que não seja do povo, exercido diretamente ou através de representantes eleitos. Ela sempre diz que, quando a soberania é investida em uma única pessoa, cujo direito de governar é hereditário, perdem-se irrevogavelmente os princípios de igualdade social e respeito pelo indivíduo na comunidade. É esse o motivo pelo qual o poder autêntico passou de monarcas reinantes para assembleias constitucionais, tornando figuras da realeza, como a Rainha Elizabeth, meros símbolos da unidade nacional.

Pelo menos foi isso o que ela disse um dia destes na prova oral de Civilizações Mundiais.

E eu acho que concordo um pouco com Lilly, especialmente sobre o Príncipe Charles — ele tratou mesmo Diana como se ela fosse lixo —, mas meu pai não é assim. Sim, ele joga polo e tal, mas nunca sonharia em sujeitar alguém à taxação sem representação.

Mesmo assim, eu tinha quase certeza de que o fato de o povo de Genovia não ter que pagar impostos não ia fazer a mínima diferença para Lilly.

Eu sabia que a primeira coisa que papai faria seria ligar para mamãe, e ela ficaria preocupada. Odeio causar preocupações à mamãe. Mesmo que ela possa ser irresponsável às vezes, isto só acontece com coisas como pagamento de contas e compras no supermercado. Ela nunca é irresponsável comigo. Eu tenho amigas cujos pais, às vezes, nem se lembram de dar a elas dinheiro para o metrô. Tenho amigas que dizem aos pais que vão para a casa de alguém e que, em vez disto, saem para encher a cara e eles nem desconfiam porque não conferem com os pais da outra.

Mamãe não gosta disso. Ela SEMPRE confere.

Por isso eu sabia que não era justo sair correndo assim e deixá-la preocupada. Eu não me importava muito com o que meu pai pensava. Nesse momento, eu estava com muito ódio dele. Mas eu simplesmente precisava ficar sozinha por algum tempo. Quer dizer, é preciso algum tempo pra gente se acostumar com a ideia de ser uma princesa. Acho que algumas meninas poderiam gostar disso, mas não eu. Eu nunca fui muito feminina, sabe? Nunca usei maquiagem, meia-calça e coisas assim. Quer dizer, posso fazer isso, se for preciso, mas prefiro não fazer.

Prefiro mesmo não fazer.

De qualquer jeito, não sei como, mas parecia que meus pés sabiam aonde estavam indo, e, quando menos esperava, cheguei ao zoológico.

Eu adoro o zoológico do Central Park. Sempre adorei, desde pequenininha. É muito melhor do que o zoológico do Bronx, porque é pequeno e aconchegante e os animais são muito mais amigáveis, especialmente as focas e os ursos-polares. Adoro ursos-polares. No zoológico do Central Park há aquele urso-polar e tudo que ele faz durante o dia inteiro é nadar de costas. Juro! Uma vez ele apareceu nos jornais porque o psicólogo dele estava preocupado, achando que ele poderia estar estressado. Deve ser um saco ver pessoas olhando pra gente o dia inteiro. Mas compraram uns brinquedos para ele e, depois disso, ficou tudo bem. Ele simplesmente fica em seu espaço — no zoológico do Central Park não há jaulas, apenas espaços — e observa a gente olhar para ele. Às vezes, enquanto faz isso, ele segura uma bola. Eu amo aquele urso.

Então, depois de liberar uns dois dólares para entrar — isto é a outra coisa boa nesse zoológico, o ingresso é barato —, fiz uma visitinha ao urso-polar. Ele parecia estar bem. Muito melhor do que eu, no momento. Quer dizer, o pai dele não havia lhe dito que ele era o herdeiro do trono de algum lugar. Fiquei pensando de onde teria vindo aquele urso. Tomara que tenha vindo da Islândia.

Depois de algum tempo, ficou cheio demais em frente ao espaço do urso e resolvi ir até a casa dos pinguins. Lá fede pra caramba, mas é divertido. Tem aquelas janelas que dão para a água, então a gente pode ver os pinguins nadando de um lado para o outro, deslizando em cima das pedras e levando uma maravilhosa vida de pinguim. Meninos põem as mãos no vidro e, quando um pinguim se aproxima nadando, eles começam a gritar. Isso me tira do sério. Ali há um banco e é nele que estou agora, escrevendo estas palavras. A gente se acostuma com o fedor depois de algum tempo. Acho que a gente consegue se acostumar com qualquer coisa.

Ai, meu Deus, não posso acreditar que acabei de escrever isso! Eu NUNCA vou me acostumar a ser a Princesa Amelia Renaldo! Nem mesmo sei quem ela é! Parece o nome de alguma linha cretina de produtos de maquiagem ou um personagem de um filme da Disney que esteve perdido e que acaba de recuperar a memória, ou coisa assim.

O que eu vou fazer? Eu NÃO posso me mudar para Genovia, simplesmente NÃO POSSO!! Quem é que vai cuidar do Fat Louie? Mamãe não pode. Ela *não lembra* de comer, quanto mais de dar comida a um GATO.

Tenho certeza de que não vão deixar que eu tenha um gato no palácio. Pelo menos não um gato como Louie, que pesa 11kg e come meias. Ele ia assustar todas as damas de companhia.

Ai, Deus! *O que vou fazer?*

Se Lana Weinberger souber disso, estou ferrada.

Mais tarde ainda na quinta

Infelizmente eu não poderia me esconder para sempre na casa dos pinguins. No fim, acabaram apagando as luzes e dizendo que estava na hora de fechar. Guardei o diário na mochila e saí do zoológico como todo mundo. Peguei um ônibus para o centro e voltei para casa, onde tinha certeza de que iria receber o maior SERMÃO da mamãe.

O que eu não contei foi com a possibilidade de o receber dos DOIS, ao mesmo tempo. Era a primeira vez que isso acontecia.

"Onde foi que você esteve, mocinha?", perguntou ela, sentada na cozinha com papai e o telefone entre eles.

Exatamente no mesmo instante, meu pai disse: "Nós estávamos morrendo de preocupação."

Pensei que fosse ficar de castigo em casa pelo resto da vida, mas tudo que eles queriam saber era se eu estava bem. Garanti que estava e pedi desculpas por ter aprontado essa com eles. Eu simplesmente precisava ficar sozinha, disse.

Eu estava realmente preocupada que eles fossem me esfolar, mas eles nem de longe fizeram isto. Mamãe tentou me obrigar a comer um pouco de macarrão, mas eu não quis, porque tinha sido temperado com molho de carne. Meu pai, nesse momento, se ofereceu para mandar seu motorista ao Nobu, comprar um prato de peixe, mas tudo que respondi foi: "Pra dizer a verdade, papai, tudo que quero é ir dormir." Depois, mamãe botou a mão na minha testa, rosto, pescoço, pensando que eu estava doente. Isso quase me fez voltar a chorar. Acho que meu pai se lembrou da minha expressão no Plaza, porque, de repente, tudo que disse foi: "Helen, deixe-a em paz."

Para minha surpresa, mamãe fez exatamente isso. Então fui para o quarto, fechei a porta, tomei um banho quente e demorado, vesti meu pijama preferido, o de flanela vermelha fria, encontrei Fat Louie debaixo do sofá, onde tentava se esconder do meu pai (ele não gosta muito do papai), e fui dormir.

Antes de pegar no sono, ouvi meu pai falando durante muito, muito tempo com mamãe na cozinha. A voz dele era grossa, como de um trovão. De certa maneira, me lembrava a voz do capitão Picard em *Jornada nas Estrelas: a Nova Geração*.

Papai, para dizer a verdade, tem muita coisa em comum com o capitão Picard. Sabe como é, ele é careca e tem que mandar numa pequena população.

Exceto que o capitão Picard sempre dá um jeito de tudo acabar bem no fim do episódio, e eu sinceramente duvidava que alguma coisa fosse acabar bem para mim.

Sexta, 3 de outubro, Sala de Estudos

Hoje, quando acordei, os pombos que moram na escada de incêndio da minha janela estavam arrulhando feito uns desesperados (Fat Louie estava no peitoril da janela — bem, pelo menos o quanto dele cabia ali —, de tocaia), e o sol brilhava. Levantei na hora, acreditem ou não, sem apertar sete mil vezes o botão do despertador. Tomei um banho e não me cortei quando raspei as pernas, encontrei no fundo do armário uma blusa só um pouquinho amassada e até consegui deixar meu cabelo mais ou menos apresentável. Era sexta. Sexta é o meu dia predileto, fora sábado e domingo. Sextas sempre significam dois dias — dois gloriosos dias de relaxamento — SEM álgebra pela frente.

Entrei na cozinha e lá estava aquela luz cor-de-rosa entrando pela claraboia, direto na mamãe, que estava usando seu melhor roupão e fazendo torradas francesas com ovos desidratados, em vez de ovos de verdade, mesmo que eu não seja contra ovos desde que soube que eles não são do tipo galado e, portanto, nunca poderiam vir a ser pintos.

Eu estava pronta para agradecer a ela por pensar em mim, quando ouvi aquele ruído baixo.

E lá estava meu PAI sentado à mesa da sala de jantar (bem, é apenas uma mesa, já que a gente não tem sala de jantar, mas enfim...), lendo o *New York Times* e usando terno.

Terno. Às sete horas da manhã.

Mas depois me lembrei. Não posso acreditar que tenha me esquecido:

Eu sou uma princesa.

Ai, meu Deus. Tudo que havia de bom no meu dia simplesmente evaporou depois disso.

Logo que me viu, meu pai ficou todo: "Ah, Mia."

Eu sabia que não ia escapar. Ele só diz "Ah, Mia" quando vai me passar um baita sermão.

Ele dobrou com todo cuidado o jornal e o colocou de lado. Meu pai sempre dobra jornais com capricho, deixando todas as bordas certinhas. Minha mãe nunca faz isso. Ela geralmente amassa as páginas, deixando-as fora de ordem no sofá ou junto ao vaso sanitário. Esse tipo de coisa faz meu pai ficar doido e é provavelmente a razão por que eles nunca se casaram.

Percebi que minha mãe havia posto a mesa com nossos melhores pratos Kmart, aqueles com listras azuis, e os grandes copos de plástico em forma de cacto para tomar marguerita, comprados na Ikea. Chegou até a colocar um buquê de girassóis artificiais no centro da mesa, em um vaso amarelo. Ela havia feito tudo para me animar, eu sabia, e tinha provavelmente acordado bem cedo para fazer isso. Mas, ao invés de me animar, tudo isso só me deixou ainda mais triste.

Porque aposto que não usam copos de marguerita em forma de cacto no café da manhã no palácio de Genovia.

"Nós precisamos conversar, Mia", papai disse. É sempre assim que começam seus piores sermões. Exceto que, desta vez, ele me olhou meio esquisito, antes de começar. "O que houve com seu cabelo?"

Levei a mão à cabeça. "Por quê?" Eu achei que, para variar, meu cabelo estava legal.

"Não há nada com o cabelo dela, Phillipe", disse mamãe. Ela tenta cortar o barato dos sermões do papai sempre que pode. "Sente-se, Mia, e coma alguma coisa. Eu até esquentei o xarope para as torradas francesas, do jeito que você gosta."

Fiquei grata por essa gentileza da mamãe. Fiquei mesmo. Mas eu não ia me sentar e conversar sobre meu futuro em Genovia. Quero dizer, dá um tempo! Então disse apenas: "Ah, eu adoraria, de verdade, mas tenho que ir. Hoje tenho prova de Civilizações Mundiais e prometi a Lilly que a gente se encontraria para comparar as anotações..."

"Sente-se."

Cara, quando quer, meu pai realmente fala como um comandante de nave espacial da Federação.

Sentei. Mamãe empurrou umas torradas francesas pro meu prato. Derramei xarope por cima e dei uma mordida, apenas para ser educada. Tinha gosto de papelão.

"Mia", disse mamãe. Ela ainda estava tentando acabar com o sermão do papai. "Eu sei como você deve estar chateada com tudo isso. Mas, na verdade, a coisa não é tão ruim quanto você está pensando."

Ah, tudo bem. De repente, alguém me diz que sou uma princesa e devo ficar toda feliz com isso?

"Quer dizer", continuou mamãe, "a maioria das meninas provavelmente ficaria felicíssima ao descobrir que o pai é um príncipe!".

Nenhuma menina que eu conheço. Não, isso não é verdade. Lana Weinberger, provavelmente, adoraria ser princesa. Na verdade, ela já acha que é.

"Simplesmente pense em todas as coisas lindas que poderia ter se fosse morar em Genovia." O rosto da mamãe se iluminou todo, enquanto começava a fazer uma lista das coisas lindas que eu poderia ter se fosse morar em Genovia, mas a voz dela tinha um tom estranho, como se ela estivesse representando um papel de mãe na TV, ou coisa assim. "Como um carro! Você sabe como é impraticável ter um carro aqui na cidade. Mas em Genovia, quando você fizer dezesseis anos, tenho certeza de que seu pai comprará..."

Eu disse que já havia problemas de sobra com a poluição na Europa sem a minha contribuição. As emissões de diesel são uma das maiores causas de destruição da camada de ozônio.

"Mas você sempre quis um cavalinho, não quis? Em Genovia, você pode ter um. Um baio com manchas pretas na..."

Isso doeu.

"Mamãe", falei, com os olhos se enchendo de lágrimas. Eu simplesmente não consegui evitar. De repente, estava chorando de novo como uma desesperada. "O que você está fazendo? Você quer que eu vá morar com papai? É isso? Está cansada de mim ou é alguma outra coisa? Quer que eu vá morar com papai para que você e o Sr. Gianini possam... possam..."

Não pude continuar porque comecei a chorar de verdade. Mas mamãe estava chorando também. Saltou da cadeira, deu a volta na mesa e começou a me abraçar, dizendo: "Ah, não, amor! Como você pode pensar uma coisa dessa?" E parou de parecer uma mãe de TV. "Eu só quero o que é melhor para você."

"Eu também", disse papai, parecendo aborrecido. Ele havia cruzado os braços sobre o peito e se inclinava para trás na cadeira, olhando pra gente com irritação.

"O melhor pra mim é ficar aqui mesmo e terminar o ensino médio", disse a ele. "E, depois, vou entrar para o Greenpeace e ajudar a salvar as baleias."

Meu pai pareceu ainda mais irritado ao ouvir isso. "Você não vai entrar no Greenpeace", disse.

"Vou sim", respondi. Era difícil à beça falar, porque eu estava chorando e tal, mas disse a ele: "E também vou para a Islândia, salvar os filhotes de focas."

"Não vai, de jeito nenhum." Meu pai não parecia simplesmente irritado. Nesse momento, parecia furioso. "Você vai para a faculdade. Vassar, acho. Talvez Sarah Lawrence."

Isso me fez chorar mais ainda.

Mas, antes que eu pudesse dizer alguma coisa, mamãe levantou a mão e disse: "Phillipe, não. Nós não estamos conseguindo nada aqui. Mia tem que ir para a escola. Ela já está atrasada..."

Comecei logo a procurar a mochila e o casaco. "Isso mesmo", disse. "Tenho que recarregar meu cartão do metrô."

Meu pai fez aquele som francês esquisito que faz às vezes. É alguma coisa entre um resmungo e um suspiro. Parece um *Pfuit!* Depois, disse: "Lars leva você."

Eu disse ao papai que isso não era necessário, porque encontro todos os dias com Lilly no Astor Place, onde pegamos juntas o metrô da linha 6 para a Zona Norte.

"Lars pode levar sua amiga também."

Olhei para mamãe, que estava olhando para o papai. Lars é o motorista do papai. Ele vai a todos os lugares aonde papai vai. Desde que me conheço por gente, ele tem um motorista, geralmente um cara fortão que trabalhava para o presidente de Israel ou alguém assim.

Pensando bem, é óbvio que esses caras não são realmente motoristas, são seguranças.

Uau!

Ok, a última coisa que eu queria era que o segurança do papai me levasse pra escola. Como eu ia explicar isso a Lilly? *Ah, não liga pra ele. Ele é apenas o motorista do papai.* Até parece. A única pessoa na Escola Albert Einstein que chega de motorista é aquela menina árabe podre de rica chamada Tina Hakim Baba, cujo pai é dono de uma grande companhia de petróleo. E todo mundo acha engraçado porque os pais dela ficam muito preocupados, com medo de que ela seja sequestrada entre a rua 75 e a Madison, onde mora. Ela tem até um segurança que a segue de uma sala de aula para outra e conversa num rádio com o motorista. Isso é um exagero, na minha opinião.

Mas papai foi inflexível na questão do motorista. Como eu agora sou oficialmente uma princesa, tem que haver toda essa preocupação com meu bem-estar. Ontem, quando eu era Mia Thermopolis, não tinha problema andar de metrô. Hoje, que sou a Princesa Amelia, esqueça.

Ok, tudo bem. Não parecia valer a pena discutir isso. Quer dizer, há coisas piores com que me preocupar.

Como em que país vou morar num futuro próximo.

Quando eu estava saindo — meu pai mandou Lars subir até o apartamento e me escoltar até o carro, uma coisa realmente ridícula —, ouvi ele dizer à mamãe: "Tudo bem, Helen. Quem é esse tal Gianini sobre quem Mia estava falando?"

Ops!

*$ab = a + b$

resolver a equação para achar o valor de b
$ab - b = a$
$b(a - 1) = a$
$b = \dfrac{a}{a - 1}$

Ainda na sexta, Álgebra

Lilly notou imediatamente que havia algo no ar.
Ah, ela engoliu a história que contei sobre Lars: "Papai está na cidade, tem motorista e, como você sabe..."

Mas não consegui contar a ela a parte da princesa. Quer dizer, a única coisa em que eu pensava era no tom de desgosto da voz de Lilly quando, em uma exposição oral, disse que monarcas cristãos costumavam se considerar representantes da vontade divina e que, portanto, não eram responsáveis perante os povos que governavam, apenas perante Deus, embora meu pai raramente vá à igreja, exceto quando Grandmère o obriga.

Lilly acreditou no que eu disse sobre Lars, mas continuou me perturbando sobre o choro, dizendo coisas como: "Por que seus olhos estão tão vermelhos e apertados? Você andou chorando. Por quê? Aconteceu alguma coisa? O que foi? Tirou outro zero em alguma matéria?"

Eu simplesmente encolhi os ombros e fingi que olhava pela janela para a vista nada inspiradora das casas abandonadas do East Village pelas quais tínhamos que passar para chegar à FDR. "Não é nada não", respondi. "TPM."

"Não é TPM. Você ficou menstruada na semana passada. Lembro porque você me pediu emprestado um absorvente depois da aula de Educação Física e comeu dois pacotes inteiros de bolinhos de chocolate no almoço." Às vezes eu gostaria que a memória da Lilly não fosse tão boa. "Então desembucha. Louie comeu outra meia?"

Para começar, era muito constrangedor discutir meu ciclo menstrual na frente do segurança do meu pai. Quero dizer, Lars é um tipo de Baldwin. Estava muito concentrado em dirigir, e não sei se ele, do lugar do motorista, podia nos ouvir, mas era constrangedor mesmo assim.

"Não é nada", murmurei. "Apenas meu pai. Você sabe."

"Ah!", disse ela em voz normal. Eu já disse que a voz normal da Lilly é realmente muito alta? "Você quer dizer, aquela coisa da esterilidade? Ele ainda está arrasado por causa disso? Deus, ele precisa se autorrealizar."

Lilly continuou falando sobre o que chama de árvore junguiana de autorrealização. Disse que meu pai está nos ramos mais baixos e que não vai conseguir chegar ao topo da coisa até que ele se aceite como é e deixe de ficar obcecado com sua incapacidade de ter mais filhos.

Acho que isso é parte do meu problema. Eu estou na parte mais baixa da árvore de autorrealização, embaixo das raízes dela, praticamente.

Mas neste momento, aqui na aula de álgebra, as coisas não parecem assim tão ruins. Pensei nelas durante todo o tempo na sala de estudos e, finalmente, compreendi uma coisa:

Eles não podem me obrigar a ser princesa.

Não podem mesmo. Quer dizer, estamos nos Estados Unidos, onde a gente tem liberdade. Aqui a gente pode ser tudo que quiser ser. Pelo menos, foi isso o que a Sra. Holland passou o ano inteiro dizendo quando estudamos a história dos Estados Unidos. Então, se posso ser tudo que quero, posso não ser princesa. Ninguém pode me obrigar a ser princesa se eu não quiser, nem mesmo meu pai.

Certo?

Então, quando voltar para casa hoje à noite, eu direi ao papai: obrigada, mas não, obrigada. Por ora, vou ser apenas a velha e feia Mia.

Meu Deus! O Sr. Gianini acabou de me chamar e eu não tenho a menor ideia do que ele estava falando, porque, lógico, eu estava escrevendo neste diário, em vez de prestar atenção. Minha cara parece estar pegando fogo. Lana, pra variar, está dando gargalhadas. Ela é tão idiota!

Mas por que, afinal de contas, ele continua me chamando? Ele já devia saber que eu não sei a diferença entre uma equação do segundo grau e um buraco no chão. Ele está me escolhendo apenas por causa da minha mãe. Ele quer dar a impressão de que me trata do mesmo jeito que trata todo mundo da turma.

Mas eu não sou igual a todo mundo da turma.

Para que tenho que saber álgebra? Ninguém usa álgebra no Greenpeace.

E pode apostar que não vou precisar disso se for uma princesa. Então, aconteça o que acontecer, estou garantida.

Legal.

* encontre a solução de $x = a + aby$ para achar y

$x - a = aby$

$\dfrac{x - a}{ab}$

$\dfrac{x - a}{b} = y$

Ainda mais tarde na sexta, Quarto da Lilly Moscovitz

Ok, mandei pro espaço a aula de reforço do Sr. Gianini. *Reconheço* que não devia ter feito isso. Acreditem, Lilly não deixou dúvida que eu não devia ter feito isso. Sei que ele organiza essas aulas extras apenas para pessoas que estão indo mal, como eu. Sei que ele faz isso em seu tempo livre e que não recebe a mais. Mas, se não vou precisar de álgebra em qualquer possível futura carreira, por que preciso assistir à aula?

Perguntei a Lilly se podia passar a noite na casa dela, e ela respondeu que só se eu prometesse parar de me comportar como uma doida.

Prometi, mesmo não achando que esteja me comportando como uma doida.

Mas quando interfonei pra mamãe, depois das aulas, para perguntar se podia passar a noite na casa dos Moscovitz, o que ela disse foi: "Humm, para dizer a verdade, Mia, seu pai estava até com esperança de que, quando você voltasse para casa hoje à noite, nós poderíamos ter outra conversa."

Ah, legal!

Disse à mamãe que, embora não houvesse coisa que eu quisesse mais do que outra conversa, estava muito preocupada com Lilly, já que seu stalker tinha acabado de ter alta do Hospital Psiquiátrico Bellevue. Desde que Lilly iniciou seu programa de TV, esse cara chamado Norman vinha lhe telefonando, pedindo que ela tirasse os sapatos. De acordo com os Drs. Moscovitz, Norman é um fetichista. A fixação dele é em pés — em particular os pés da Lilly. Ele envia coisas para ela, através da organização do programa, CDs, animais empalhados e coisas assim, e escreve que mandará mais coisas se Lilly simplesmente tirar os sapatos no ar. Então, o que Lilly faz é tirar os sapatos, isto mesmo, mas em seguida coloca um cobertor sobre as pernas, mexe os pés por baixo e diz: "Olhe, Norman, seu esquisito! Tirei os sapatos! Obrigado pelos CDs, seu bobalhão!"

Isso irritou tanto Norman que ele passou a perambular pelo Village à procura da Lilly. Todo mundo sabe que ela mora no Village, desde que filmamos um episódio muito popular, no qual ela pegou emprestada uma pistola de marcação de preço da Grand Union e disse a todos os turistas europeus que circulavam pelo NoHo que, se usassem uma etiqueta de preço da Grand Union na testa, poderiam ganhar um café expresso da Dean & DeLuca (uma quantidade surpreendente deles acreditou).

De qualquer modo, certo dia, há algumas semanas, Norman, o fetichista de pés, nos encontrou no parque e começou a nos perseguir, agitando notas de vinte dólares e tentando nos convencer a tirar os sapatos. A coisa foi muito engraçada e nem um pouco assustadora, especialmente porque demos de cara com o posto de polícia, na esquina da Washington Square com a Thompson

Street, onde a 6ª Delegacia para aquele enorme trailer para poder espionar os traficantes de drogas. A gente disse à polícia que um cara esquisito estava tentando nos atacar. Vocês deviam ter visto. Uns vinte agentes disfarçados (até um cara que eu pensava que fosse um velho morador de rua dormindo num banco) saltaram sobre Norman e o arrastaram, aos gritos, de volta para o hospital!

Eu sempre me divirto muito com a Lilly.

Então os pais dela lhe disseram que Norman havia acabado de ter alta do hospital psiquiátrico e que, se o encontrasse, ela não devia atormentá-lo, porque ele provavelmente é alguém obsessivo-compulsivo com possíveis tendências esquizofrênicas.

Mas mamãe não ficou muito convencida com a minha história e disse: "Mia, entendo o fato de você querer ajudar sua amiga neste período difícil dela com o cara que a persegue, mas acho, realmente, que você tem responsabilidades mais urgentes aqui em casa."

E tudo que eu disse foi: "Que responsabilidades?", achando que ela estava pensando na lata de lixo que eu havia esvaziado dois dias antes.

E ela disse: "Responsabilidades com seu pai e comigo."

Eu não entendi nada. Responsabilidades? *Responsabilidades. Ela* está *me* falando em responsabilidades? Qual foi a última vez que *ela* se lembrou de deixar as roupas na lavanderia, ainda mais de ir buscá-las? Qual foi a última vez que *ela* se lembrou de comprar cotonetes, papel higiênico ou leite?

E ela pensou em dizer, em algum dos meus 14 anos, que eu poderia acabar me tornando, algum dia, princesa de Genovia?

E *ela* pensa que precisa me falar sobre *minhas* responsabilidades? Hahaha!!!!!

Eu quase desliguei o telefone na cara dela. Mas Lilly andava meio por perto, treinando seus deveres de administradora, ligando e desligando as luzes da portaria da escola. Já que eu havia prometido não me comportar como uma doida, e descontar minha frustração em cima da minha mãe era definitivamente coisa de doido, disse em um tom de voz que era um modelo de paciência: "Não se preocupe, mamãe, não vou esquecer de passar na Genovese na volta pra casa amanhã e comprar uns novos sacos para o aspirador."

E *depois* desliguei.

* DEVER DE CASA

Problemas de álgebra 1-12, pág. 119

Inglês: projeto

Civilizações Mundiais: questões no fim do Capítulo 4

S&T: nenhum

Francês: usar *avoir* em frase negativa, ler as lições um a três, *pas de plus*

Biologia: nenhum

Sábado, 4 de outubro, de manhã cedo, Apartamento da Lilly

Por que eu me divirto tanto quando passo a noite na casa da Lilly? Quer dizer, não é que eles tenham coisas que eu não tenho. Na verdade, mamãe e eu temos coisas melhores. Os Moscovitz só têm uns dois canais de filmes e, porque aproveitei uma superpromoção, nós temos todos eles, Cinemax, HBO e Showtime, pela tarifa mais baixa, de US$19,99 ao mês.

Além disso, temos gente melhor para espiar pelas janelas, como Ronnie, que já foi Ronald e agora é chamada de Ronette, e que dá as maiores festas; e aquele casal alemão magrelo que usa roupa preta o tempo todo, mesmo no verão, e nunca fecha as cortinas. Na Quinta Avenida, onde os Moscovitz moram, não há ninguém legal pra gente olhar: apenas outros psicanalistas ricos e seus filhos. Vai por mim, a gente não vê nada que preste pelas janelas *deles*.

Mas sempre que passo a noite aqui, mesmo que tudo que a gente faça seja ficar na cozinha, comendo o macarrão que sobrou do Rosh Hashanah, eu me divirto pra caramba. Talvez isso aconteça porque Maya, a empregada dominicana dos Moscovitz, nunca se esquece de comprar suco de laranja e sempre se lembra de que eu não gosto do tipo cheio de bagaço. E, se ela sabe que vou passar a noite lá, compra uma lasanha vegetariana no Balducci, em vez da bolonhesa, especialmente para mim, como fez na noite passada.

Ou talvez seja porque nunca vejo potes velhos de alguma coisa, cheios de mofo, na geladeira dos Moscovitz. Maya joga fora tudo que passou um dia do prazo de validade. Mesmo creme de cebola ainda fechado. Até latinhas de refrigerante.

E os Drs. Moscovitz nunca se esquecem de pagar a conta de luz. A companhia elétrica nunca desligou a luz deles no meio de uma maratona de *Jornada nas estrelas*. E a mãe da Lilly sempre fala sobre coisas normais, como o grande desconto que conseguiu numa meia-calça Calvin Klein na Bergdorf's.

Não que eu não ame minha mãe ou coisa parecida. Amo de paixão. Eu só queria que ela fosse mais mãe e menos pintora.

E gostaria que meu pai fosse mais parecido com o pai da Lilly, que sempre quer preparar uma omelete pra mim porque acha que estou muito magra, e que anda pela casa com a velha calça de moletom da faculdade quando não tem que ir para o consultório analisar alguém.

O Dr. Moscovitz *nunca* usaria terno às sete da manhã.

Não que eu não ame meu pai. Amo, eu acho. Eu simplesmente não entendo como ele deixou que uma coisa dessa acontecesse. Ele é normalmente tão organizado. *Como ele aceitou se tornar príncipe?*

Eu simplesmente não entendo isso.

A melhor coisa de ir dormir na casa da Lilly, acho, é que enquanto estou lá não tenho que pensar em coisas como reprovar em álgebra ou ser herdeira do trono de um pequeno principado europeu. Eu posso simplesmente relaxar e saborear rolinhos de canela caseiros enquanto assisto Pavlov, o pastor de Shetland de Michael, tentar levar Maya de volta para a cozinha toda vez que ela quer sair.

Ontem à noite foi uma zoeira só. Os Drs. Moscovitz saíram — tiveram que ir a um evento beneficente no Puck Building, em honra aos filhos homossexuais de sobreviventes do Holocausto —, então Lilly e eu fizemos um balde enorme de pipocas com manteiga, subimos para a cama com dossel dos pais dela e vimos todos os filmes do James Bond de uma vez. Pudemos conferir, de uma vez por todas, se Pierce Brosnan era o James Bond mais magro, Sean Connery o mais cabeludo, e Roger Moore o mais queimado de sol. Nenhum dos James Bond abriu a camisa o suficiente pra gente decidir quem tinha o peito mais bonito, mas acho que provavelmente era o Timothy Dalton.

Gosto de peito cabeludo. Eu acho.

Foi meio irônico o irmão da Lilly ter entrado enquanto eu estava tentando chegar a uma conclusão sobre o assunto. Mas ele estava de camiseta desta vez. E parecia meio chateado. Disse que meu pai queria falar comigo ao telefone. Meu pai estava uma fera porque vinha tentando falar comigo há horas e Michael estava na Internet, respondendo a e-mails de fãs da sua newsletter, *Crackhead*, então meu pai só ouvia o sinal de ocupado.

Devo ter dado a impressão de que ia vomitar ou coisa assim, porque, logo depois, Michael disse: "Ok, não se preocupe com isso, Thermopolis. Eu digo a ele que você e Lilly já foram dormir." O que era uma mentira em que minha mãe nunca acreditaria, mas que deve ter funcionado muito bem com papai, porque Michael voltou e disse que ele pediu desculpas por ligar tão tarde (eram apenas 23h) e que falaria comigo pela manhã.

Legal. Mal posso esperar.

Acho que ainda parecia que eu ia vomitar, porque Michael chamou o cachorro e mandou que ele subisse na cama com a gente, embora animais de estimação não fossem permitidos no quarto dos Drs. Moscovitz. Pavlov se arrastou até o meu colo e começou a me lamber o rosto, o que só faz com pessoas em quem ele realmente confia. Em seguida, Michael se sentou para assistir aos filmes com a gente e, no interesse da ciência, Lilly perguntou quais *Bond girls* ele achava mais atraentes, as louras, que sempre precisavam que James Bond as salvasse, ou as morenas, que sempre apontavam armas para ele, e Michael respondeu que não resistiria a uma garota com uma arma, o que nos levou a assistir aos seus dois programas favoritos de TV, *Xena: a princesa guerreira* e *Buffy, a Caça-Vampiros*.

Então, não realmente no interesse da ciência, mas principalmente por pura curiosidade, perguntei ao Michael: se fosse o fim do mundo e a gente tivesse que repovoar o planeta, e ele só pudesse escolher uma companheira para toda a vida, quem seria, Xena ou Buffy?

Depois de me dizer que eu era esquisita por pensar em uma coisa dessa, Michael escolheu Buffy. Depois Lilly perguntou, se eu tivesse que escolher entre Harrison Ford e George Clooney, quem eu escolheria. Eu disse Harrison Ford, mesmo sendo velho demais, mas o Harrison Ford de *Indiana Jones*, não o de *Guerra nas estrelas*. Lilly disse que escolheria Harrison Ford como Jack Ryan naqueles filmes do Tom Clancy, e então Michael disse: "Quem vocês escolheriam, Harrison Ford ou Leonardo di Caprio?", e nós duas escolhemos Harrison Ford, porque Leonardo é tão *passé*, e ele continuou: "Quem vocês escolheriam: Harrison Ford ou Josh Richter?", e Lilly disse Harrison Ford, porque ele foi carpinteiro e, se fosse o fim do mundo, ele poderia construir uma casa de madeira para ela, mas eu disse Josh Richter, porque ele iria viver mais — Harrison parece que tem SESSENTA anos — e poderia me dar vários filhos.

E foi aí que Michael começou a dizer aquelas coisas inteiramente injustas contra Josh Richter, tipo que diante de uma catástrofe nuclear ele provavelmente amarelaria, mas Lilly disse que medo de coisas novas não é uma medida exata do potencial de crescimento do cara, com o que eu concordei. Mas Michael continuou e disse que nós éramos duas idiotas se pensávamos que Josh Richter sequer informaria as horas para nós, que ele só gostava de garotas oferecidas, como Lana Weinberger. Lilly respondeu que se ofereceria a Josh Richter se ele atendesse a certas exigências, como tomar um banho com solução antibacteriana antes e usar três camisinhas cheias de espermicida durante a transa, para o caso de uma furar e outra escapar.

E depois Michael me perguntou se eu me ofereceria a Josh Richter e eu tive que pensar durante um minuto. Perder a virgindade é realmente uma coisa importante e a gente tem que fazer isso com a pessoa certa ou corre o risco de ficar traumatizada pelo resto da vida, como as mulheres do grupo Mais-de-Quarenta-e-Ainda-Solteira do Dr. Moscovitz, que se reúne quinzenalmente às terças. Então, depois de pensar, eu disse que me ofereceria a Josh Richter, mas apenas se:

1. A gente estivesse namorando há pelo menos um ano
2. Ele me prometesse amor eterno
3. Ele me levasse para ver *A Bela e a Fera* na Broadway e não ridicularizasse a peça

Michael disse que as duas primeiras condições pareciam certas, mas se a terceira era um exemplo do tipo de namorado que eu esperava arranjar, eu ia continuar virgem durante muito, muito tempo. Ele disse que não conhecia ninguém com um pingo de testosterona que possa assistir à *Bela e a Fera* sem vomitar. Mas ele está errado, porque meu pai definitivamente tem testosterona — pelo menos um testículo cheio — e nunca vomitou no espetáculo.

Depois, Lilly perguntou ao Michael quem ele escolheria, se tivesse que fazer isso, eu ou Lana Weinberger, e ele disse: "Mia, óbvio", mas tenho certeza de que ele disse isto só porque eu estava no quarto e não queria mostrar desprezo ali na minha cara.

Eu gostaria que Lilly não fizesse coisas desse tipo.

Mas ela continuou, e perguntou quem Michael escolheria, eu ou Madonna, eu ou Buffy, a Caça-Vampiros (ele me escolheu contra Madonna, mas Buffy ganhou de mim fácil, fácil).

Em seguida, Lilly quis saber quem eu escolheria, Michael ou Josh Richter. Fingi que pensava seriamente no caso, quando, para meu alívio, os Drs. Moscovitz voltaram para casa e começaram a gritar com a gente por deixar Pavlov entrar no quarto e por comer pipoca na cama.

Mais tarde, depois de Lilly e eu termos limpado toda a pipoca espalhada e voltado para o quarto dela, ela me perguntou outra vez quem eu escolheria, Josh Richter ou o irmão dela, e eu tive que dizer Josh Richter, porque ele é o cara mais gato da escola, talvez de todo o mundo, e eu estou completa e perdidamente apaixonada por ele, e não apenas pelo jeito como os cabelos louros dele às vezes caem por cima dos olhos quando ele se curva, procurando alguma coisa no armário, mas porque eu sei que, por trás daquela pose de machão, há uma pessoa profundamente sensível e carinhosa. Eu percebi isso pela maneira como ele disse oi para mim naquele dia no Bigelows.

Mas não pude deixar de pensar que, se se tratasse *mesmo* do fim do mundo, talvez fosse melhor acabar com Michael, embora ele não seja tão gato, mas porque ele, pelo menos, me faz rir. Acho que, no fim do mundo, senso de humor seria importante.

Além do mais, de fato Michael parece mesmo atraente sem camisa.

E se fosse realmente o fim do mundo, Lilly estaria morta, e ela nunca saberia que o irmão dela e eu estávamos procriando!

Não quero *nunca* que Lilly saiba o que eu sinto pelo irmão dela. Ela acharia muito esquisito.

Mais esquisito do que eu me tornar a princesa de Genovia.

Mais tarde no sábado

Durante todo o caminho de volta da casa da Lilly, eu me preocupei com o que mamãe e papai iam me dizer quando eu chegasse. Eu nunca os havia desobedecido antes. Quero dizer, nunca mesmo.

Bem, tudo bem, houve aquela vez em que Lilly, Shameeka, Ling Su e eu fomos assistir àquele filme do Christian Slater, mas, em vez disto, acabamos indo assistir a *The Rocky Horror Picture Show*, e eu esqueci de telefonar antes do filme, que terminou depois de 2h30 e a gente estava na Times Square sem dinheiro para pegar um táxi.

Mas foi só aquela vez! E aprendi uma lição de verdade com aquilo, sem que minha mãe me botasse de castigo ou coisa assim. Não que ela fizesse uma coisa dessa — me botar de castigo em casa, quero dizer. Quem é que iria ao caixa eletrônico pegar dinheiro para o entregador se eu estivesse de castigo?

Mas meu pai é outra história. Ele é totalmente rígido no item disciplina. Mamãe diz que é porque Grandmère costumava castigá-lo quando ele era menino, trancando-o naquele quarto realmente assustador da casa dela.

Agora que estou pensando nisso, a casa em que papai cresceu era provavelmente o castelo e aquele quarto assustador era provavelmente o calabouço.

Meu Deus, não é de espantar que papai faça tudo que Grandmère manda.

De qualquer jeito, quando papai fica irritado, ele fica realmente irritado. Como daquela vez que eu não quis ir à igreja com Grandmère, porque me recusava a rezar para um deus que permitia que florestas tropicais fossem destruídas para dar lugar a vacas, que depois se transformariam em Quarterões para as massas ignorantes que adoram aquele símbolo de tudo o que é mau, o Ronald McDonald. Não só papai me disse que, se eu não fosse à igreja ele ia me esfolar viva, mas também não me deixaria ler novamente a newsletter do Michael, a *Crackhead*! E me proibiu de entrar na internet durante o resto do verão. E ainda quebrou meu modem com um magnum do Chateauneuf du Pape.

Que esquentadinho!

Por isso que eu estava muito preocupada com o que ele ia dizer quando voltei da casa da Lilly.

Tentei ficar na casa dos Moscovitz o máximo que pude. Botei os pratos do café da manhã na lavadora para Maya, já que ela estava ocupada, escrevendo uma carta para seu representante no Congresso, pedindo que ele, por favor, fizesse alguma coisa sobre seu filho, Manuel, que fora injustamente preso por dez anos por ter apoiado uma revolução em seu país. Levei Pavlov para fazer xixi, porque Michael tinha que ir a uma palestra sobre astrofísica na Universidade Columbia. E até desentupi a banheira de hidromassagem dos Moscovitz. Pô, o pai de Lilly mija à beça.

Depois, Lilly tinha que sair e disse que era hora de gravar o episódio especial de uma hora do seu programa, aquele dedicado aos pés. Acontece que os Drs. Moscovitz não tinham saído para as sessões de *rolfing*, como a gente pensou. Eles ouviram tudo que a gente disse e me mandaram voltar para casa, enquanto eles analisavam Lilly sobre sua necessidade de perturbar seu fã maníaco por sexo.

O negócio é o seguinte:

Em geral, sou uma filha muito boa. É sério. Não fumo. Não uso drogas. Não tive filhos em nenhum baile. Sou digna de toda confiança e faço meus deveres de casa na maioria das vezes. Exceto por aquele maldito zero em uma matéria que nunca será de qualquer utilidade pra mim em minha vida futura, estou indo muito bem.

E depois eles me pegaram de surpresa com essa coisa de princesa.

Decidi que, se papai resolvesse me castigar, eu iria me queixar à juíza Judy. Ele ia se arrepender muito se, por causa disso, acabasse diante dela. Com certeza ela ensinaria uma lição e tanto a ele. Uma pessoa tentando obrigar outra a ser princesa quando ela não quer? A juíza Judy não admitiria isso, nem de longe.

Mas quando cheguei em casa, descobri que não precisava me queixar à juíza Judy.

Mamãe não tinha ido para o estúdio, o que faz sem falta todos os sábados. Estava ali, me esperando, lendo velhos números da assinatura que fez para mim da revista *Seventeen*, antes de perceber que eu não tinha peitos para que alguém me convidasse para sair, de modo que toda informação contida na revista era inútil para mim.

Mas meu pai estava ali também, sentado exatamente no mesmo lugar em que o havia deixado no dia anterior, só que desta vez lendo o *Sunday Times*, mesmo sendo sábado, e mamãe e eu temos a regra de não começar as seções de domingo do jornal antes do domingo. Para minha surpresa, ele não usava terno. Nesse dia, usava suéter — caxemira, um presente, sem dúvida, de uma de suas muitas namoradas — e calça de veludo.

Quando entrei, ele dobrou o jornal com todo cuidado, colocou-o sobre a mesa e me deu uma boa encarada, como faz o capitão Picard imediatamente antes de passar um sermão em Ryker sobre a Diretriz Número Um. Em seguida, ele disse: "Nós precisamos conversar."

Imediatamente comecei a explicar que não era como se não tivesse contado a eles onde estava, que eu apenas precisava de um tempo só para mim, para pensar em algumas coisas, que eu havia tido todo cuidado, não havia pegado o metrô ou coisa assim, e meu pai simplesmente disse: "Eu sei."

Simples assim. "*Eu sei.*" Ele se entregou inteiramente, sem briga.

Meu pai.

Olhei para mamãe, para ver se ela havia notado que ele tinha ficado doido. E então foi ela que fez a coisa mais doida de todas. Botou as revistas em cima da mesa, veio pro meu lado e me abraçou, dizendo: "Nós sentimos tanto, querida."

Alô? Esses aí são os meus *pais*? Será que os ladrões de corpos andaram por aqui enquanto eu estava longe e substituíram meus pais por caras criados em casulos? Porque essa era a única explicação para meus pais serem tão razoáveis.

Mas aí meu pai continuou: "Nós compreendemos o estresse que essa situação lhe causou, Mia, e queremos que saiba que faremos tudo que pudermos para tornar essa transição tão suave quanto possível."

Depois ele me perguntou se eu sabia o que era uma solução conciliatória, e eu disse que sabia, óbvio, não sou mais uma aluna do fundamental. Então ele tirou um pedaço de papel do bolso, e nele a gente escreveu o que mamãe chama de Solução Conciliatória Thermopolis-Renaldo. E o que o papel diz é o seguinte:

Eu, o signatário, Artur Christoff Phillipe Gerard Grimaldi Renaldo, concordo que minha única e exclusiva descendente e herdeira, Amelia Mignonette Grimaldi Thermopolis Renaldo, pode concluir seus estudos na Escola Albert Einstein para Meninos (tornada mista em 1975) sem interrupção, salvo pelos períodos do Natal e verão, que ela passará, sem queixas, em Genovia.

Perguntei se isso significava que não haveria mais verões em Miragnac e ele disse que sim. Eu não pude acreditar. Natal e verão sem Grandmère? Isso seria o mesmo que ir ao dentista, só que, em vez de ter o dente obturado, a gente simplesmente leria *Teen People* e cheiraria um bocado de gás hilariante! Fiquei tão feliz que o abracei na hora. Mas, infelizmente, descobri que havia mais no acordo:

> *Eu, a signatária, Amelia Mignonette Grimaldi Thermopolis Renaldo, concordo em desempenhar os deveres de herdeira de Artur Christoff Phillipe Gerard Grimaldi Renaldo, príncipe de Genovia, e tudo que esse papel exige, incluindo, mas não somente, assumir o trono com a morte do acima mencionado e cumprir as funções de Estado para as quais a presença da mencionada herdeira seja considerada essencial.*

Tudo aquilo me pareceu bem legal, exceto a parte final. Funções de Estado? Quais?

Nesse momento, meu pai foi meio vago: "Ah, você sabe, comparecer a funerais de líderes mundiais, dar início a bailes, esse tipo de coisa."

Hein? Funerais? Bailes? O que foi que aconteceu com aquilo de quebrar garrafas de champanhe no casco de transatlânticos, comparecer a pré-estreias em Hollywood e esse tipo de coisa?

"Bem", explicou papai, "as pré-estreias de Hollywood não são realmente aquilo que dizem ser. Flashes de fotógrafos estourando na cara da gente e coisas do gênero. Totalmente desagradável."

Tudo bem, mas *enterros*? *Bailes*? Eu nem sei como passar um delineador de lábios, quanto mais fazer reverência...

"Ah, tudo bem aí", tranquilizou-me papai, colocando a tampa da caneta no lugar. "Grandmère cuidará dessa parte."

Sim, certo. O que ela pode fazer? Ela está na França.

Hahaha!

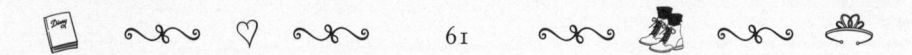

Sábado à noite

Não consigo acreditar que sou tão azarada. Quero dizer, sábado à noite sozinha com meu PAI.

Ele, para dizer a verdade, tentou me convencer a ir assistir à *Bela e a Fera*, como se sentisse pena de mim porque eu não tinha um namorado para sair comigo.

Eu, no fim, tive que dizer: "Se liga, pai, eu não sou mais criança. Nem mesmo um príncipe de Genovia pode conseguir ingresso para um espetáculo na Broadway, num sábado à noite, com um minuto de antecedência."

Ele se sentia abandonado porque mamãe tinha saído para outro encontro com o Sr. Gianini. Ela queria mesmo desmarcar o encontro por causa da confusão que havia acontecido em minha vida nas últimas 24 horas, mas praticamente a obriguei a ir, porque vi que os lábios dela estavam ficando cada vez menores quanto mais tempo ela passava com papai. Os lábios da mamãe só ficam pequenos quando ela faz força para não dizer alguma coisa, e acho que o que ela queria dizer ao meu pai era: "*Cai fora! Volte para seu hotel! Você está pagando 600 dólares a noite por aquela suíte! Você não pode voltar para lá e ficar?*"

Meu pai tira minha mãe do sério, porque está sempre fuçando por toda parte, tirando o extrato bancário dela da tigela de salada onde ela joga toda nossa correspondência, e tentando dizer quanto ela economizaria em pagamento de juros se simplesmente transferisse o dinheiro da conta-corrente para uma conta-poupança.

Então, mesmo que ela estivesse com vontade de ficar em casa, eu sabia que, se ficasse, explodiria, então disse: "por favor, vá", e que papai e eu conversaríamos sobre o que é governar um pequeno principado no cenário econômico de hoje. Mas quando mamãe apareceu vestida para o encontro com um minivestido todo preto, provocante, da Victoria's Secret (mamãe odeia fazer compras, então compra todas as suas roupas em catálogos enquanto relaxa na banheira depois de um dia inteiro pintando), papai se engasgou com um cubo de gelo. Acho que ele nunca tinha visto mamãe num minivestido — na faculdade, quando os dois namoravam, tudo que ela usava era macacão, como eu —, porque ele bebeu o uísque com soda muito rápido e disse: "É *isso* que você vai usar?", o que fez mamãe responder "O que há de errado com o vestido?" e se olhar preocupada no espelho.

Ela parecia muito, muito bem. Para dizer a verdade, parecia muito melhor do que o normal, e acho que este era o problema. Quero dizer, pode parecer esquisito reconhecer isso, mas mamãe pode ficar deslumbrante quando quer. Eu mesma só posso desejar ser um dia tão bonita quanto ela. Quero dizer, ela não tem um cabelo como o meu, tem peito e não usa sapatos 40. Ela é bem sexy, pelo menos na categoria das mães.

Nesse momento, a campainha tocou e mamãe saiu correndo, porque não queria que o Sr. Gianini subisse e encontrasse seu ex, o príncipe de Genovia. O que era compreensível, porque ele continuava engasgado e parecendo meio esquisito. Quero dizer, ele parecia um homem careca, de rosto vermelho, usando suéter, cuspindo um pulmão para fora. Quero dizer, eu me sentiria constrangida se fosse ela e tivesse que admitir que já havia feito sexo com ele.

De qualquer jeito, foi bom que ela não mandasse o Sr. Gianini subir, porque eu não queria que ele me perguntasse na frente dos meus pais por que eu havia matado a aula de reforço na sexta.

Então, depois de eles irem embora, tentei demonstrar ao meu pai, pedindo uma comida realmente excelente, que estou mais preparada para a vida em Manhattan do que em Genovia. Chegou uma salada caprese, um ravióli ao funghi e uma pizza margherita, tudo isto por menos de vinte dólares! Mas juro que papai não ficou nem um pouco impressionado. Ele apenas se serviu de uísque com soda e ligou a TV. Nem notou quando Fat Louie se sentou ao lado dele. E começou a alisar o gato como se não fosse nada. E papai diz que é *alérgico* a gatos.

E depois, para completar, ele nem queria falar sobre Genovia. Tudo que queria era assistir a programas esportivos. Não estou brincando. Esportes. Nós temos 77 canais e ele só se interessava pelos que mostravam homens vestindo uniforme e correndo atrás de uma bolinha. Esqueça a maratona de filmes de Dirty Harry. Esqueça os videoclipes. Ele simplesmente colocou em um canal de esportes e ficou olhando vidrado para a tela, e quando eu disse que mamãe e eu geralmente assistimos ao que estiver passando na HBO nas noites de sábado, ele apenas aumentou o volume!!!

Que bebezão!

E você acha que isso foi suficientemente ruim? Pois devia tê-lo visto quando a comida chegou. Mandou Lars revistar o entregador antes de deixar que ele subisse! Dá pra acreditar numa coisa dessa? Eu tive que dar ao Antônio uma boa gorjeta para compensá-lo por aquele vexame todo. E em seguida meu pai se sentou e comeu, sem dizer uma única palavra, até que, depois de outro uísque com soda, caiu no sono bem em cima do sofá, com Fat Louie no colo!

Acho que ser príncipe e ter câncer no testículo pode realmente levar uma pessoa a pensar que é especial. Quero dizer, Deus permita que ele passe algum tempo de qualidade com sua única filha, a herdeira de seu trono.

Por isso estou aqui, novamente em casa em um sábado à noite. NÃO que eu nunca esteja em casa num sábado à noite, exceto quando estou com Lilly. Por que sou tão impopular? Quero dizer, sei que parece meio esquisito e tal, mas tento de verdade ser legal com as pessoas, sabe? Você pode pensar que as pessoas me dariam valor como ser humano e me convidariam para festas simplesmente porque gostam da minha companhia. Não é culpa MINHA se meu cabelo fica desse jeito, não mais que é culpa da Lilly se a cara dela parece meio afundada para dentro.

Tentei ligar para Lilly um milhão de vezes, mas o telefone só dava ocupado, o que significava que Michael provavelmente estava trabalhando em sua newsletter. Os Moscovitz estão tentando conseguir uma segunda linha, para que pessoas que ligam para eles consigam falar de vez em quando, mas a companhia telefônica diz que não tem mais números com DDD 212. A mãe da Lilly se recusa a ter dois códigos de área diferentes no mesmo apartamento e diz que, se não pode ter mais um 212, vai comprar um *beeper*. Além disso, Michael vai para a faculdade no ano que vem e os problemas de telefone deles serão resolvidos.

Eu queria mesmo falar com Lilly. Quero dizer, eu não contei nada a ela sobre esse negócio de princesa, e não vou, nunca, mas, às vezes, mesmo sem dizer a ela o que está rolando, conversando com Lilly eu me sinto melhor. Talvez seja simplesmente por saber que outra pessoa da minha idade também está encalhada em casa em uma noite de sábado. Quero dizer, a maioria das outras garotas da turma tem namorado. Até Shameeka começou a namorar. Ela ficou muito popular depois que os seios dela apareceram no verão. É verdade que ela tem que estar em casa até as 22h, mesmo nos fins de semana, e que ela tem que apresentar o namorado ao pai e à mãe e o namorado tem que fornecer um roteiro detalhando exatamente aonde vão e o que vão fazer, além de mostrar duas fotos para o Sr. Taylor copiar, antes que Shameeka possa sair de casa com ele.

Mas, ainda assim, ela está namorando. Alguém pediu para sair com ela. Ninguém nunca me convidou pra sair.

Era muito chato ficar olhando papai roncar, mesmo que fosse cômica a maneira como Fat Louie olhava para ele, todo aborrecido, sempre que ele respirava fundo. Eu já vi todos os filmes de Dirty Harry e não havia nada que prestasse na TV. Resolvi tentar mandar uma mensagem para Michael, dizendo que precisava falar urgentemente com Lilly e que ele, por favor, saísse da linha para eu ligar.

CracKing: O que você quer, Thermopolis?

FtLouie: Quero falar com Lilly. Por favor, saia da linha para eu poder ligar.

CracKing: O que você quer falar com ela?

FtLouie: NÃO é da sua conta. Apenas saia da linha, por favor. Você NÃO pode monopolizar todas as linhas de comunicação. NÃO é justo.

CracKing: Ninguém disse que a vida é justa, Thermopolis. O que você está fazendo em casa, por falar nisso? O que houve? O garoto dos seus sonhos NÃO ligou?

FtLouie: Quem é o garoto dos meus sonhos?

CracKing: Você sabe, seu companheiro pós-catástrofe nuclear, Josh Richter.

Lilly contou a ele! Não posso acreditar que ela contou! Eu vou matá-la!

FtLouie: VOCÊ QUER, POR FAVOR, SAIR DA LINHA PARA EU PODER LIGAR PARA LILLY?

CracKing: O que foi, Thermopolis? Toquei num ponto fraco?

Desliguei o computador. Às vezes ele consegue ser um babaca.

Mas, uns cinco minutos depois, o telefone tocou e era Lilly. Por isso acho que, embora Michael seja um babaca, ele é um babaca legal quando quer.

Lilly estava muito preocupada com a maneira como seus pais estão violando seu direito de livre expressão, assegurado pela Primeira Emenda Constitucional, por não querer que ela filme o episódio do seu programa dedicado aos seus pés. Ela vai ligar para a Associação Americana pelas Liberdades Civis logo que abrir na segunda pela manhã. Sem o apoio financeiro dos pais, que eles suspenderam nesse momento, o *Lilly manda a real* não pode continuar no ar. O programa custa uns 200 dólares por episódio, se incluirmos o preço do filme e tal. O acesso público só é possível a pessoas que têm dinheiro.

Lilly estava tão chateada que não senti vontade de gritar com ela por ter dito ao Michael que eu havia escolhido Josh. Agora que estou pensando nisso, provavelmente é melhor assim.

Minha vida é uma complicada rede de mentiras.

Domingo, 5 de outubro

Não posso acreditar que o Sr. Gianini contou a ela. Não posso acreditar que ele disse à mamãe que matei aquela aula chata de reforço na sexta!!!

Alô! Eu não tenho nenhum direito neste país? Não posso matar uma aula de reforço sem ser dedurada pelo namorado da minha mãe?

Quero dizer, como se minha vida já não fosse um horror: além de eu ser esquisita e ainda ter que ser princesa, todas as minhas atividades têm que ser denunciadas pelo meu professor de álgebra?

Muito obrigada, Sr. Gianini. Obrigada! Vou ter que passar todo meu domingo com a fórmula da equação do segundo grau enfiada na minha cabeça pelo mala do meu pai, que passou o tempo todo coçando a cabeça careca e gritando de frustração quando descobriu que não sei multiplicar frações.

Alô? Posso lembrar a todos que o certo é que eu passe o sábado e o domingo LIVRE da escola?

E o Sr. Gianini teve que dizer à minha mãe que vai haver um teste surpresa amanhã. Quero dizer, acho que foi legal da parte dele fazer isso, me dar um aviso, mas também não se espera que ninguém estude para uma prova surpresa. O objetivo dessas coisas é verificar o que a pessoa assimilou.

Mas também, já que aparentemente não assimilei nada de matemática desde o fundamental, acho que não posso realmente culpar meu pai por ficar tão furioso. Ele me disse que, se eu não for aprovada em álgebra, vai me obrigar a ir para a escola de verão. Aí eu disse que a escola de verão seria legal para mim, afinal eu já havia concordado em passar os verões em Genovia. E ele disse então que eu teria que fazer a escola de verão em GENOVIA.

Tudo bem. Conheci alguns garotos que estudavam em Genovia e eles não sabiam nem o que era uma progressão numérica. E eles medem tudo em quilos e centímetros. Como se o sistema métrico não estivesse inteiramente ultrapassado!

Mas, apenas por precaução, não vou me arriscar. Escrevi a fórmula da equação do segundo grau na sola branca do meu tênis de cano alto, exatamente no ponto onde ele se curva entre o calcanhar e os dedos. Vou usá-los amanhã, cruzar as pernas e dar uma olhada, caso me dê um branco.

Segunda, 6 de outubro, 3h

Passei a noite toda acordada, preocupada com a possibilidade de ser pega colando. O que vai acontecer se alguém descobrir que escrevi a fórmula da equação do segundo grau no tênis? Vão me expulsar? Eu não quero ser expulsa! Quero dizer, mesmo que todo mundo na Albert Einstein pense que eu sou uma aberração, já estou meio acostumada com isso. Não quero ter que começar tudo de novo numa escola nova. Vou ter que usar a marca vermelha de quem colou durante o restante dos meus anos escolares!

E o que dizer da faculdade? Talvez eu não seja aceita se constar no meu histórico que colei em provas.

Não que eu queira fazer graduação. Mas e o Greenpeace? Tenho certeza de que o Greenpeace não quer pessoas que colam em provas. Ai, meu Deus, o que eu vou fazer???

Segunda, 6 de outubro, 4h

Tentei tirar a fórmula da equação do segundo grau do tênis, mas ela não quer sair! Acho que usei tinta permanente ou algo assim! E se meu pai descobrir? Ainda cortam a cabeça de pessoas em Genovia?

Segunda, 6 de outubro, 7h

Resolvi usar meus coturnos e jogar fora os tênis a caminho da escola — mas então arrebentei um dos cadarços deles! Não posso usar nenhum dos outros sapatos porque todos eles são 39 e meus pés cresceram dois centímetros e meio no mês passado! Mal consigo andar de chinelos, e os calcanhares ficam sobrando nos meus tamancos. Não tenho opção a não ser usar os tênis!

Vão descobrir tudo, tenho certeza. Eu tenho certeza que vão.

Segunda, 6 de outubro, 9h

No carro, a caminho da escola, descobri que podia ter tirado os cadarços dos tênis e enfiado nos coturnos. Eu sou tão burra.

Lilly quer saber por quanto tempo mais papai vai ficar na cidade. Ela não gosta de ser levada de carro à escola. Gosta de pegar o metrô porque pode praticar seu espanhol lendo todos os cartazes com avisos sobre cuidados de saúde. Respondi que não sabia por quanto tempo papai ia ficar aqui, mas que eu tinha a impressão de que não me deixariam mais viajar de metrô, de toda forma.

Lilly comentou que papai estava indo longe demais com essa coisa da infertilidade, que só porque ele não pode mais deixar ninguém *embarazada*, que significa "grávida" em espanhol, não é razão para essa superproteção comigo. Notei que, ao volante, Lars estava meio que rindo sozinho. Tomara que ele não fale espanhol. Seria muito constrangedor.

De qualquer jeito, Lilly continuou dizendo que eu tinha que tomar uma atitude imediatamente, antes que as coisas piorassem, e que notou que isto estava começando a me fazer mal, porque eu parecia abatida e estava com olheiras.

É óbvio que estou abatida! Estou acordada desde as três da madrugada tentando lavar os tênis!

Entrei no banheiro e tentei lavá-los de novo. Lana Weinberger chegou enquanto eu estava lá. Ela me viu lavando os tênis, apenas revirou os olhos e começou a escovar seus longos cabelos tipo Marcia Brady e a se olhar no espelho. Eu até esperei que ela se aproximasse do reflexo e o beijasse, de tão evidentemente apaixonada por si mesma.

A fórmula da equação do segundo grau ficou toda borrada, mas ainda legível no tênis. Mas não vou olhar para ela durante a prova, juro.

Segunda, 6 de outubro, S & T

Ok, confesso. Olhei.

E também não adiantou nada. Depois de recolher as provas, o Sr. Gianini resolveu os problemas na lousa e eu errei todos.

EU NEM CONSIGO COLAR DIREITO!!!

Devo ser a figura humana mais patética do planeta.

Polinômios
Termo: variáveis multiplicadas por um coeficiente
Grau do polinômio = grau do termo com o coeficiente mais alto

Alô? ALGUÉM se importa??? Quero dizer, alguém se importa de verdade com polinômios? Quero dizer, além de pessoas como Michael Moscovitz e o Sr. Gianini. Alguém mais? Alguém, qualquer um?

Quando a campainha finalmente tocou, o Sr. Gianini perguntou: "Mia, terei o prazer de sua companhia esta tarde na aula de reforço?"

Eu disse que sim, mas não disse isto alto o bastante para que alguém além dele ouvisse.

Por que eu? Por quê, por quê, por quê? Como se eu já não tivesse o suficiente com que me preocupar. Estou indo mal em álgebra, mamãe está namorando com meu professor e sou a princesa de Genovia.

Alguma coisa tem que dar certo.

Terça, 7 de outubro

Ode à Álgebra

Jogadas nesta sala de aula nojenta,
morremos como mariposas sem uma lâmpada,
fechadas dentro da desolação de
luzes fluorescentes e carteiras de metal.
Dez minutos, até que toque o sinal.
Para que serve em nossa vida diária
a fórmula da equação do segundo grau?
Podemos usá-la para abrir os segredos
do coração das pessoas que amamos?
Cinco minutos até que toque o sinal
Professor cruel de álgebra,
você não vai nos dispensar afinal?

* DEVER DE CASA

Álgebra: problemas 17-30 sobre distribuição de ajuda

Inglês: proposta

Civilizações Mundiais: questões no fim do Capítulo 7

S&T: nenhum

Francês: frases com *huit*, exemplo A, pág. 31.

Biologia: rascunho

Quarta, 8 de outubro

Ah, não.
Ela está aqui.

Bem, não aqui, exatamente. Mas ela está no país. Está na cidade. Para dizer a verdade, a apenas 57 quarteirões de distância. Está no Plaza, com papai. Graças a Deus. Agora, só vou ter que vê-la depois das aulas e nos fins de semana. Seria um saco se ela estivesse hospedada aqui.

Seria horrível vê-la logo cedo pela manhã. Ela usa aquelas lingeries chiques pra dormir, com partes de renda larga que mostram tudo. Sabe como é, coisas que a gente não quer ver. E mais, embora tire a maquiagem quando vai dormir, ela ainda conserva aquele delineado tatuado na década de 80, quando ela passou por uma rápida fase maníaco-depressiva após a morte da Princesa Grace (é o que mamãe diz). É muito esquisito ver, como primeira coisa pela manhã, uma senhora usando camisola de renda, com aquelas grandes linhas pretas nos olhos.

Para dizer a verdade, dá medo. Dá mais medo do que Freddy Krueger e Jason juntos.

Não é de espantar que Grandpère tenha morrido de ataque cardíaco na cama. Ele provavelmente rolou para o lado certa manhã e notou a esposa.

Alguém deveria avisar ao presidente que ela está aqui. É sério. Ele realmente deveria ser informado. Porque, se alguém pode desencadear a Terceira Guerra Mundial, esse alguém é Grandmère.

Na última vez que a vi, ela estava dando um jantar festivo e servindo *foie gras* a todo mundo, menos àquela mulher. Ela simplesmente disse a Marie, a cozinheira, que deixasse sem *foie gras* o prato da tal mulher. E quando eu tentei dar à pobre mulher o meu *foie gras*, porque pensei que havia acabado — e, de qualquer modo, não como nada que já foi vivo —, Grandmère disse: "Amelia!" E falou tão alto que me assustou. Isso fez com que eu deixasse cair no chão minha porção. Aquele horrível poodle toy dela pegou a porção no chão antes mesmo que eu pudesse me mover.

Mais tarde, quando todos foram embora e eu perguntei por que ela não mandou servir *foie gras* àquela mulher, Grandmère disse que era porque a Fulana havia tido um filho fora do casamento.

Alô? Grandmère, você dá licença para eu dizer que seu próprio filho teve uma filha fora do casamento — eu, Mia, sua neta?

Mas quando eu disse isso, Grandmère simplesmente gritou com a empregada para lhe trazer outro drinque. Ah, então acho que tudo bem ter um filho fora do casamento se a gente é PRÍNCIPE. Mas se é apenas plebeu, nada de *foie gras*.

Ah, não! E se Grandmère vier aqui, até o apartamento? Ela nunca esteve aqui antes. Eu acho que ela jamais esteve abaixo da rua 57. Ela vai odiar as coisas aqui no Village, estou avisando desde já. Em nosso bairro, pessoas do mesmo sexo se beijam e andam de mãos dadas o tempo todo. Grandmère tem ataque até quando vê gente do sexo oposto de mãos dadas. O que ela vai fazer no dia da Parada do Orgulho Gay, quando todo mundo se beija, se agarra pelas mãos e berra "ESTAMOS AQUI, SOMOS *Queer*, ACEITEM"? Grandmère não vai tolerar isso. Pode até infartar. Ela nem gosta de orelhas furadas, quanto mais de outras coisas furadas com piercings.

Além do mais, aqui é proibido por lei fumar em restaurantes, e Grandmère fuma o tempo todo, mesmo na cama, o que foi o motivo pelo qual Grandpère mandou instalar aquelas estranhas máscaras descartáveis de oxigênio em todos os cômodos de Miragnac e abrir um túnel subterrâneo pelo qual a gente poderia fugir, no caso de Grandmère cair no sono com um cigarro na boca e o castelo pegar fogo.

Além do mais, Grandmère odeia gatos. Ela acha que eles saltam de propósito em cima de crianças que estão dormindo para sugar o oxigênio delas.

O que ela vai dizer quando vir Fat Louie? Ele dorme na cama comigo todas as noites. Se um dia ele saltar no meu rosto, vai me matar imediatamente. Ele pesa 11kg, e isto antes de comer sua lata de Fancy Feast pela manhã.

E vocês podem imaginar o que ela faria quando conhecesse a coleção de deusas da fecundidade, em madeira, da minha mãe?

Por que ela teve que vir AGORA? Ela vai botar TUDO a perder. Com ela por aqui não vou poder mais esconder este segredo de ninguém.

Pq?

                  Por quê??

                                  POR QUÊ???

Quinta, 9 de outubro

Descobri por quê.
Ela vai me dar aulas de princesa.

Eu estou num estado de choque profundo demais para poder escrever. Até mais.

Sexta, 10 de outubro

Aulas de princesa.
Não estou brincando. Tenho que ir direto da aula de reforço de álgebra ao Plaza para ter aulas de princesa com minha avó.

Ok, se há um Deus, como isso pôde acontecer?

É sério. As pessoas dizem que Deus nunca dá mais do que a gente pode aguentar, mas eu estou dizendo a você, agora mesmo, que não aguento mais. Isso é simplesmente demais! Não posso ter todos os dias, depois da escola, aulas de princesa.

Papai diz que não tenho escolha. Noite passada, depois de sair do quarto da Grandmère no Plaza, fui direto para o quarto dele. Bati na porta e, quando ele abriu, entrei toda séria e disse que não ia mais fazer isso. De jeito nenhum. Ninguém havia me falado nada sobre aulas de princesa.

E sabe o que ele disse? Disse que eu havia assinado um documento, então era obrigada a ter aulas de princesa como parte de meus deveres como herdeira.

Eu disse que a gente teria simplesmente que modificar o documento, porque não havia nele nada dizendo que eu tinha que me encontrar com Grandmère todos os dias depois da escola para ter aulas de princesa.

Mas meu pai não quis nem conversar sobre isso. Disse que estava atrasado e se por favor, poderíamos conversar sobre o assunto em outra ocasião. E enquanto eu estava ali, dizendo que tudo isso era injusto, entrou uma repórter da ABC. Acho que ela tinha vindo entrevistá-lo, mas aquilo foi meio engraçado, porque já a vi entrevistar pessoas antes e, normalmente, ela não usa vestido preto tomara-que-caia quando entrevista o presidente ou outro figurão.

Vou ter que dar uma boa olhada hoje à noite naquele documento, porque não me lembro de dizer coisa nenhuma sobre aulas de princesa.

Vejam só como foi minha primeira "lição", ontem, depois da escola.

Em primeiro lugar, o porteiro não quis nem me deixar entrar (grande surpresa). Depois, ele viu Lars, que deve medir 1,90m ou mais e pesar uns 150kg. Além disso, Lars tinha um volume aparecendo debaixo do paletó e só então descobri que aquilo era uma arma, e não um estranho terceiro braço, que foi a primeira coisa que pensei. Fiquei muito sem graça para perguntar o que era aquilo, já que isso poderia trazer à tona recordações dolorosas para ele, de ser perseguido quando criança em Amsterdã, ou onde quer que tenha nascido. Quero dizer, eu sei o que é ser uma aberração: e é melhor não botar para fora esse tipo de coisa.

Mas não, é uma arma, e o porteiro ficou todo nervoso e chamou a recepcionista. Graças a Deus ela reconheceu Lars, que está hospedado ali, afinal de contas, em um quarto da suíte do papai.

Então a própria recepcionista me escoltou até a cobertura, que é onde Grandmère está hospedada. Mas eu quero falar sobre a cobertura. É muito luxuosa. Eu disse que o banheiro do Plaza era luxuoso? Pois não é nada em comparação com a cobertura.

Em primeiro lugar, tudo é cor-de-rosa. Paredes, carpete, cortinas, mobília. Há rosas cor-de-rosa em toda parte e aqueles retratos pendurados na parede, todos eles mostrando pastorinhas cor-de-rosa e tal.

E exatamente quando eu pensei que ia me afogar em cor-de-rosa, entra Grandmère, inteiramente vestida de roxo, com um turbante de seda caindo até as sandálias e anéis de strass nos dedos dos pés.

Pelo menos acho que eram strass.

Grandmère sempre usa roxo. Lilly diz que pessoas que usam muito essa cor têm distúrbios de personalidade limítrofe, porque sofrem de mania de grandeza. Tradicionalmente, o roxo sempre representou a aristocracia, uma vez que, durante centenas de anos, camponeses não podiam tingir suas roupas com corante azul-escuro e, portanto, não conseguiam obter a cor.

Tudo bem, Lilly não sabe que minha avó é membro da aristocracia. Então, embora Grandmère seja definitivamente uma pessoa delirante, não é porque ACHA que é da aristocracia, mas porque É de verdade.

Então Grandmère entra, vindo da varanda, e a primeira coisa que me diz é: "O que é essa coisa escrita no seu tênis?"

Mas não precisei me preocupar com a possibilidade de ela saber que eu colava nas provas, porque, imediatamente, ela começou a dizer tudo o mais que estava errado comigo:

"Por que você está usando tênis com saia? Essa blusa está limpa? Por que você não pode ficar reta? O que há com seu cabelo? Você andou roendo as unhas novamente, Amelia? Achei que tivéssemos combinado que você abandonaria esse hábito grosseiro. Deus do céu, você não pode parar de crescer? Seu objetivo é ser tão alta quanto seu pai?"

Tudo isso parecia ainda pior porque era dito em francês.

E em seguida, como se isso já não fosse ruim o suficiente, ela continuou naquela voz velha e esganiçada de fumante inveterada: "Você não dá nem um beijo em sua Grandmère?"

De modo que fui até ela, me abaixei (minha avó é uns 30cm mais baixa do que eu), beijei-a na bochecha (que é muito macia, porque ela passa vaselina no rosto todas as noites antes de ir dormir) e, quando comecei a me afastar, ela me agarrou e continuou: "*Pfuit!* Você esqueceu tudo que lhe ensinei?" e me obrigou a beijá-la na outra bochecha também, porque na Europa (e no SoHo) é assim que a gente diz oi às pessoas.

De qualquer jeito, eu me abaixei e beijei Grandmère na outra bochecha e, quando fiz isto, observei Rommel espiando atrás dela. Rommel é o poodle toy de 15 anos da minha avó. Ele tem a mesma forma e tamanho de uma iguana, só não é tão esperto. Ele se sacode o tempo todo e tem que usar colete antipulga. Hoje, o colete era da mesma cor do vestido de Grandmère. Rommel não deixa que ninguém toque nele, com exceção de Grandmère, e mesmo assim ele revira os olhos como se estivesse sendo torturado enquanto ela o acaricia.

Se tivesse conhecido Rommel, Noé poderia ter abandonado a ideia de embarcar na arca duas de todas as criaturas de Deus.

"Agora", disse Grandmère quando achou que já havia sido suficientemente carinhosa, "vamos ver se entendi bem: seu pai disse que você é a princesa de Genovia e você se derramou em lágrimas. O que isso significa?"

De repente, fiquei muito cansada. Tive que me sentar em uma das cadeiras acolchoadas cor-de-rosa para não cair.

"Ah, Grandmère", respondi em inglês, "eu não quero ser princesa. Eu só quero ser eu mesma, Mia."

Grandmère me repreendeu na hora: "Não converse comigo em inglês. É deselegante. Fale francês quando falar comigo. Endireite-se nessa cadeira. Não passe as pernas sobre os braços. E você não é Mia. Na verdade, você é Amelia Mignonette Grimaldi Renaldo."

Eu respondi: "Você esqueceu Thermopolis", e Grandmère me lançou aquele olhar maligno. Ela é muito boa nisso.

"Não", respondeu ela. "Eu não esqueci o Thermopolis."

Vovó se sentou em uma poltrona ao meu lado e disse: "Você está dizendo que não deseja assumir o lugar que de direito lhe pertence, o trono?"

Cara, eu estava cansada. "Grandmère, você sabe tanto quanto eu que não levo jeito para ser princesa, ok? Se é assim, por que estamos perdendo esse tempo todo?"

Grandmère me encarou com as tatuagens gêmeas nas pálpebras. Dava pra ver que ela queria me matar, mas provavelmente não conseguia descobrir como fazer isso sem sujar de sangue o carpete cor-de-rosa.

"Você é a herdeira da coroa de Genovia", disse ela em uma voz totalmente séria. "E vai assumir o lugar do meu filho no trono quando ele falecer. E é assim que vai ser. Não há outra maneira."

Não diga!

Então eu disse mais ou menos o seguinte: "Tudo bem, o que a senhora quiser, Grandmère. Escuta. Eu tenho um monte de dever de casa pra fazer. Esta coisa de princesa vai demorar muito?"

Grandmère apenas olhou para mim. "Vai durar tanto quanto tiver que durar", disse. "Não tenho medo de sacrificar meu tempo — ou sacrificar a mim mesma — pelo bem do meu país."

Uau! A coisa estava se tornando muito patriótica. "Humm", respondi. "Tudo bem."

Então olhei fixamente para ela durante algum tempo, ela me encarou de volta, enquanto Rommel se deitava no carpete entre nossas poltronas. Só que ele fez isso bem devagar, como se suas pernas fossem delicadas demais para aguentar seu 1kg, e em seguida Grandmère rompeu o silêncio, dizendo: "Começaremos amanhã. Você virá para cá diretamente da escola."

"Hummm, Grandmère. Não posso vir direto da escola. Estou indo mal em álgebra e tenho aula de reforço todos os dias depois das aulas."

"Nesse caso, depois disso. Nada de vadiagem. Traga uma lista das dez mulheres que você mais admira no mundo e por quê. Por hoje é só."

Fiquei boquiaberta. Dever de casa? Vai ter dever de casa? Ninguém disse nada sobre dever de casa!

"E feche a boca", disse ela secamente. "É deselegante deixar a boca aberta dessa maneira."

Fechei a boca. Dever de casa???

"Amanhã, você vai usar meias de nylon. Não malha. Não meias até os joelhos. Você já está crescida demais para malha e meias nos joelhos. E vai usar os sapatos da escola, e não tênis. Vai arrumar o cabelo, usar batom e pintar as unhas — o que resta delas, pelo menos." Grandmère se levantou. Não precisou nem empurrar com as mãos os braços da poltrona para se levantar. Grandmère é muito ágil para a idade. "Agora, vou ter que me vestir para jantar com o xá. Adeus."

Eu fiquei simplesmente sentada ali. Ela estava fora de si? Onde estava com a cabeça? Tinha alguma ideia do que estava pedindo que eu fizesse?

Evidentemente tinha, já que, quando menos esperava, Lars estava ali e ela e Rommel haviam desaparecido.

Meu Deus! Dever de casa!!! Ninguém disse que ia ter dever de casa.

E isso não foi o pior. Meia-calça? Para ir à escola? Quero dizer, as únicas meninas que usam meia-calça na escola são garotas como Lana Weinberger e as veteranas, e gente desse tipo. Sabe como é. Exibicionistas. Nenhuma das minhas amigas usa meia-calça.

E, eu poderia acrescentar, nenhuma delas usa batom, base nas unhas ou arruma o cabelo. Não para a escola, pelo menos.

Mas que escolha eu tinha? Grandmère me apavorava por completo, com suas pálpebras tatuadas e tal. Eu não podia NÃO fazer o que ela disse.

Então o que fiz foi pegar emprestadas umas duas meias-calças da mamãe. Ela sempre as usa quando tem uma inauguração — e quando sai com o Sr. Gianini, notei. Levei um par comigo na mochila quando fui para a escola. Eu não tinha unhas para pintar — de acordo com Lilly, eu tenho uma fixação oral; se alguma coisa cabe na minha boca, é aí que a boto —, mas também peguei emprestado um dos batons da minha mãe. E experimentei um fixador de cabelo que encontrei no armarinho de remédios. Deve ter funcionado, porque, quando Lilly entrou no carro naquela manhã, disse: "Onde foi que você pegou essa garota de Jersey, Lars?"

O que significava que meu cabelo estava realmente legal, como as moças de Nova Jersey usam quando vêm a Manhattan para um jantar romântico na Little Italy com seus namorados.

Então, depois da aula de reforço com o Sr. G no fim do dia, fui ao banheiro e vesti a meia-calça, passei o batom e calcei os mocassins, que são muito pequenos e apertam meus dedos. Quando me olhei no espelho, achei que não estava tão ruim assim. Achei que Grandmère não ia ter motivo para reclamar.

Achei que tinha sido muito esperta, esperando para me trocar depois da aula. Pensei que, numa tarde de sexta, não haveria ninguém circulando por ali. Quem quer ficar circulando na escola numa sexta?

Eu havia esquecido, lógico, o Clube de Computação.

Todo mundo esquece o Clube de Computação, até os próprios sócios. Eles não têm amigo nenhum, exceto eles mesmos, e nunca saem com garotas — só que, ao contrário de mim, fazem isso por escolha: ninguém na Albert Einstein é bastante inteligente para eles, exceto eles mesmos, obviamente.

De qualquer modo, saí do banheiro e dei de cara com o irmão da Lilly, Michael. Ele é o tesoureiro do Clube de Computação. É bastante esperto para ser presidente, mas diz que não tem interesse em ser uma figura decorativa.

"Nossa, Thermopolis", disse ele, enquanto eu me agitava, tentando apanhar tudo que havia deixado cair — meus coturnos, meias e tudo o mais —, e acabei esbarrando nele. "O que foi que aconteceu com você?"

Pensei que ele quisesse saber por que eu estava ali tão tarde. "Você sabe, tenho que encontrar o Sr. Gianini todos os dias após as aulas, porque estou indo mal em álge..."

"Eu sei disso." Michael ergueu o batom que tinha pulado da minha mochila. "Quero dizer, por que a pintura de guerra?"

Tomei o batom da mão dele. "Por nada. Não diga a Lilly."

"Não dizer a Lilly o quê?" Eu me levantei nesse momento e ele percebeu a meia-calça. "Meu Deus, Thermopolis. Aonde você vai?"

"A lugar nenhum." Será que eu vou ser sempre obrigada a mentir o tempo todo? Eu gostaria, mesmo, que ele se mandasse. Um bando de seus amigos nerds olhava para mim fixamente, como se eu fosse uma nova tonalidade de pixel ou coisa parecida. E aquilo estava me deixando muito envergonhada.

"Ninguém vai *a lugar nenhum* com essa aparência." Michael trocou o notebook de braço e o rosto dele ficou engraçado. "Thermopolis, você está indo a um encontro?"

"*O quê?* Não, não vou a encontro nenhum!" Fiquei inteiramente chocada com essa ideia. Um *encontro*? *Eu?* Essa não. "Vou me encontrar com minha avó."

Michael fez uma cara de que não acreditava em mim. "E você geralmente usa batom e meia-calça para visitar sua avó?"

Ouvi uma tossida discreta, olhei pelo corredor e vi Lars junto à porta, me esperando.

Acho que poderia ter ficado ali e explicado que minha avó havia me ameaçado com castigo físico (bem, praticamente) se eu não usasse maquiagem e meia-calça para ir encontrar com ela, mas achei que ele não acreditaria em mim. Então simplesmente disse: "Só não conta nada pra Lilly, ok?"

Depois saí de lá correndo.

Eu sabia que estava ferrada. Era impossível Michael não dizer à irmã que tinha me visto saindo do banheiro, depois da aula, usando batom e meia-calça. Impossível.

E Grandmère foi HORRÍVEL comigo. Disse que o batom que eu usava fazia com que eu parecesse uma *poulet*. Pelo menos foi isso que eu pensei que ela disse e não entendi por que ela achava que eu parecia uma franga. Mas acabei procurando *poulet* no meu dicionário inglês-francês e descobri que *poulet* também pode significar "prostituta"! Minha avó me chamou de puta!

Meu Deus! Cadê aquelas avós boazinhas que fazem bolinhos pra gente e dizem que nós somos as coisinhas mais lindas do mundo? Eu sou a única sortuda a ter uma avó que tem as pálpebras tatuadas e diz que eu pareço uma puta.

E disse que a meia-calça que eu usava era da cor errada. Como podia ser errada? Era da cor de meia-calça! Em seguida, ela me obrigou a sentar, treinando durante umas duas horas, para que a calcinha não aparecesse entre minhas pernas!

Estou pensando em ligar para a Anistia Internacional. Isso deve ser considerado tortura.

E quando dei a ela meu trabalho sobre as dez mulheres que mais admiro, ela leu e, em seguida, rasgou tudo em pedacinhos! Não estou brincando!

Não pude deixar de gritar: "Grandmère, por que você fez isso?", e ela respondeu, com toda calma: "Esses não são os tipos de mulher que você deve admirar. Você deve admirar mulheres *de verdade*."

Perguntei o que ela queria dizer com "*mulheres de verdade*", porque todas as da minha lista eram mulheres de verdade. Quero dizer, Madonna pode ter feito algumas plásticas, mas ela continua a ser de verdade.

Mas Grandmère diz que mulheres autênticas são a Princesa Grace e Coco Chanel. Eu lembrei que a Princesa Diana estava na minha lista, e sabe o que ela disse? Disse que acha que a Princesa Diana foi "um momento apenas"! Foi isso o que disse que ela era. Um "um momento apenas".

Meu Deus!

Depois de a gente ter praticado sentar durante uma hora, Grandmère disse que tinha que ir tomar banho, porque ia jantar naquela noite com algum primeiro-ministro. E me disse para estar no Plaza amanhã, não depois das dez — dez da manhã!

"Grandmère", arrisquei. "Amanhã é sábado."

"Eu sei."

"Mas, Grandmère", continuei, "sábados são os dias em que ajudo minha amiga Lilly a filmar seu programa de TV..."

Grandmère, então, me perguntou o que era mais importante, o programa de TV da Lilly ou o bem-estar do povo de Genovia, que, caso eu não soubesse, estava na faixa dos 50 mil habitantes.

Acho que 50 mil pessoas são mais importantes do que um episódio do *Lilly manda a real*. Ainda assim, vai ser difícil explicar a Lilly por que não vou poder segurar a câmera quando ela estiver conversando com o Sr. e a Sra. Ho, donos da Ho's Deli, que fica no outro lado da rua, em frente à Albert Einstein, sobre suas políticas injustas de preços. Lilly descobriu que o Sr. e a Sra. Ho dão grandes descontos a estudantes asiáticos da Albert Einstein, mas nenhum desconto a estudantes brancos, afro-americanos, latinos ou árabes. Lilly descobriu isso ontem, depois do ensaio da peça, quando foi comprar pastilhas de ginkgo biloba, e Ling Su, que estava na frente dela na fila, comprou a mesma coisa. Mas a Sra. Ho cobrou dela (Lilly) cinco centavos a mais do que Ling Su pagou pelo mesmo produto.

E, quando Lilly protestou, a Sra. Ho fingiu que não falava inglês, mesmo devendo falar um pouco, ou por que seu miniaparelho de TV estaria sempre ligado no programa da juíza Judy?

Lilly resolveu filmar secretamente os Ho para reunir prova do tratamento descaradamente preferencial que eles dão a asiático-americanos. Ela vai pedir um boicote geral da escola à Ho's Deli.

Na verdade, acho que Lilly está criando um caso muito grande por causa de cinco centavos. Mas Lilly diz que é uma questão de princípios e que, talvez, se as pessoas tivessem protestado quando os nazistas quebraram as vitrines das lojas dos judeus na Kristallnacht, eles não teriam colocado tanta gente nos fornos.

Não sei. Os Ho não são exatamente nazistas. São muito bons com o gato que criaram desde pequenininho para afugentar os ratos que querem comer as coxas de frango no bufê.

Talvez eu não esteja com tanta pena de perder a gravação amanhã.

Mas estou triste porque Grandmère rasgou minha lista das dez mulheres que mais admiro. Eu achei que a lista era legal. Quando voltei para casa, imprimi novamente a lista, só porque fiquei uma fera quando ela a rasgou daquela maneira. E incluí uma cópia neste diário.

Mas, depois de reler com todo cuidado minha cópia do Acordo Renaldo-Thermopolis, não encontrei nada sobre aulas de princesa. Alguma coisa vai ter que ser feita a este respeito. Passei a noite toda deixando recados para meu pai, mas ele não respondeu. Onde ele está?

Lilly também não está em casa. Maya disse que os Moscovitz foram jantar, como uma família, no Great Shanghai, para se conhecerem melhor como seres humanos.

Como eu gostaria que Lilly comesse logo, voltasse para casa e me ligasse de volta. Não quero que ela pense que sou contra sua investigação pioneira da Ho's Deli. Eu quero apenas contar a ela que a razão para não dar as caras é que vou ter que passar o dia com minha avó.

Eu odeio a minha vida.

AS DEZ MULHERES QUE MAIS ADMIRO NO MUNDO

POR MIA THERMOPOLIS

Madonna

Madonna Ciccone revolucionou o mundo da moda com seu senso iconoclasta de estilo, ofendendo às vezes pessoas que não têm ideias muito liberais — por exemplo, com brincos de strass em forma de cruz, o que levou muitos grupos cristãos — ou que não têm senso de humor — a banir seus CDs, como a Pepsi, que não gostou quando ela dançou na frente de cruzes em chamas. E, porque não tinha medo de enfurecer pessoas como o Papa, Madonna tornou-se uma das artistas mais ricas do mundo, abrindo o caminho para outras artistas em toda parte, ao lhes mostrar que é possível ser sexy no palco e bem esperta fora dele.

Princesa Diana

Mesmo que já tenha morrido, a Princesa Diana é uma de minhas mulheres favoritas de todos os tempos. Ela também revolucionou o mundo da moda ao recusar-se a usar aqueles chapéus velhos e horrorosos que a sogra lhe disse para usar e, em vez disto, usava Halston e Bill Blass. Além do mais, ela visitou um monte de gente muito doente, mesmo que ninguém a obrigasse a fazer isto, e algumas pessoas, como o marido, até zombassem dela. Na noite em que a Princesa Diana morreu, desliguei a TV e disse que nunca mais a ligaria, já que foi a mídia que a matou. Mas me arrependi na manhã seguinte, quando descobri que não podia assistir aos desenhos japoneses no canal de ficção científica, porque desligar a TV bagunçou nosso receptor de TV a cabo.

Hillary Rodham Clinton

Hillary Rodham Clinton se mancou e reconheceu que seus tornozelos grossos prejudicavam sua imagem como política séria e, por isso, começou a usar calça comprida. Além disto, mesmo que todo mundo a criticasse o tempo todo por não chutar o marido infiel, ela fingiu que não acontecia nada e continuou a governar o país, como sempre fez, que é como uma presidente deve se comportar.

Picabo Street

Ela ganhou todas as medalhas em esqui, tudo isto porque treinava como uma doida e nunca desistia, mesmo quando se esborrachava em cercas e coisas assim. Além do mais, escolheu seu próprio nome, o que é legal.

Leola Mae Harmon

Assisti a um filme sobre ela no canal Lifetime. Leola era uma enfermeira da Força Aérea que ficou com a parte inferior do rosto toda deformada por causa de um acidente de carro, até que Armand Assante, que faz o papel de um cirurgião plástico, disse que podia reconstruí-la. Leola teve que suportar horas de uma dolorosa cirurgia reparadora, durante as quais o marido a abandonou porque ela não tinha mais lábios (o que acho que é o motivo de o filme se chamar Por Que Eu?). Armand Assante disse que poderia fazer um novo par de lábios para ela, só que os outros médicos da Força Aérea não gostaram do fato de que ele queria fazê-los com pele da vagina de Leola. Mas ele fez, de qualquer jeito, e em seguida ele e Leola casaram e trabalharam juntos para dar lábios de vagina a outras vítimas de acidentes. E o filme todo foi baseado em uma história real.

Joana d'Arc

Joana d'Arc — ou Jeanne d'Arc, como dizem na França — viveu lá pelo século xii e um dia, quando era da minha idade, ouviu um anjo lhe dizer para pegar armas e ir ajudar o exército francês a combater os britânicos (os franceses estiveram sempre combatendo os britânicos, até que os nazistas atacaram e eles só sabiam dizer "Zut alors? Vocês podem nos ajudar?" e os britânicos tiveram que entrar na dança para tentar salvar aqueles bundas-moles, fato pelo qual nenhum francês se mostrou devidamente agradecido, como exemplificado pelo péssimo serviço de manutenção de estradas do país. Ver a morte da Princesa Diana, acima). De qualquer modo, Joana cortou o cabelo, arranjou uma armadura, exatamente igual à de Mulan no filme da Disney, foi em frente e levou os franceses à vitória em várias batalhas. Mas em seguida, como políticos típicos, o governo francês chegou à conclusão de que Joana havia se tornado poderosa demais, então a acusaram de feiticeira e a incineraram em uma estaca. E, ao contrário da Lilly, não acredito que Joana estava sofrendo um princípio de esquizofrenia adolescente. Acredito que anjos de fato falaram com ela. Nenhum dos esquizofrênicos da nossa escola jamais ouviu uma voz de anjo mandando que ele fizesse alguma coisa realmente legal, como comandar o país em uma batalha. Tudo que as vozes de Brandon Hertzenbaum disseram a ele foi para entrar no banheiro masculino e escrever a palavra "Satanás" na porta das cabines, usando a ponta de um compasso.

Christy

Christy não é realmente uma pessoa, mas a heroína fictícia do meu livro favorito de todos os tempos, chamado *Christy*, de Catherine Marshall. Christy é uma mocinha que vai ser, no início do século, professora nas Smokey Mountains, porque acredita que pode ser muito útil, e todos aqueles caras supergatos se apaixonam por ela, ela descobre Deus, pega febre tifoide e assim por diante. Só não digo a ninguém, especialmente a Lilly, que é o meu livro predileto, porque é meio sentimental e religioso e não tem naves espaciais nem assassinos em série.

A Policial...

que vi multar um motorista de caminhão por buzinar para uma mulher que estava atravessando a rua. A policial disse a ele que ali era zona de silêncio e, depois, quando ele reclamou, multou-o de novo por discutir com uma representante da lei.

Lilly Moscovitz

Lilly Moscovitz não é realmente uma mulher, mas, ainda assim, é uma pessoa que admiro muito. Ela é muito inteligente, mas, ao contrário de muita gente inteligente, não esfrega na minha cara o tempo todo que é muito mais inteligente do que eu. Bem, pelo menos não muito. Lilly está sempre inventando coisas engraçadas pra gente fazer, como ir à Barnes & Noble e me filmar com uma câmera escondida perguntando à Dra. Laura, que estava autografando um livro ali, que, se ela sabe tanto de tudo, por que se divorciou, e em seguida mostrando a cena no programa de tv (dela, Lilly), incluindo a parte em que fomos expulsas de lá e proibidas pra sempre de entrar na Barnes & Noble da Union Square. Lilly é minha melhor amiga e eu conto tudo a ela, exceto a parte sobre eu ser princesa, que não acho que ela vá compreender.

Helen Thermopolis

Helen Thermopolis, além de ser minha mãe, é uma pintora muito talentosa e foi matéria na revista *Art in America* como uma das pintoras mais importantes do novo milênio. O quadro dela, *Mulher Esperando o Troco na Estação Grand Union*, ganhou aquele grande prêmio nacional e foi vendido por US$140 mil, dos quais mamãe só ficou com uma parte, porque 15 por cento eram da galeria de arte e metade do que sobrou foi para pagar imposto, o que é um saco, se quer saber minha opinião. Eu a respeito também porque ela é uma mulher de princípios profundos: diz que nunca pensaria em infligir as coisas que pensa a outras pessoas e que gostaria que essas outras pessoas fizessem a mesma cortesia com ela.

Dá pra acreditar que Grandmère rasgou essa lista? Ouça o que estou dizendo, esse é o tipo de redação que poderia botar um país de joelhos.

Sábado, 11 de outubro, 9h30

Então eu tinha razão: Lilly realmente acha que não vou participar da gravação de hoje porque sou contra o boicote que ela quer fazer contra os Ho.

Respondi que isso não era verdade, que tinha que passar o dia com minha avó. Mas adivinha? Ela não acreditou. Na única vez em que digo a verdade, ela não acredita em mim.

Lilly disse que se eu realmente quisesse me livrar do dia com minha avó poderia fazer isto, mas, porque sou tão dependente, não posso dizer não a ninguém. Isso nem faz sentido, já que, obviamente, estou dizendo não a ela. Quando chamei sua atenção para isso, porém, ela ficou ainda mais zangada. Não posso dizer não a minha avó, porque ela tem uns 65 anos de idade e vai morrer logo, se é que há justiça no mundo.

Além do mais, você não conhece minha avó, falei. Ninguém diz não à minha avó.

E então Lilly continuou: "Não, não conheço sua avó, conheço, Mia? Isso não é curioso, considerando o fato de que você conhece todos os meus avós" — os Moscovitz me convidam todos os anos para o jantar da Páscoa dos judeus — "e eu ainda não conheci nenhum dos seus?"

Bem, lógico, a razão disso é que os pais da minha mãe são uns fazendeiros que moram num lugar chamado Versailles, em Indiana, só que eles pronunciam "Ver-sales". Os pais da minha mãe têm medo de vir a Nova York, porque dizem que aqui tem muitos "estranjas" — no caso, "estrangeiros" — e tudo que não for cem por cento americano é assustador pra eles, uma das razões por que minha mãe saiu de casa quando tinha dezoito anos e só voltou lá duas vezes, e, nas duas, comigo. Vou te dizer, Versailles é uma cidade muito, muito pequena. Tão pequena que há um cartaz na porta do banco dizendo SE O BANCO ESTIVER FECHADO, POR FAVOR, ENFIE O DINHEIRO POR BAIXO DA PORTA. Não estou mentindo. Tirei foto do cartaz e trouxe para mostrar a todo mundo, porque eu sabia que ninguém ia acreditar em mim. A foto está pendurada na porta da nossa geladeira.

De qualquer jeito, vovô e vovó Thermopolis não saem muito de Indiana.

E a razão por que nunca apresentei Lilly a Grandmère Renaldo é que ela odeia crianças. E não posso apresentá-la agora porque Lilly vai descobrir que sou a princesa de Genovia e, pode apostar, ela nunca mais vai parar de falar *disso*. Ela provavelmente ia querer me entrevistar para seu programa de TV. Era só o que faltava: meu nome e imagem colados por toda parte numa propaganda da Manhattan Public Access.

Enquanto eu estava contando a Lilly tudo isso — que tinha que passar o dia com minha avó, não que era princesa, lógico —, dava pra ouvir a respiração dela ao telefone, daquela maneira que ela faz quando está cheia de raiva, e finalmente ela disse: "Ah, então venha hoje à noite e me ajude a editar o filme", e desligou na minha cara.

Meu Deus!

Bem, pelo menos Michael não contou a ela sobre o batom e a meia-calça. Isso teria deixado Lilly realmente furiosa. Ela nunca acreditaria que eu estava apenas indo visitar minha avó. De jeito nenhum.

Tudo isso estava acontecendo às 9h30, quando eu estava me arrumando para ir visitar Grandmère. Grandmère disse que, só por hoje, não preciso usar meia-calça e batom. Disse que eu podia usar o que quisesse. Então botei um macaquinho. Sei que ela odeia, mas ela disse que eu podia usar o que quisesse. Hahaha.

Uau, tenho que ir. Lars acaba de parar em frente ao Plaza. Chegamos.

Sábado, 11 de outubro

Nunca mais posso ir à escola. Nunca mais posso ir a qualquer lugar. Nunca mais vou deixar este apartamento, nunca mais, nunca mais.

Vocês não vão acreditar no que ela fez comigo. Eu não posso. Não consigo acreditar que papai deixou que ela fizesse isso comigo.

Bem, ele vai me pagar por isso. Vai pagar mesmo, e quero dizer vai pagar PRA VALER. Logo que cheguei em casa (logo depois que mamãe disse "Oi, Rosemary, onde está seu bebê?", o que acho que era uma espécie de piada sobre meu novo corte de cabelo, mas NÃO tinha nada de engraçado), fui direto a ele e disse: "Você vai pagar por isso. E caro."

Quem foi que disse que eu tenho medo de confronto?

Ele fez tudo que podia para escapar, dizendo: "O que você quer dizer com isso? Mia, acho que você está linda. Não ligue para sua mãe. O que ela sabe? Gosto de seu cabelo. Está tão..."

Meu Deus, eu gostaria de saber por quê. Talvez porque a mãe dele encontrou comigo e com Lars na recepção logo que entregamos o carro ao manobrista e simplesmente apontou para a porta. Voltou a apontar para a porta e disse "*On y va*", que em inglês significa "Vamos".

"Vamos para onde?" perguntei, toda inocente (isto aconteceu esta manhã, lembrem-se, quando eu ainda era inocente).

"Chez Paolo", disse Grandmère. *Chez Paolo* significa "à casa de Paul". Então pensei que a gente ia visitar um dos amigos dela, talvez para um *brunch* ou coisa assim, e eu pensei, ahn, legal, viagem de exploração. Talvez essas aulas de princesa não sejam tão ruins assim.

Mas quando chegamos lá, vi que Chez Paolo definitivamente não era uma casa. No começo, não consegui identificar o que era. Parecia mais ou menos um pequeno hospital de luxo — todo de vidro fosco e com arvorezinhas japonesas. Entramos e toda aquela gente magrela pairava por ali, todos vestidos de preto. Estavam todos emocionados por verem minha avó e levaram a gente para uma sala pequena, cheia de sofás e um monte de revistas. Aí eu pensei que talvez Grandmère tivesse marcado uma plástica e, embora eu seja contra cirurgia plástica — a menos que a pessoa seja igual a Leola Mae e precise de lábios —, eu até gostei, pelo menos ela deixaria de me encher por algum tempo.

Cara, como me enganei! Paolo não é médico. Duvido que ele sequer já tenha feito faculdade! Paolo é *estilista*! Pior, ele estiliza pessoas! Estou falando sério. Ele pega pessoas comuns, desengonçadas, como eu, e as torna elegantes — por dinheiro. E vovó o jogou contra mim! *Contra mim!* Como se já não bastasse eu não ter seios. Ela tinha que dizer uma coisa dessa a um cara chamado Paolo?

De qualquer maneira, que tipo de nome é esse, Paolo? Quero dizer, estamos nos Estados Unidos, pelo amor de Deus! SEU NOME É PAUL!!!

Foi isso o que eu quis gritar na cara dele. Mas, lógico, não pude. Quero dizer, não era culpa do Paolo que minha avó tivesse me arrastado para lá. E, como ele teve o cuidado de me dizer, só arranjou tempo para mim em sua agenda completamente lotada porque Grandmère disse a ele que era uma grande emergência.

Deus, que coisa mais constrangedora. *Eu* sou uma *emergência* da moda.

De qualquer jeito, estava furiosa com Grandmère, mas não podia começar a gritar ali, na frente de Paolo. Ela também sabia muito bem disso. Ela se sentou no sofá de veludo, alisando Rommel, que se sentou em seu colo com as pernas cruzadas — ela conseguiu ensinar até ao cachorro como se sentar como uma dama requintada, e ele é menino — tomando golinhos de Sidecar, que deu um jeito de alguém preparar para ela, e lendo *w*.

Enquanto isso, Paolo arrancava tufos enormes do meu cabelo, fazendo uma careta e dizendo com a maior tristeza: "Vai ter que ir. Todo ele tem que ir."

E ele foi. Todo ele. Bem, quase todo. Ainda tenho uns cachos e uma pequena franja atrás.

Será que eu mencionei que não sou mais loura com cabelo cor de água de lavar louça? Não, agora sou apenas uma velha loura comum.

E Paolo não parou por aí. Ah, não. Eu agora tenho unhas nos dedos das mãos. Não estou brincando. Pela primeira vez na vida, tenho unhas nos dedos das mãos. São inteiramente postiças, mas tenho. E até parece que já as tenho há algum tempo. Tentei arrancar uma delas, e como DOEU. Afinal de contas, que tipo de cola de astronauta essa manicure usou?

Você pode perguntar por que, se eu não queria todo o meu cabelo arrancado e unhas postiças coladas em cima dos restos das minhas unhas naturais, eu deixei que fizessem tudo isso comigo.

Eu mesma estou me perguntando isso. Quero dizer, eu sei que tenho medo de confrontos. Então é lógico que eu não ia jogar meu copo de limonada no chão e dizer: "Ok, pare com essa palhaçada toda pra cima de mim agora mesmo!" Quero dizer, eles me deram limonada! Dá pra imaginar uma coisa dessa? Na International House of Hair, aonde mamãe e eu vamos geralmente, lá na Sexta Avenida, eles com certeza não dão limonada pra gente, mas pelo corte e escova a seco cobram apenas US$9,99.

E é meio difícil, quando todas aquelas pessoas bonitas, elegantes dizem como a gente parece bem usando isso e como nossas maçãs do rosto ganham vida com aquilo, a gente se lembrar que é feminista e ambientalista e que não acredita em usar maquiagem ou produtos químicos que sejam nocivos para o planeta. Quero dizer, eu não quis ferir os sentimentos deles ou fazer uma cena, ou coisa parecida.

E eu continuava a dizer a mim mesma: ela está fazendo isso apenas porque ama você. Minha avó, quero dizer. Sei que ela provavelmente não estava fazendo isso por tal razão — não acredito que Grandmère me ame mais do que eu a amo —, mas eu disse isso a mim mesma, de qualquer jeito.

Eu disse isso a mim mesma depois que saímos do Paolo e fomos à Bergdorf Goodman, onde Grandmère me comprou quatro pares de sapatos que custaram quase tanto quanto a extração daquela meia do intestino delgado de Fat Louie. Disse isso a mim mesma depois que ela me comprou um monte de roupas que nunca vou usar. Eu disse a ela que nunca vou usar essas roupas, mas ela simplesmente fez um gesto de pouco-caso para mim. Algo como "continue, continue, você diz tanta coisa engraçada".

Eu, pelo menos neste caso, não vou aguentar. Não há um único centímetro em mim que não tenha sido beliscado, cortado, limado, pintado, amassado, secado ou umedecido. Eu tenho até unhas.

Mas não me sinto feliz. Nem um pouquinho. Grandmère está feliz. Grandmère está radiante de felicidade com minha aparência. Porque eu não pareço em nada com Mia Thermopolis. Mia Thermopolis nunca teve unhas. Mia Thermopolis nunca usou maquiagem, sapatos Gucci, saias Chanel ou sutiã Christian Dior, que, por falar nisso, nem tem o número 32A, que é meu tamanho. Eu nem sei mais quem sou. Esta aqui certamente não é Mia Thermopolis.

Ela está me transformando em uma outra pessoa.

Por isso descontei tudo no meu pai:

"Primeiro, ela me obriga a fazer dever de casa. Depois rasga todo o trabalho que fiz. Depois me ensina como sentar. Em seguida, manda tingir meu cabelo de uma cor diferente e arrancar a maior parte dele, manda alguém colocar pequenas pranchas de surfe em cima das minhas unhas, compra sapatos que custam tanto quanto uma cirurgia no veterinário e roupas que me fazem parecer Vicky, a filha do comandante naquela velha série da década de 70, *The Love Boat*.

"Papai, sinto muito, mas não sou Vicky e nunca vou ser, por mais que Grandmère me vista como ela. Não vou me dar bem na escola, parecer sempre alegre ou ter qualquer romance a bordo. Isso é coisa da Vicky. Não minha!"

Minha mãe estava saindo do quarto, depois de conferir o visual, quando eu gritei tudo isso. Ela usava roupas novas. Um tipo de saia espanhola com muitas cores e uma espécie de bustiê. O cabelo longo estava no lugar certo e ela estava realmente maravilhosa. Para dizer a verdade, meu pai foi novamente pegar uma bebida no bar logo que a viu.

"Mia", disse ela, enquanto colocava um brinco, "ninguém está lhe pedindo que seja Vicky, a filha do comandante".

"Grandmère está!"

"Sua avó está apenas te preparando, Mia."

"Me preparando para quê? Eu não posso ir para a escola deste jeito, você sabe muito bem!", gritei.

Mamãe pareceu meio confusa.

"Por que não?"

Ai, meu Deus. Por que eu?

"Porque", respondi com toda paciência possível, "eu não quero que ninguém na escola descubra que sou a princesa de Genovia!"

Mamãe balançou a cabeça.

"Mia, amor, algum dia eles vão descobrir."

Não sei como. Entenda, já planejei tudo: só vou ser princesa em Genovia, e já que a possibilidade de alguém da escola ir a Genovia é praticamente igual a zero, ninguém aqui vai saber, então estou inteiramente a salvo de ser marcada como uma aberração, como Tina Hakim Baba. Bem, pelo menos não o tipo de aberração que tem que ir pra escola todos os dias em limusine com motorista e seguida por seguranças.

"Bem", comentou mamãe depois que eu lhe disse tudo isso. "E se aparecer no jornal?"

"Por que apareceria no jornal?"

Mamãe olhou para papai. Papai desviou o olhar e tomou um pequeno gole da bebida.

Você não acreditaria no que ele fez em seguida. Pôs o drinque de lado, enfiou a mão no bolso da calça, tirou sua carteira Prada, abriu e perguntou: "Quanto?"

Fiquei chocada. Mamãe também.

"Phillipe...", disse ela. Mas papai simplesmente continuou a olhar para mim.

"Estou falando sério, Helen", disse ele. "Estou vendo que o acordo que redigimos não está nos levando a lugar nenhum. Então, quanto vou ter que lhe pagar, Mia, para que você deixe que sua avó a transforme em uma princesa?"

"É isso o que ela está fazendo?", gritei um pouco mais. "Se é isso que está fazendo, ela confundiu tudo. Eu nunca vi uma princesa com cabelo tão curto assim ou com pés tão grandes como os meus, e que não tem seios!"

Papai apenas deu uma olhada no relógio. Acho que ele tinha algum compromisso. Aposto que era outra "entrevista" com aquela âncora loura da ABC News.

"Considere isso um emprego", disse ele, "essa aprendizagem de como ser princesa. Eu pago seu salário. Agora, quanto é que você quer?".

Comecei a gritar ainda mais, proclamando minha integridade pessoal e que me recusava a vender a alma à loja da companhia, esse tipo de coisa. Coisas que aprendi em alguns discos antigos da minha mãe. Acho que ela percebeu, porque começou a se afastar de mansinho, dizendo que tinha que se aprontar para o encontro com o Sr. G. Meu pai lhe lançou um olhar maligno — ele pode fazer isto quase tão bem quanto Grandmère —, depois suspirou e continuou: "Mia, eu farei uma doação de cem dólares diários em seu nome ao — qual é o nome da coisa? Ah, sim... — Greenpeace. Eles poderão salvar quantas baleias quiserem se você fizer minha mãe feliz, deixando que ela lhe ensine como ser uma princesa."

Bem...

A coisa mudou de figura. Uma coisa seria se ele me pagasse para eu deixar que meu cabelo fosse quimicamente mudado. Mas doar cem dólares por dia ao Greenpeace? Isso significa US$365 mil por ano! Ora, o Greenpeace vai ter que me contratar depois que eu me formar. Até lá, terei doado praticamente um milhão de dólares!

Espere aí, talvez sejam apenas US$36,5 mil. Cadê minha calculadora????

Mais tarde no sábado

Bem, eu não sei quem Lilly Moscovitz pensa que é, mas tenho certeza de que sei quem ela não é: minha amiga. Não acho que alguém que fosse minha amiga poderia ter sido tão mesquinha como Lilly foi esta noite. Não consigo acreditar. E tudo por causa do meu cabelo!

Acho que poderia entender se ela ficasse com raiva de mim por causa de alguma coisa importante — como deixar de ajudar na gravação do episódio Ho. Quero dizer, eu sou uma espécie de primeira-câmera do *Lilly manda a real*. E faço também um monte de trabalho de carpintaria teatral. Quando não posso ir, Shameeka tem que fazer não só seu trabalho, mas também o meu, e ela já é produtora-executiva e responsável pelas locações.

Então acho que entenderia se Lilly estivesse chateada com o fato de eu não ter ajudado na gravação de hoje. Ela pensa que o Ho-Gate — é assim que está chamando o caso — é a matéria mais importante que já fez. Acho isso meio idiota. Quem é que se importa com cinco centavos, afinal de contas? Mas o que Lilly disse foi: "Vamos quebrar o ciclo do racismo que tem sido marcante nas *delicatéssen* das cinco regiões da cidade."

Tanto faz. Tudo que eu sei é que entrei no apartamento dos Moscovitz hoje à noite, Lilly deu uma olhada no meu cabelo e disse: "Ai, meu Deus, o que foi que aconteceu com você?"

Como se eu estivesse com a cara cheia de gelo e o nariz tivesse ficado preto e caído, como aconteceu com aqueles caras que escalaram o monte Everest.

Ok, sei que as pessoas vão ficar apavoradas quando virem meu cabelo. E olha que o lavei bem antes de vir para cá e tirei todo aquele creme dele. E ainda arranquei toda aquela maquiagem que Paolo botou em mim, vesti meu macaquinho e calcei os coturnos (quase não dá mais para ver a fórmula da equação do segundo grau). Pensei em tudo mesmo, exceto no cabelo. Eu parecia quase normal. Na verdade, até pensei que estava bonita — para mim, quero dizer.

Mas parece que Lilly não achou nada disso.

Tentei levar numa boa, como se aquilo não tivesse importância. E não tinha, por falar nisso. Não era como se eu tivesse colocado silicone ou algo parecido.

"Isso mesmo", confirmei, tirando o casaco. "Minha avó me levou no salão daquele tal de Paolo e ele...".

Mas Lilly não me deixou nem terminar. Estava em estado de choque. Continuou: "Seu cabelo está da mesma cor do da Lana Weinberger."

"Bem, eu sei", concordei.

"O que é isso nos seus *dedos*? Essas unhas são postiças? As da Lana também!" Ela olhou pra mim toda espantada. "Ai, meu Deus, Mia. Você está se transformando na Lana Weinberger!"

Aí eu fiquei mesmo chateada. Quero dizer, em primeiro lugar, *não* estou me transformando na Lana Weinberger. Em segundo lugar, mesmo que esteja, Lilly é aquela que vive sempre dizendo que as pessoas são estúpidas por não verem que não importa a aparência, mas, sim, o que há por dentro dela.

Então fiquei ali, na entrada do apartamento dos Moscovitz, que é de mármore preto, enquanto Pavlov pulava em volta das minhas pernas, tão contente por me ver, e eu disse: "Não fui eu. Foi minha avó. Eu tive que..."

"O que você quer dizer com eu tive que?" Aquela expressão realmente maldosa apareceu na cara da Lilly. É a mesma expressão que aparece todos os anos quando nosso instrutor de Educação Física diz que temos que correr em volta da reserva do Central Park, no exame do Teste de Aptidão Física do Presidente. Lilly não gosta de correr em lugar nenhum, principalmente em volta da reserva do Central Park (que é muito grande).

"Quem é você?", perguntou. "Uma pessoa inteiramente passiva? Você é muda ou coisa assim? Incapaz de dizer a palavra não? Sabe, Mia, a gente precisa realmente trabalhar seu posicionamento. Você parece ter problemas sérios com sua avó, mas não parece ter problema para *me* dizer não. Eu precisava muito da sua ajuda hoje com o episódio Ho e você simplesmente furou comigo. Mas não viu problema em deixar sua avó cortar seu cabelo e deixá-lo platinado..."

Ok, apenas lembre que acabei de passar o dia inteiro ouvindo alguém dizer que eu estava um horror — pelo menos até Paolo me pegar e me deixar parecida com a Lana Weinberger. E nesse momento eu ainda tinha que ouvir que há alguma coisa errada com minha personalidade.

Perdi o controle e disse: "Lilly, cala a boca."

Eu nunca mandei Lilly calar a boca antes. Nunca. Acho que nunca mandei ninguém calar a boca. Isto simplesmente não é uma coisa que eu faça. Não sei mesmo o que aconteceu. Talvez tenham sido as unhas. Eu nunca tive unhas antes. Elas me fizeram sentir mais forte. Quero dizer, por que Lilly estava sempre me dizendo o que eu devia fazer?

Infelizmente, no exato momento em que eu estava mandando Lilly calar a boca, Michael apareceu, com uma caixa vazia de cereais na mão e sem camisa.

"Uaaau", disse ele, recuando. Não sei bem se ele disse uaaau e recuou pelo que eu tinha acabado de dizer ou por causa da minha aparência.

"O quê?" disse Lilly. "*O que* foi que você disse?"

Nesse momento ela parecia mais do que nunca um pug.

Eu tive vontade de ceder. Mas não fiz isso porque eu sabia que ela tinha razão. Eu tenho mesmo problemas em me posicionar.

Então, em vez disso, continuei: "Estou cansada de você me humilhar o tempo todo. Durante o dia todo, minha mãe, meu pai, minha avó e os professores estão me dizendo o que fazer. E não preciso que meus amigos façam isso comigo também."

"Uaaau", repetiu Michael. Desta vez tive certeza de que foi pelo que eu disse.

"Qual", disse Lilly, apertando os olhos, "é o seu problema?".

Aí eu respondi: "Quer saber? Não tenho nenhum problema. Você é que está com um problema. Parece que você tem um grande problema comigo. Quer saber de uma coisa? Vou resolver seu problema para você. Vou embora. De qualquer jeito, eu nunca quis ajudar você com aquela história estúpida do Ho-Gate. Os Ho são gente fina. Eles não fizeram nada de errado. Não vejo motivo para você pegar no pé deles. E...", continuei enquanto abria a porta, "meu cabelo não está platinado".

E me mandei. E meio que bati a porta quando saí.

Enquanto esperava o elevador, pensei que Lilly fosse aparecer e me pedir desculpa.

Mas ela não apareceu.

Voltei direto para casa, tomei um banho e me joguei na cama com meu controle remoto e Fat Louie, que é o único que gosta de mim como eu sou agora. Achei que Lilly ligaria para se desculpar, mas até agora não ligou.

Bem, eu não vou pedir desculpa se ela não pedir antes.

E quer saber de uma coisa? Olhei no espelho há um minuto e meu cabelo não parece tão feio assim.

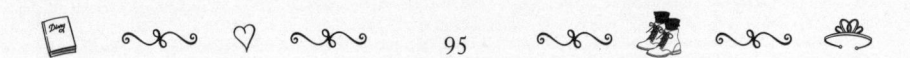

Domingo, 12 de outubro, meia-noite

Ela ainda não telefonou.

Domingo, 12 de outubro

Ai, meu Deus, estou tão envergonhada. Eu queria mesmo era sumir. Vocês nunca vão acreditar no que aconteceu.

Saí do quarto para pegar o café da manhã e vi minha mãe e o Sr. Gianini sentados à mesa, comendo panquecas!

E o Sr. Gianini estava usando camiseta e samba-canção!!! E mamãe estava de quimono!!! Quando me viu, ela se engasgou com o suco de laranja. Depois, disse: "Mia, o que você está fazendo aqui? Achei que fosse dormir na casa da Lilly."

Como eu queria ter feito isso. Como eu queria não ter decidido me posicionar na noite passada. Podia ter ficado na casa dos Moscovitz e nunca ter visto o Sr. Gianini de samba-canção. Eu poderia ter levado uma vida plena e feliz sem nunca ter visto aquilo.

Isso sem contar ele ter me visto de camisola vermelha de flanela.

Como vou aparecer nas aulas de reforço agora?

Isto é tão horrível. Eu gostaria de poder ligar para Lilly, mas acho que nós estamos brigadas.

Mais tarde no domingo

Ah, tudo bem. De acordo com minha mãe, que acaba de entrar no meu quarto, o Sr. Gianini passou a noite no sofá porque o metrô que ele costuma pegar para voltar ao seu apartamento no Bronx descarrilou e a linha ia ficar parada durante horas, então ela simplesmente disse a ele para ficar ali.

Se eu ainda fosse amiga da Lilly, ela provavelmente diria que minha mãe estava mentindo para compensar o fato de ter traumatizado minha impressão dela como pessoa estritamente maternal e, portanto, não sexual. É isso o que Lilly sempre diz quando a mãe de alguém passa a noite com um cara em casa e depois mente sobre o assunto.

Mas eu prefiro acreditar na mentira da minha mãe. A única maneira de eu ser aprovada em álgebra é acreditando na mentira da mamãe, porque eu nunca poderia ficar sentada na aula e me concentrar em polinômios sabendo que o cara na minha frente não só enfiou a língua na boca da minha mãe, mas provavelmente também a viu nua.

Por que todas essas coisas ruins continuam acontecendo comigo? Eu acho que, para variar, já era hora de me acontecer alguma coisa boa.

Depois de mamãe ter entrado no quarto e mentido para mim, botei uma roupa e fui à cozinha fazer meu café. Tive que ir, porque mamãe não ia me trazer café na cama, como pedi. Na verdade, ela disse: "Ei, espera aí, quem você pensa que é? A princesa de Genovia?"

O que, eu acho, ela pensa que é absurdamente engraçado, mas na verdade não é.

Quando ela saiu do quarto, o Sr. Gianini já tinha se vestido. Ele estava tentando parecer bem-humorado a respeito do que havia acontecido, que é a única maneira como uma pessoa pode reagir nesse caso, acho.

No início, não me senti muito bem-humorada. Mas depois o Sr. G começou a falar sobre como seria ver de pijama certas pessoas da Albert Einstein. Como a diretora Gupta. O Sr. G acha que ela provavelmente dorme com uma camisa de futebol combinando com a calça do uniforme de ginástica do marido. Eu comecei a rir, pensando na diretora Gupta usando calça de uniforme de ginástica. Eu disse que apostava que a Sra. Hill usava um negligê, um daqueles todo enfeitado com penas e coisas parecidas. O Sr. G, porém, disse que a Sra. Hill parecia mais do tipo flanela do que de penas. Como ele sabe disto? Ele saiu com a Sra. Hill também? Para um cara chato, com tantas canetas no bolso da camisa, ele certamente circula à beça.

Depois do café, mamãe e o Sr. Gianini tentaram me convencer a ir com eles ao Central Park, porque fazia um dia bonito e tal, mas eu disse que tinha muito dever de casa para fazer, o que não era uma mentira muito grande. Eu tinha mesmo dever de casa — o Sr. G devia saber disto —, mas não muito. Eu apenas não queria ir passear com um casal. Tipo quando Shameeka começou a namorar com Aaron Ben-Simon na sétima série e queria que a gente fosse com eles ao cinema, porque o pai dela não deixava que ela fosse a lugar nenhum sozinha com um garoto (mesmo um garoto totalmente inofensivo como Aaron Ben-Simon, que tem um pescoço da grossura do meu braço), mas quando fomos com ela, ela praticamente nos ignorou, o que eu acho que é a lógica da situação. Nas duas semanas em que saíram juntos, a gente não conseguia conversar com Shameeka, porque ela só falava sobre Aaron.

Não que mamãe não consiga fazer nada além de falar sobre o Sr. Gianini. Ela não é assim, absolutamente. Mas eu tive a impressão de que, se fosse ao Central Park, poderia ter que ver uns beijos. Não que haja alguma coisa de errado com um beijo, como na TV. Mas quando é com a nossa mãe e nosso professor de álgebra...

Dá pra entender meu ponto, né?

RAZÕES PARA FAZER AS PAZES COM LILLY

1. Nós somos melhores amigas desde o jardim de infância
2. Uma de nós tem que ser a mais nobre e dar o primeiro passo
3. Ela me faz rir
4. Com quem mais posso almoçar na escola?
5. Sinto falta dela

RAZÕES PARA NÃO FAZER AS PAZES COM LILLY

1. Ela está sempre me dando ordens
2. Ela acha que sabe tudo
3. Foi ela quem começou isso, então é ela quem deve pedir desculpas
4. Eu nunca conseguirei autorrealização se ceder sempre em minhas convicções
5. E se eu pedir desculpas e MESMO ASSIM ela não quiser falar comigo?

Ainda mais tarde no domingo

Acabei de ligar o computador para ver se acho alguma coisa sobre o Afeganistão na internet (tenho que fazer uma redação para Civilizações Mundiais sobre um acontecimento recente) e notei que alguém estava me mandando mensagem. Eu raramente recebo mensagens, então fiquei muito interessada.

Mas depois vi de quem era: CracKing.

Michael Moscovitz? O que ele poderia querer?

Vejam só o que ele escreveu:

> **CracKing:** Oi, Thermopolis. O que deu em você na noite passada? Parece que você ficou doida ou coisa assim.

Eu? Doida???

> **FtLouie:** Para sua informação, não fiquei doida. Eu simplesmente me cansei da sua irmã sempre me dar ordens. Não que isso seja da sua conta.
>
> **CracKing:** Por que você está ficando tão esnobe? Lógico que é da minha conta. Eu tenho que morar com ela, não tenho?
>
> **FtLouie:** Por quê? Ela está falando sobre mim?
>
> **CracKing:** Pode-se dizer que sim.

Não posso acreditar que ela esteve falando de mim. E pode ter certeza de que ela não disse nada de bom.

> **FtLouie:** O que ela está dizendo?
>
> **CracKing:** Achei que isso não era da minha conta.

Que bom que eu não tenho irmão.

FtLouie: NÃO É. O que ela está dizendo?

CracKing: Que NÃO sabe o que deu em você nestes dias, mas desde que seu pai veio visitar você, você vem se comportando feito doida.

FtLouie: EU? DOIDA? O QUE VOCÊ ACHA DELA? ELA É QUE VIVE SEMPRE ME CRITICANDO. ESTOU DE SACO CHEIO DISSO!!!! SE ELA QUER SER MINHA AMIGA, POR QUE NÃO PODE ME ACEITAR COMO EU SOU????

CracKing: VOCÊ NÃO PRECISA GRITAR.

FtLouie: EU NÃO ESTOU GRITANDO!!!

CracKing: Você está usando pontuação em excesso e, on-line, isso é como gritar. Além disso, ela não é a única que critica você. Ela diz que você não vai apoiar o boicote à ho's deli.

FtLouie: Bem, ela está certa. Não vou apoiar. Isso é ridículo. Você não acha que é?

CracKing: Com certeza. Você ainda está indo mal em álgebra?

FtLouie: Acho que sim, mas, considerando que o sr. G dormiu aqui na noite passada, eu devo passar com um cinco. Por quê?

CracKing: O QUÊ? O sr. G dormiu aí na noite passada? Na sua casa? Como foi isso?

Agora, por que eu disse isso a ele? Amanhã de manhã toda a escola vai saber. Talvez o Sr. G seja mandado embora! Não sei se professores têm permissão para namorar a mãe de suas alunas. Por que contei isso ao Michael?

FtLouie: Foi horrível, mas depois ele brincou sobre o assunto e deixou tudo certo. Não sei. Eu devia estar mais chateada, mas minha mãe estava tão feliz. É difícil.

CracKing: Sua mãe poderia arranjar coisa muito pior do que o sr. G. Imagine se ela estivesse namorando com o sr. Stuart.

O Sr. Stuart dá aulas de Saúde & Segurança. Ele acha que é um presente de Deus para as mulheres. Não tive aula com ele ainda, já que a gente só estuda Saúde & Segurança em uma série mais adiantada, mas já sei que a gente não deve nunca se aproximar da mesa dele porque, se fizer isto, ele vai estender a mão e acariciar os ombros da gente, como se estivesse fazendo massagem, mas todo mundo diz que ele está só querendo ver se a gente está usando sutiã.

Se minha mãe algum dia sair com o Sr. Stuart, eu me mudo para o Afeganistão.

> **FtLouie:** Hahaha. Por que você quer saber se estou indo mal em álgebra?
>
> **CracKing:** Ah, porque já acabei a edição deste mês da crackhead, e pensei que, se você quiser, eu poderia te ajudar durante a aula de S&T. Se você quiser.

Michael Moscovitz se oferecendo para fazer alguma coisa por mim? Não pude acreditar nisso. Quase caí da cadeira do computador.

> **FtLouie:** Uau, isso seria o máximo! Obrigada!
>
> **CracKing:** De nada. Aguenta aí, Thermopolis.

Depois, ele desligou.

Dá pra acreditar numa coisa dessa? O que foi que deu nele?

Eu, definitivamente, devo brigar mais com Lilly.

Muito tarde no domingo

Justamente quando eu achei que as coisas estavam melhorando um pouco, meu pai ligou. Disse que ia mandar Lars me buscar aqui, para que eu, ele e Grandmère jantássemos juntos no Plaza.

Notem que o convite não incluiu mamãe.

Mas acho que tudo bem, já que mamãe, de qualquer jeito, não queria ir a lugar nenhum. Quando eu disse que ia, ela ficou até alegre, para dizer a verdade.

"Ah, isso é bom", disse ela. "Eu vou ficar aqui, pedir um prato de comida tailandesa e assistir ao *Sixty Minutes*.

Ela está realmente alegre desde que voltou do Central Park. Contou que ela e o Sr. G passearam numa daquelas charretes. Fiquei chocada. Aqueles cocheiros das charretes não tratam bem os cavalos, de jeito nenhum. Há sempre algum velho cavalo de charrete desmaiando por falta de água. Eu sempre jurei nunca passear numa daquelas charretes. Pelo menos não até que eles concedam aos cavalos alguns de seus direitos, e eu sempre pensei que mamãe concordasse comigo.

O amor pode fazer coisas estranhas com as pessoas.

Desta vez, o Plaza não foi tão ruim. Acho que estou me acostumando. Os porteiros sabem quem eu sou — ou pelo menos sabem quem Lars é —, então não criam mais caso comigo. Grandmère e papai estavam meio mal-humorados. Não sei por quê. Acho que não estão sendo pagos para passar tempo um com o outro, como eu.

O jantar foi um saco. Grandmère disse qual garfo eu devo usar com o que e por quê. Foram servidos muitos pratos, a maioria de carne. Mas um deles era de peixe, então esse eu comi, mais a sobremesa, que era uma bela torre de chocolate. Grandmère tentou me dizer que quando eu representar Genovia em uma função de Estado, vou ter que comer o que quer que botem na minha frente ou insultarei meus anfitriões e, possivelmente, provocarei um incidente internacional. Mas eu disse que pediria a meus assessores que explicassem antes que não como carne, para que eles nem me servissem aquilo.

Grandmère pareceu meio aborrecida. Acho que ela nunca pensou que eu pudesse ter visto aquele documentário sobre a Princesa Diana. Eu sei tudo sobre como evitar comer certas coisas em banquetes oficiais e também como vomitar depois o que a gente comeu (só que eu nunca faria isto).

Durante todo o jantar, papai continuou a me fazer perguntas esquisitas sobre mamãe. Como, por exemplo, se eu me sentia mal com o relacionamento dela com o Sr. Gianini e se eu queria que ele dissesse alguma coisa a ela. Acho que ele estava tentando fazer com que eu dissesse a ele se o caso entre os dois era sério ou não — o Sr. G e mamãe, quero dizer.

Bem, eu sei que é muito sério, já que ele está dormindo lá em casa. Mamãe só deixa que durmam lá em casa caras de quem ela realmente gosta. Até agora, incluindo o Sr. G, só houve três caras nos últimos catorze anos: Wolfgang, que ela descobriu que era gay; aquele cara, o Tim, que a gente descobriu que era republicano, e agora meu professor de álgebra. Isto não é realmente muita gente. É mais ou menos um cara a cada quatro anos.

Ou alguma coisa assim.

Mas, lógico, eu não poderia dizer ao papai que o Sr. G havia passado a noite lá em casa, porque sei que ele teria uma embolia. Ele é meio machista. Ele leva namoradas para Miragnac todos os verões, às vezes uma nova a cada duas semanas, mas espera que mamãe permaneça tão pura como a neve.

Se Lilly ainda estivesse falando comigo, sei que ela diria que todos os homens são hipócritas.

Uma parte de mim queria contar ao papai sobre o Sr. G, só para ele deixar de ser tão convencido. Mas também não queria dar à minha avó mais munição contra mamãe — Grandmère diz que mamãe é "avoada" —, então simplesmente fingi que não sabia de nada sobre o caso.

Grandmère disse que, amanhã, vamos trabalhar meu vocabulário. Diz que meu francês é atroz, mas o meu inglês é ainda pior. Disse que, se me ouvir dizer novamente "tanto faz", vai lavar minha boca com sabão.

Eu disse: "Tanto faz, Grandmère", e ela me lançou aquele olhar. Eu não estava querendo dar uma de engraçada. Eu apenas esqueci.

Até agora, consegui US$200 para o Greenpeace. Eu provavelmente vou entrar na história como a moça que salvou todas as baleias.

Quando voltei para casa, notei que havia dois pratos vazios de comida tailandesa. E também dois pares de pauzinhos pra comer e duas garrafas de Heineken na caixa de produtos recicláveis. Perguntei à mamãe se ela havia convidado o Sr. G. para jantar — meu Deus, ela já havia passado o dia inteiro com ele! — e ela disse: "Ah, não, querida. Eu estava apenas com muita fome."

Isso dava duas mentiras que ela tinha me contado num único dia. Essa coisa com o Sr. G deve ser muito séria.

Lilly ainda não ligou. Estou começando a pensar que talvez eu deva ligar para ela. Mas o que eu ia dizer? Eu não fiz nada. Quero dizer, sei que disse a ela para calar a boca, mas isto foi apenas porque ela me disse que eu estava me transformando na Lana Weinberger. Eu tinha todo o direito de dizer a ela que calasse a boca.

Tinha mesmo? Talvez ninguém tenha o direito de mandar ninguém calar a boca. Talvez seja assim que começam as guerras, porque alguém manda alguém calar a boca e depois ninguém pede desculpa.

Se isso continuar, com quem é que vou almoçar amanhã na escola?

Segunda, 13 de outubro, Álgebra

Quando Lars parou em frente ao prédio da Lilly para levá-la à escola, o porteiro disse que ela já havia saído. Por falar em guardar rancor...

Esta é a briga mais longa que nós já tivemos.

Quando entrei na escola, a primeira coisa que fizeram foi esfregar um abaixo-assinado na minha cara.

Boicote à Ho's Deli!
Assine embaixo e lute
contra o racismo!

Eu disse que não assinaria. Boris, o cara que estava com o papel na mão, disse que eu era ingrata e que no seu país natal vozes erguidas em protesto haviam sido caladas durante anos pelo governo e que eu devia me sentir feliz por viver em um lugar onde podia assinar um abaixo-assinado e não viver com medo de que a polícia secreta viesse me pegar.

Eu respondi a Boris que, nos Estados Unidos, ninguém enfia o suéter dentro da calça.

Uma coisa a gente tem que dizer a favor da Lilly: ela age rápido. Na escola inteira, cartazes pediam o boicote da Ho's Deli.

Mas há outra coisa que a gente tem que dizer sobre Lilly: quando ela fica com raiva, continua com raiva. Ela não quis mesmo falar comigo.

Eu gostaria que o Sr. G parasse de se preocupar comigo. Quem se importa, afinal de contas, com números inteiros?

Operações com números reais: negativos ou opostos — número em lados opostos do zero, mas com a mesma distância do zero na progressão numérica, são chamados de negativos ou opostos.

O que fazer durante a aula de álgebra

O que fazer durante a aula de álgebra!
As possibilidades são ilimitadas:
Desenhar, bocejar
e jogar xadrez portátil.

Mas também cochilar, sonhar
e sentir-se confusa.
E cantarolar, fingir dedilhar um violão
e parecer preocupada.

Olhar fixamente para o relógio.
Cantar baixinho uma pequena canção.
Tentei praticamente tudo
para passar o tempo.

MAS NADA FUNCIONA!!!!!

Segunda, Francês

Por isso, mesmo que Lilly e eu não estivéssemos brigadas, eu não poderia ter me sentado ao lado dela hoje no almoço. Ela se tornou a rainha de uma causa célebre. Todas aquelas pessoas formavam uma multidão em volta da mesa onde ela, eu, Shameeka e Ling Su costumamos comer os bolinhos que compramos no Big Wong. *Boris Pelkowski* estava sentado no lugar onde eu geralmente me sento.

Lilly devia estar nas nuvens. Ela sempre quis ser adorada por um gênio musical.

Então eu estava ali, em pé, como uma idiota completa, com minha bandeja idiota cheia de uma salada idiota, que era a única opção vegetariana do dia, porque já tinha acabado o feijão e as barras de cereais, e eu só tinha uma pergunta: com quem vou me sentar? Na nossa lanchonete só há dez mesas, já que o almoço é em esquema de rodízio de grupos: a mesa onde me sento com Lilly, a mesa dos atletas, a mesa das líderes da torcida, a mesa dos alunos ricos, a mesa da turma do hip hop, a mesa dos drogados, a mesa dos malucos por teatro, a mesa da Sociedade Nacional dos Garotos que Não Colam, a mesa dos estudantes estrangeiros e a mesa onde Tina Hakim Baba se senta todos os dias com seu segurança.

Eu não podia me sentar com os atletas ou o com as líderes de torcida porque não sou nenhuma das duas coisas. Nem com os alunos ricos, porque não tenho celular ou corretor de ações. Não gosto de hip hop nem de drogas. Não tive um papel na última peça de teatro e, com meu último zero em álgebra, a chance de fazer parte da Sociedade Nacional dos Garotos que Não Colam é praticamente nula, e não entendo o que os estudantes estrangeiros dizem, já que não há nenhum francês entre eles.

Olhei para Tina Hakim Baba. Tinha um prato de salada na frente dela, exatamente como eu. Só que ela come salada porque faz dieta, não por ser vegetariana. Estava lendo um romance com um garoto abraçando uma garota. A garota tinha longos cabelos louros e seios muito grandes para uma pessoa com coxas tão finas. Ela parecia exatamente o que minha avó quer que eu pareça.

Fui até lá e coloquei minha bandeja na frente da Tina Hakim Baba.

"Posso sentar aqui?", perguntei.

Tina tirou os olhos do livro. Tinha no rosto uma expressão de choque total. Olhou para mim e, em seguida, para o segurança, um homem alto e negro usando terno preto. Ele usava óculos escuros, ainda que a gente estivesse dentro de um prédio. Acho que Lars poderia ter dado conta dele se a coisa acabasse numa briga entre os dois.

Quando Tina olhou para o segurança, ele olhou para mim — pelo menos acho que olhou, mas era difícil saber por causa daqueles óculos — e assentiu com a cabeça.

Tina me dirigiu um grande sorriso. "Por favor", disse, pondo o livro de lado. "Senta aqui comigo."

Sentei. Fiquei meio sem graça vendo Tina sorrir daquele jeito. Como se eu devesse ter pedido antes para me sentar ao lado dela. Mas eu achava meio esquisito ela ir para a escola de limusine e ter um segurança.

Agora já não acho mais tão esquisito assim.

Ela e eu comemos nossas saladas e comentamos como a comida da escola é ruim. Ela me falou da dieta que faz. Por ordem da mãe. Ela quer perder 10kg até o dia do Baile da Diversidade Cultural. Mas o Baile da Diversidade Cultural vai acontecer neste sábado, então não sei como ela vai conseguir isso. Perguntei a ela se já tinha par para o baile, ela deu umas risadinhas e disse que sim. O par dela vai ser um cara da Trinity, outra escola particular de Manhattan. O nome dele é Dave Farouq El-Abar.

Alô? Isso não é justo. Até mesmo Tina Hakim Baba, cujo pai não deixa que ela ande duas quadras até a escola, foi convidada por alguém.

Bem, ela tem seios, então acho que este foi o motivo.

Tina é bem bonitinha. Quando ela levantou para ir até a fila pegar outra soda dietética, o segurança foi com ela. Se Lars começasse a dar uma de sombra comigo, eu me mataria... Eu li a quarta capa do livro dela. O título é *Eu Acho Que Meu Nome É Amanda*, e é sobre uma garota que acorda de um coma e não consegue lembrar quem é. Um garoto lindo vai visitá-la no hospital e diz que o nome dela é Amanda e que é o namorado dela. Ela passa o resto do livro tentando descobrir se ele está mentindo ou não.

Eu tenho tanta certeza! Se algum garoto bonito lhe diz que é seu namorado, por que você simplesmente não acredita nele? Algumas garotas não percebem quando têm um prato-feito nas mãos.

Enquanto eu estava lendo a quarta capa do livro, uma sombra surgiu, então levantei os olhos e lá estava Lana Weinberger. Devia ser dia de jogo, porque ela usava seu uniforme de líder de torcida, uma minissaia plissada verde e branca e um suéter branco justo com um A gigantesco estampado na frente. Acho que ela põe seus absorventes dentro do sutiã quando não está usando. Não entendo como o peito dela pode ser tão empinado.

"Lindo cabelo, Amelia", disse com aquela voz enjoada. "Com quem você quer se parecer? Com a Tank Girl?"

Olhei para trás dela. Josh Richter estava lá, com alguns de seus amigos atletas e idiotas. Eles não estavam dando a mínima atenção a mim e a Lana. Estavam conversando sobre uma festa que rolou no fim de semana. Estavam todos de ressaca por terem bebido cerveja demais.

Eu só queria saber se o treinador deles sabe disso.

"Por falar nisso, qual é o nome que você dá a essa cor?", quis saber Lana. Tocou minha cabeça. "Amarelo-pus?"

Tina Hakim Baba e o segurança voltaram enquanto Lana estava ali me atormentando. Além da soda dietética, Tina havia comprado um sorvete de casquinha pra mim. Achei isso muito legal da parte dela, já que nós raramente conversamos.

Mas Lana não percebeu a cordialidade desse gesto. Em vez disso, perguntou inocentemente: "Ah, você comprou sorvete para Amelia? Seu pai lhe deu hoje uns cem dólares extras para você comprar uma nova amiga?"

Deu pra notar a mágoa nos olhos escuros da Tina. O segurança notou isso e abriu a boca.

Então aconteceu uma coisa estranha. Eu continuava sentada ali, vendo os olhos da Tina Hakim Baba se encherem de lágrimas e, sem perceber, peguei meu sorvete e o enfiei com toda força no peito de Lana.

Lana olhou para o creme de baunilha, a casquinha de chocolate e o amendoim colando no seu peito. Josh Richter e os outros atletas pararam de conversar e também olharam para o peito da Lana. O barulho na lanchonete caiu para o nível mais baixo que já ouvi em toda minha vida. Todo mundo estava olhando para a casquinha de sorvete colada no peito da Lana. O silêncio era tão profundo que até ouvi Boris respirando através da sua máscara contra poeira.

Aí Lana começou a gritar:

"Sua... sua..." Acho que ela não conseguiu pensar numa palavra suficientemente pesada para mim. "Sua... sua... Olha só o que você fez! Olha o que você fez com meu suéter!"

Levantei e agarrei minha bandeja. "Vamos, Tina", chamei. "Vamos para um lugar um pouco mais tranquilo."

Tina, mantendo os grandes olhos castanhos na casquinha grudada no A no peito da Lana, pegou a bandeja dela e me seguiu. O segurança seguiu Tina. Posso jurar que ele estava rindo.

Quando Tina e eu passamos pela mesa onde Lilly e eu geralmente nos sentávamos, vi Lilly me observando, boquiaberta. Ela, obviamente, havia presenciado toda a cena.

Bem, acho que ela vai ter que mudar o diagnóstico que faz de mim: eu não sou passiva. Não quando não quero ser.

Não tenho certeza, mas quando Tina, o segurança e eu saímos da lanchonete, acho que ouvi alguns aplausos vindo da mesa dos nerds.

Acho que a autorrealização deve estar bem perto para mim.

Mais tarde na Segunda

Ai, meu Deus! Estou muito ferrada! Isso nunca me aconteceu antes! *Estou na sala da diretora!*

É isso mesmo. Fui mandada à sala da diretora por jogar sorvete na Lana Weinberger.

Eu devia ter imaginado que ela ia me dedurar. Ela é uma grande chorona.

Estou um pouco assustada. Eu nunca quebrei uma regra de conduta estudantil. Sempre fui uma boa aluna. Quando o monitor chegou à nossa aula de S&T, não pensei, nem por um minuto, que fosse por minha causa. Eu estava sentada com Michael Moscovitz, que me mostrava que eu fazia subtrações de um jeito totalmente errado. Ele disse que o problema é que não escrevo os números com nitidez suficiente quando estou copiando a questão. E também que não sei onde boto minhas anotações e que uso sempre o primeiro caderno que encontro. Ele disse que devo manter num caderno só todas as minhas anotações de álgebra.

E que, além disso, eu pareço ter problemas para me concentrar.

Mas eu não conseguia me concentrar porque nunca tinha sentado tão perto de um cara! Quero dizer, sei que era apenas Michael Moscovitz, e que o vejo o tempo todo, e que ele nunca gostou de mim porque sou caloura e ele é veterano e, de quebra, sou a melhor amiga da sua irmã mais nova — pelo menos era.

Mas ele ainda é um cara, um cara *atraente*, mesmo que seja irmão da Lilly. Era muito difícil prestar atenção à subtração quando podia sentir o cheiro agradável do seu corpo limpinho. Além do mais, de vez em quando ele colocava a mão em cima da minha, pegava meu lápis e dizia: "Não. *Assim*, Mia."

Tudo bem, eu também estava com problemas para me concentrar porque achava que Lilly estava nos observando. Não estava, lógico. Ela está combatendo as forças malignas do racismo em nosso bairro e não tem tempo para pessoas insignificantes como eu. Estava sentada àquela grande mesa, cercada de todos os seus colaboradores, planejando o movimento seguinte na Ofensiva Ho. Ela até deixou Boris sair do almoxarifado para ajudar.

Dão licença para eu dizer que ele estava louco por ela? Não consigo imaginar como Lilly aguenta aquele braço magro de violinista em volta da cadeira dela. E ele ainda não tirou o suéter de dentro da calça.

Então eu realmente não devia ter me preocupado com a possibilidade de que alguém notasse Michael e a mim. Quero dizer, com certeza ele não estava com o braço no encosto da minha cadeira, embora, uma vez, por baixo da mesa, o joelho dele tenha tocado o meu. Eu quase morri com aquela sensação.

Depois o monitor chegou e *me* chamou.

Será que vou ser expulsa? Talvez, se eu for expulsa, possa estudar em outra escola, onde ninguém vai saber que meu cabelo tinha outra cor e que estas unhas não são de verdade. Isso poderia até ser bom.

DE AGORA EM DIANTE, EU VOU

1. Pensar antes de fazer alguma coisa
2. Tentar ser bem-educada, por mais que seja provocada a me comportar de outra maneira
3. Dizer a verdade, exceto quando isto ferir os sentimentos de alguém
4. Ficar tão longe quanto possível da Lana Weinberger

Droga! A diretora Gupta está pronta para me receber agora.

Segunda à noite

Bem, eu não sei o que vou fazer agora. Vou ficar de castigo depois das aulas durante uma semana, *mais* aulas de reforço de álgebra com o Sr. G, *mais* aulas de princesa com Grandmère.

Meu pai está furioso. Diz que vai processar a escola. Diz que ninguém pode botar sua filha de castigo por defender os oprimidos. Eu disse a ele que a diretora Gupta pode. Ela pode fazer qualquer coisa. Ela é a diretora.

Não posso dizer que a culpo realmente. Quero dizer, eu nem disse que estava arrependida ou coisa assim. A diretora Gupta é uma mulher legal, mas o que ela poderia fazer? Eu confessei que havia feito aquilo. Ela me disse que eu teria que pedir desculpa a Lana e pagar a lavagem do suéter dela na tinturaria. Eu disse que pagava pela lavagem, mas não pediria desculpa. A diretora Gupta olhou para mim por cima dos seus óculos bifocais e perguntou: "O que disse, Mia?"

Repeti que não ia pedir desculpa. Meu coração disparou. Eu não queria irritar ninguém, especialmente a diretora Gupta, que é assustadora quando quer. Tentei imaginá-la usando a calça de ginástica do marido, mas não funcionou. Ela ainda me assustava.

Mas não vou pedir desculpa a Lana. Não vou.

Mas a diretora Gupta não parecia zangada. Parecia preocupada. Acho que é assim que educadoras devem parecer. Sabe, preocupadas. Preocupadas com a gente. Ela continuou: "Mia, tenho que dizer, quando Lana entrou para se queixar, fiquei muito surpresa. Geralmente, quem tenho que chamar aqui é Lilly Moscovitz. Nunca esperei que ia ter que chamar você. Não por questões disciplinares. Razões de estudo, talvez. Sei que você não está indo bem em álgebra. Mas nunca achei que você teria um problema disciplinar. Acho que realmente tenho que lhe perguntar, Mia... Está tudo bem com você?"

Durante um minuto, eu simplesmente olhei para ela.

Está tudo bem com você? Está tudo bem com você?

Hummm, espera um pouco, deixa eu pensar... minha mãe está namorando com meu professor de álgebra, uma matéria em que por acaso estou me dando mal; minha melhor amiga me odeia; tenho 14 anos e ninguém nunca pediu para sair comigo; não tenho seios; e, ah, acabo de descobrir que sou a princesa de Genovia.

"Ah, com certeza", respondi à diretora Gupta, "está tudo bem."

"Você tem certeza, Mia? Porque não posso deixar de pensar se isso não é consequência de alguns problemas que você possa ter... talvez em casa?"

Quem ela pensava que eu era, afinal? Lana Choronaberger? Como se eu fosse mesmo contar a ela meus problemas! Isso mesmo, diretora Gupta. Além de todos esses problemas, minha avó está na cidade e meu pai está me pagando US$100 por dia para eu ter aulas de princesa. Ah, e neste fim de semana encontrei o Sr. Gianini na minha cozinha e tudo que ele usava era uma cueca samba-canção. A senhora quer saber de mais alguma coisa?

"Mia", disse a diretora Gupta, "quero que saiba que você é uma pessoa muito especial. Você tem muitas qualidades maravilhosas. Não há razão para você se sentir ameaçada por Lana Weinberger. Nenhuma, absolutamente."

Ah, ok. Só porque ela é a garota mais bonita e mais popular da turma e está namorando com o cara mais bonito e mais popular da turma, você tem razão, diretora Gupta. Não há razão alguma para eu me sentir ameaçada por ela. Especialmente porque ela me rebaixa sempre que pode e tenta me humilhar em público. Ameaçada? Eu? De jeito nenhum.

"Sabe de uma coisa, Mia", continuou a diretora Gupta, "aposto que se você se desse um tempo para conhecer melhor a Lana ia descobrir que ela é realmente uma garota muito boa. Uma garota igualzinha a você."

Certo. Exatamente igual a mim.

Eu fiquei tão transtornada que contei tudo isso a Grandmère em nossa lição de vocabulário. Ela se mostrou surpreendentemente penalizada.

"Quando eu tinha sua idade", disse Grandmère, "havia em minha escola uma garota exatamente igual a essa Lana. O nome dela era Genevieve. Ela se sentava atrás de mim na aula de geografia. Genevieve pegava a ponta da minha trança e botava dentro do tinteiro dela, de modo que, quando me levantava, sujava todo o vestido. A professora, porém, nunca acreditava que Genevieve fizesse isso de propósito."

"Verdade?" Fiquei um pouco impressionada. Essa Genevieve tinha coragem. Eu nunca conheci ninguém que pudesse tentar fazer uma coisa dessa com minha avó. "E o que foi que você fez?"

Grandmère soltou aquela risada maldosa. "Ah, nada."

Não havia como ela não ter feito nada com Genevieve. Não com uma risada daquela. Mas por mais que tenha enchido o saco dela, Grandmère não disse o que fez para dar o troco em Genevieve. Estou quase pensando que talvez ela a tenha matado.

E daí? Isso pode acontecer.

Mas acho que não devia ter enchido tanto o saco de Grandmère, porque, para me calar, ela me submeteu a um teste! Não estou brincando!

E foi mesmo difícil. Eu prendi o teste aqui com um grampeador, já que tirei quase a nota máxima. Grandmère diz que eu progredi muito desde que a gente começou.

O Teste da Grandmère

1. Em um restaurante, o que a gente faz com o guardanapo quando se levanta para ir ao toalete?

   Se for um restaurante quatro estrelas, entregue-o ao garçom que vem correndo para ajudá-la a afastar a cadeira. Se for um lugar comum e nenhum garçom vier correndo, deixe o guardanapo na cadeira vazia.

2. Em que circunstâncias é aceitável passar batom em público?

   Nenhuma.

3. Quais são as características do capitalismo?

   Propriedade privada dos meios de produção e distribuição e troca de bens baseada nas operações do mercado.

4. Qual a resposta apropriada ao homem que diz que nos ama?

   Obrigada. Você é muito gentil.

5. O que Marx considerava a contradição do capitalismo?

   O valor de qualquer bem é determinado pelo volume de trabalho necessário para produzi-lo. Ao negar aos trabalhadores o valor do que eles produziram, os capitalistas minam seu próprio sistema econômico.

6. *Sapatos brancos são inaceitáveis...*

   Em enterros, depois do Dia do Trabalho, antes do Dia dos Mortos na Guerra e em qualquer lugar onde possa haver cavalos.

7. Descreva uma oligarquia.

   Pequeno grupo que exerce controle para fins geralmente corruptos.

8. Descreva um Sidecar.

   $1/3$ de suco de limão, $1/3$ de Cointreau e $1/3$ de conhaque bem batidos com gelo e filtrados antes de servir.

A única questão que errei foi sobre o que dizer a um homem que diz que nos ama. Parece que a gente não deve dizer obrigada.

Não, lógico que isso jamais vai me acontecer. Mas Grandmère disse que talvez tenha uma surpresa algum dia.

Como eu desejo isso!

Terça, 14 de outubro, Sala de Estudos

Nada da Lilly de novo esta manhã. Não que eu esperasse que isso acontecesse. Mas, ainda assim, fiz Lars parar no prédio dela, apenas na hipótese de ela querer ser novamente minha amiga. Quero dizer, ela podia ter visto como eu me posicionei contra Lana e chegado à conclusão de que era errado me criticar tanto.

Mas acho que não.

O engraçado foi que, quando Lars me deixou na porta da escola, Tina Hakim Baba também estava chegando de motorista. A gente se cumprimentou de longe e entramos juntas na escola, o segurança dela logo atrás. Tina disse que queria me agradecer pelo que eu fiz ontem. Disse que contou o caso aos pais e que eles querem que eu vá jantar na casa deles na sexta à noite.

"E talvez", perguntou Tina, muito tímida, "você possa passar a noite lá, se quiser."

Eu disse "ok". Eu disse isso principalmente porque sinto pena da Tina, já que ela não tem nenhuma outra amiga, porque parece que todo mundo pensa que ela é muito esquisita, com o segurança e tal. E eu disse isso também porque ouvi dizer que ela tem uma fonte em casa, exatamente igual à do Donald Trump, e eu queria saber se isto era verdade.

E acho que gosto dela. Ela é legal comigo.

É bom ter alguém que é legal com a gente.

TENHO QUE

1. Parar de esperar que o telefone toque (Lilly NÃO vai ligar. Nem Josh Richter)
2. Fazer mais amigas
3. Ter mais autoconfiança
4. Parar de roer as unhas postiças
5. Começar a agir de forma mais:
    ↳ Responsável
    ↳ Adulta
    ↳ Madura
6. Ser mais feliz
7. Desenvolver autorrealização

8. Comprar:
    - ↳ sacos de lixo
    - ↳ guardanapos
    - ↳ condicionador
    - ↳ atum
    - ↳ papel higiênico!!!!

Terça, Álgebra

Ai, meu Deus. Não posso acreditar. Mas só pode ser verdade, já que Shameeka acaba de me dizer.

Lilly tem um par para o Baile da Diversidade Cultural neste fim de semana.

Lilly tem namorado. Até Lilly tem namorado. Eu pensei que todos os garotos da escola tinham um medo pavoroso da Lilly.

Mas há um garoto que não tem:

Boris Pelkowski.

AAAAHHHHHHHHHHHHHHHHH!

Terça, Inglês

Nunca um garoto vai me convidar para sair. Nunca. TODO MUNDO tem par para o Baile da Diversidade Cultural: Shameeka, Lilly, Ling Su, Tina Hakim Baba. Eu sou a única que não vai. A ÚNICA.

Por que nasci sob essa estrela tão azarenta? Por que tive que ser amaldiçoada por esta minha aberração? Por quê? POR QUÊ?

Eu daria qualquer coisa se, em vez de ser esta princesa de quase 1,80m de altura, sem peito, pudesse ser uma pessoa normal de 1,68m e com seios.

QUALQUER COISA.

Sátira — emprego sistemático de humor para fins de convencimento

Ironia — contrária à expectativa

Paródia — imitação fiel que exagera aspectos ridículos ou condenáveis

Terça, Francês

Hoje em S & T, entre uma ajuda e outra com a matéria, Michael Moscovitz me deu parabéns pela maneira como encarei o que ele chama de o Incidente Weinberger. Fiquei surpresa ao descobrir que ele tinha ouvido falar sobre isso. Ele disse que não se fala em outra coisa na escola, que eu arrasei Lana na frente do Josh. E ele disse: "Seu armário fica perto do dele, não é?"

Eu disse que sim.

E ele disse: "Isso deve ser meio chato pra você", mas eu disse que, para falar a verdade, não era, já que tinha a impressão de que, ultimamente, Lana parecia estar evitando aquela área, e que Josh nunca fala comigo, a não ser para dizer "Dá licença?", de vez em quando.

Perguntei a ele se Lilly andava dizendo coisas horrorosas a meu respeito, e ele respondeu, todo surpreso: "Ela nunca disse nada de mau sobre você. Ela simplesmente não entende por que você explodiu com ela daquela maneira."

Eu disse: "Michael, ela está sempre me rebaixando! Eu simplesmente não consegui aguentar mais. Já tenho problemas demais, sem precisar de amigas que não me dão apoio nenhum."

Ele riu e disse: "Que tipo de problemas você poderia ter?"

Como se eu fosse muito criança ou alguma coisa assim para ter problemas!

Mas dei uma lição e tanto nele. Eu não podia contar que era a princesa de Genovia, que não tinha seios e outras coisas parecidas, mas lembrei a ele que estava indo mal em álgebra, que estava de castigo por uma semana, que havia acordado recentemente e encontrado o Sr. Gianini de samba-canção, tomando o café da manhã com minha mãe.

Ele disse que achava que eu tinha alguns problemas, afinal de contas.

Durante todo o tempo em que Michael e eu estivemos conversando, vi Lilly nos lançando aqueles olhares por trás do quadro de avisos, onde estava escrevendo slogans Ho-Gate com um marcador. Acho que, porque estou brigada com ela, não tenho permissão para ser amiga do irmão dela.

Ou talvez ela esteja apenas magoada, porque o boicote que organizou contra a Ho's Deli está causando um grande rebuliço na escola. Em primeiro lugar, todos os garotos de origem asiática começaram a fazer compras exclusivamente na Ho's. E por que não? Graças à campanha de Lilly, eles agora sabem que podem ter um desconto de cinco por cento em praticamente tudo. O outro problema é que não há outra *delicatéssen* que dê pra gente ir a pé. Este fato causou uma grande divisão entre os manifestantes. Os não fumantes querem continuar o boicote, enquanto todos os fumantes querem escrever uma carta malcriada e depois esquecer tudo. E como todos os garotos populares na escola fumam, eles não estão nem aí para o boicote. Continuam a ir ao Ho's exatamente como iam antes para comprar seus maços de cigarros.

Quando a gente não consegue trazer para nosso lado os caras mais populares, temos que aceitar que não tem jeito. Sem o apoio de celebridades, nenhuma causa tem chance. Quero dizer, onde estariam todas aquelas crianças famintas sem Sally Struthers?

De qualquer modo, nessa hora Michael me fez uma pergunta esquisita. Disse: "Então você está de castigo em casa?"

Eu olhei para ele de um jeito estranho. "Você quer dizer de castigo? Não, de jeito nenhum. Minha mãe está totalmente do meu lado. Meu pai quer processar a escola."

Aí Michael disse: "Ah, bem, eu estava pensando que, se você não tiver programa no sábado, talvez nós pudéssemos..."

Mas nesse momento a Sra. Hill entrou e nos obrigou a preencher questionários para a tese de doutorado que está escrevendo sobre delinquência juvenil nas cidades, mesmo com Lilly se queixando de que não éramos as pessoas certas para dizer alguma coisa sobre isso, já que a única violência de adolescentes que presenciamos foi quando houve uma venda de jeans baggy na Gap da Quinta Avenida.

Nesse momento, a sineta tocou e eu saí correndo o mais rápido que pude. Eu sabia o que Michael ia me pedir, entenda. Ele ia sugerir que a gente se encontrasse para repassar divisão por etapas, que ele diz que é uma tragédia humana. E eu simplesmente achei que não podia aguentar aquilo. Matemática? No fim de semana? Depois de ter passado quase todos os momentos acordada da semana estudando isso?

Não, obrigada.

Mas eu não quis ser grossa, então me mandei antes que ele pudesse pedir. Será que fiz alguma coisa horrível?

Para dizer a verdade, uma garota só pode aguentar tanta crítica assim em cima de seus restos mortais.

ma	*mon*	*tes*
ta	*ton*	*tes*
sa	*son*	*ses*
notre	*notre*	*nos*
votre	*votre*	*vos*
leur	*leur*	*leurs*

* DEVER DE CASA

<u>Álgebra</u>: pág. 121, 1-57, apenas o resto após a divisão

<u>Inglês</u>: ??? Perguntar a Shameeka

<u>Civilizações Mundiais</u>: questões no fim do Capítulo 9

<u>S&T</u>: nenhum

<u>Francês</u>: *pour demain, une vignette culturelle*

<u>Biologia</u>: nenhum

Terça à noite

Grandmère acha que Tina Hakim Baba parece ser uma amiga muito melhor para mim do que Lilly Moscovitz. Mas acho que ela está dizendo isso apenas porque os pais da Lilly são psicanalistas, enquanto o pai da Tina é um xeque árabe e a mãe dela, parente do rei da Suécia, de forma que eles são mais adequados para lidar com a herdeira do trono de Genovia.

Os Hakim Baba também são podres de ricos, de acordo com minha avó. Têm zilhões de poços de petróleo. Grandmère disse que, quando eu for jantar com eles na noite de sexta, devo levar um presente e usar meus mocassins Gucci. Perguntei a ela que tipo de presente, e ela disse "café da manhã". Vai fazer uma encomenda especial ao Balducci's para ser entregue na manhã de sábado.

Ser princesa dá muito trabalho.

Acabei de me lembrar: hoje, no almoço, Tina trouxe um livro novo. Tinha a capa exatamente igual à do outro, só que desta vez a heroína tinha cabelos escuros. Este era chamado *Meu amor secreto*, e era sobre uma garota pobre que se apaixona por um garoto rico que nunca reparou nela. Depois, o tio da garota sequestra o garoto e pede resgate, e ela tem que tratar dos ferimentos dele e ajudá-lo a fugir e coisa assim, e, óbvio, ele fica caidinho por ela. Tina disse que já leu o fim do romance e que a garota vai viver com os pais do garoto rico depois que o tio dela acaba na cadeia e não pode mais sustentá-la.

Por que uma coisa dessa nunca acontece *comigo*?

Quarta, 15 de outubro, Sala de Estudos

Novamente, nada da Lilly hoje. Lars sugeriu que ganharíamos tempo se a gente fosse direto para a escola e não parasse no prédio dela todos os dias. Acho que ele tem razão.

Foi realmente estranho quando paramos na frente da Albert Einstein. Todas as pessoas que sempre ficam por ali antes do começo das aulas, fumando, sentadas em cima de Joe, o leão de pedra, estavam reunidas em grupos, olhando para alguma coisa. Achei que o pai de alguém havia sido acusado novamente de lavagem de dinheiro. Pais podem ser tão egoístas: antes de fazerem alguma coisa ilegal, deviam parar e pensar como seus filhos iam se sentir se eles fossem pegos.

Se eu fosse Chelsea Clinton, mudaria de nome e iria para a Islândia.

Mas continuei andando sem parar, para mostrar que não ia me envolver em fofocas. Um grupo de pessoas me encarou. Acho que Michael tem razão:

a coisa de eu ter atingido Lana com uma casquinha de sorvete realmente se *espalhou*. Ou isso ou meu cabelo estava arrepiado de alguma maneira esquisita. Mas dei uma olhada nele no banheiro e não estava.

Um bando de meninas saiu do banheiro rindo escandalosamente.

Às vezes, queria morar numa ilha deserta. De verdade. Sem ninguém por perto numa distância de centenas de quilômetros. Apenas eu, o oceano, a areia e um coqueiro.

E, talvez, uma televisão de 37 polegadas de alta definição, com TV a cabo e um PlayStation com *Crash* para quando eu ficasse entediada.

FATOS POUCO CONHECIDOS

1. A pergunta mais comum feita na Escola Albert Einstein é: Tem um chiclete sobrando aí?
2. Abelhas e touros são atraídos pela cor vermelha
3. Às vezes demora meia hora pra terminar a chamada
4. Sinto falta da minha melhor amiga, Lilly Moscovitz

Mais tarde na quarta, antes da aula de Álgebra

A coisa mais estranha do mundo aconteceu. Josh Richter veio até o armário dele para guardar o livro de trigonometria e disse "Como vai?" para mim enquanto eu pegava meu livro de álgebra.

Juro por Deus que não estou inventando.

Fiquei em estado de choque total. Quase deixei cair a mochila. Não tenho a mínima ideia do que respondi. Acho que disse que estava bem. Tomara que tenha dito que estava bem.

Por que Josh Richter falou comigo?

Deve ter sido outro daqueles ataques, como o que ele teve no Bigelows.

Depois, ele fechou a porta do armário com uma batida, *olhou bem de cima na minha cara* — ele é mesmo muito alto — e disse: "A gente se vê."

Depois foi embora.

Precisei de cinco minutos até parar de hiperventilar.

Os olhos dele são tão azuis que até dói de ver.

Quarta, Sala da diretora Gupta

Acabou.

Estou ferrada.

É isso aí.

Agora sei o que todo mundo estava olhando no lado de fora. Sei por que todos estavam fofocando baixinho e dando risadinhas. Agora sei por que aquelas meninas saíram correndo do banheiro. Sei por que Josh Richter falou comigo.

Minha foto está na primeira página do *Post*.

Isso mesmo. Do *New York Post*. Lido por milhões de nova-iorquinos todos os dias.

É isso aí. Estou ferrada.

Para dizer a verdade, até que é uma foto boa. Acho que alguém a tirou quando eu estava saindo do Plaza na noite de sábado, depois de jantar com Grandmère e papai. Estou descendo os degraus logo depois das portas giratórias, sorrindo um pouco, mas não para a câmera. Não me lembro de ninguém tirando fotos, mas acho que alguém tirou.

Em cima da foto, as palavras *Princesa Amelia* e, em letras menores, *A Autêntica Realeza Nova-Iorquina*.

Espetacular. Simplesmente espetacular.

Foi o Sr. Gianini quem descobriu tudo. Disse que estava indo pegar o metrô para o trabalho quando viu aquilo numa banca de jornais. Ele ligou pra minha mãe, mas ela estava tomando banho e não ouviu o telefone tocar. O

Sr. G deixou uma mensagem na caixa-postal. Mas minha mãe nunca checa a caixa-postal de manhã porque todo mundo que ela conhece sabe que ela acorda tarde, então ninguém liga antes do meio-dia. Quando ele ligou novamente, ela já havia saído para o estúdio, onde nunca atende o telefone porque está sempre com fones, ouvindo Howard Stern enquanto pinta.

Então o Sr. G não teve escolha a não ser ligar para meu pai no Plaza, o que foi muita coragem dele, pensando bem. De acordo com o Sr. G, meu pai ficou desesperado. E disse ao Sr. G que, até que pudesse chegar lá, eu devia ficar na sala da diretora, onde estaria "em segurança".

Papai evidentemente não conhece a diretora Gupta.

Na verdade, eu não devia dizer isso. Ela não foi tão má assim. Mostrou o jornal e disse, de um jeito meio sarcástico, mas educado: "Você podia ter me contado isso, Mia, quando lhe perguntei se estava tudo bem em casa."

Fiquei toda vermelha. "Pra dizer a verdade", falei, "eu não achei que alguém fosse acreditar em mim".

"Isso é mesmo", disse a diretora Gupta, "um pouco inacreditável".

E era isso o que dizia a matéria na segunda página do *Post*. CONTO DE FADAS VIRA REALIDADE PARA UMA SORTUDA GAROTA NOVA-IORQUINA, foi assim que a repórter, uma tal Sra. Carol Fernandez, escreveu. Como se eu tivesse ganhado na loteria ou coisa parecida. Como se eu estivesse *feliz* com isso.

E a Sra. Carol Fernandez escreveu um bocado sobre minha mãe, "a pintora *avant-garde* de cabelos da cor das asas do corvo, Helen Thermopolis", e sobre meu pai, "o charmoso Príncipe Phillipe de Genovia", que "havia vencido uma batalha contra um câncer em um testículo". Ah, obrigada, Carol Fernandez, por dizer a toda Nova York que meu pai só tem um vocês-sabem-o-quê.

Depois, ela passou a me descrever como "a beldade escultural, produto do tempestuoso amor universitário de Helen e Phillipe".

ALÔ???? CAROL FERNANDEZ, VOCÊ TÁ FUMANDO CRACK????

Eu NÃO sou uma beldade escultural. Isso mesmo, sou ALTA, UMA GIRAFA, mas não sou nenhuma beldade. Eu quero isso que Carol Fernandez anda fumando, se ela pensa que EU SOU bonita.

Não é de admirar que todo mundo esteja rindo de mim. Isso é tão constrangedor. Quero dizer, de verdade.

Ah, lá vem papai. Cara, ele parece mesmo furioso...

Quarta, Inglês

Não é justo.
É total e completamente injusto.

Quero dizer, o pai de qualquer pessoa teria deixado que ela voltasse para casa. O pai de qualquer pessoa, se a foto dessa pessoa estivesse na primeira página do *Post*, diria: "Talvez seja melhor você faltar às aulas durante alguns dias, até que baixe a poeira."

O pai de qualquer pessoa teria dito coisas tipo: "Talvez seja melhor você mudar de escola. O que você acha de Iowa? Você gostaria de estudar em Iowa?"

Mas, ah, não. Não meu pai. Porque ele é um príncipe. E diz que membros da família real de Genovia não "voltam para casa" quando há uma crise. Ficam onde estão e resolvem a coisa na marra.

Na marra. Acho que papai tem alguma coisa em comum com Carol Fernandez. AMBOS estão fumando crack.

Então meu pai me lembrou que eu estou sendo paga para aguentar isso. Certo! Cem malditos dólares! Cem malditos dólares por dia para ser publicamente ridicularizada e humilhada.

É melhor que aqueles bebês focas se sintam gratos, isto é tudo que tenho a dizer.

Então estou aqui na aula de inglês, todo mundo cochichando e apontando pra mim, como se eu tivesse sido abduzida por alienígenas ou algo parecido e meu pai espera que eu fique sentadinha aqui e deixe que eles olhem, porque sou uma princesa e é isto que princesas fazem.

Mas eles são cruéis.

Tentei dizer isso ao meu pai: "Papai, você não entende. Todos eles estão rindo de mim."

E tudo o que ele disse foi: "Sinto muito, querida. Você simplesmente vai ter que aguentar. Você sabia que isso, no fim, ia acontecer. Eu tinha esperança de que não fosse tão cedo assim, mas talvez seja até bom acabar de uma vez..."

Hummm, alô? Eu não sabia que isso ia acontecer um dia. Eu pensei que conseguiria manter toda essa coisa de princesa em segredo. Meu lindo plano de só ser princesa em Genovia está se desfazendo todo. Tenho que ser princesa aqui mesmo em Manhattan e, pode crer, não é fácil.

Fiquei tão brava com meu pai por me dizer que tinha que voltar para a aula que o acusei de ele mesmo ter me dedurado a Carol Fernandez.

Ele ficou todo ofendido. "Eu? Eu não conheço nenhuma Carol Fernandez." E lançou aquele olhar esquisito ao Sr. Gianini, que estava ali, com as mãos nos bolsos, parecendo muito preocupado.

"O quê?", disse o Sr. G, que passou rapidamente de preocupado para surpreso. "Eu? Eu nunca tinha ouvido falar em Genovia até esta manhã."

"Meu Deus, papai", falei. "Não bote a culpa no Sr. G. *Ele* não teve nada a ver com isso."

Papai não pareceu muito convencido. "Bem, alguém vazou a história para a imprensa..." E disse isto também daquela maneira maldosa. A gente podia ver que ele acreditava, sem a menor dúvida, que o Sr. G era quem tinha feito aquilo. Mas não podia ter sido ele. Carol Fernandez escreveu na matéria dela coisas que não havia como o Sr. G saber porque nem mamãe sabe. Como, por exemplo, que Miragnac tem uma pista de pouso particular. Eu nunca contei isso a ela.

Mas quando eu disse isso ao meu pai, ele apenas lançou um olhar desconfiado para o Sr. G. "Bem", voltou a dizer, "vou ter uma conversinha com essa Carol Fernandez e descobrir quem foi a fonte dela".

E enquanto meu pai fazia isso, Lars entrou na minha vida pra ficar. Não estou brincando. Exatamente como Tina Hakim Baba, agora tenho um segurança que me segue de uma sala de aula para outra. Como se eu já não fosse o motivo de piada na escola.

Agora tenho uma escolta armada.

Tentei de todo jeito me livrar. E disse: "Papai, eu posso tomar conta direitinho de mim mesma", mas ele permaneceu inteiramente rígido e respondeu que mesmo que Genovia seja um pequeno país, é um país muito rico, e que ele não pode assumir o risco de eu ser sequestrada e mantida em cativeiro até o pagamento do resgate, como o menino de *Meu amor secreto*, só que ele não disse isto porque nunca leu *Meu amor secreto*.

Aí eu disse: "Papai, ninguém vai me sequestrar. Isto aqui é uma escola", mas ele não aceitou esta explicação. Perguntou à diretora Gupta se estava tudo bem, e ela respondeu: "Certamente, Vossa Alteza."

Vossa Alteza! A diretora Gupta chamou meu pai de Vossa Alteza! Se aquela situação não fosse tão séria e tal, eu teria me mijado de tanto rir.

A única coisa boa disso tudo foi que a diretora Gupta cancelou o castigo que ia até o fim da semana, dizendo que ter a foto no *Post* já é punição suficiente.

Mas, na realidade, a única razão é que ela ficou totalmente encantada com meu pai. Ele deu uma de Jean-Luc Picard pra cima dela de um jeito que você não acreditaria, chamando-a de Madame Diretora e pedindo desculpas por toda aquela confusão. Eu estava esperando que ele beijasse a mão dela, de tão descaradamente que ele estava flertando com ela. E a diretora Gupta é casada há um milhão de anos e tem aquela grande verruga preta no nariz. E ela caiu direitinho no papo dele! Estava engolindo tudo aquilo!

Eu gostaria de saber se Tina Hakim Baba ainda vai se sentar comigo na hora do almoço. Bem, se ela se sentar, nossos seguranças vão ter alguma coisa para fazer: podem comparar táticas de defesa pessoal.

Quarta, Francês

Acho que devia ter minha foto mais vezes na primeira página do *Post*. De repente, fiquei muito popular.

Entrei na lanchonete (eu disse a Lars para ficar passos atrás de mim o tempo todo; ele continuava pisando no calcanhar dos meus coturnos), e Lana Weinberger, logo ela, enquanto eu estava na fila para pegar a bandeja, disse: "Oi, Mia. Por que você não vem se sentar com a gente?"

Não estou brincando. Aquela hipócrita nojenta quer ser minha amiga agora que sou princesa.

Tina estava bem atrás de mim na fila (bem, Lars estava entre mim e ela, Tina, estava atrás de Lars, e o segurança dela estava atrás dela). Mas Lana convidou Tina para se sentar com ela? Óbvio que não. O *New York Post* não chamou *Tina* de "beleza escultural". Em resumo, meninas acima do peso — mesmo que os pais delas sejam xeques árabes — não são suficientemente boas para se sentarem ao lado da Lana. Ah, não. Só princesas genovianas legítimas são suficientemente boas para se sentarem ao lado dela.

Eu quase vomitei em cima da bandeja do almoço.

"Não, obrigada, Lana", respondi. "Eu já tenho com quem sentar."

Você devia ter visto a cara que ela fez. Na última vez que a vi parecer tão chocada assim, um sorvete de casquinha tinha sido enfiado no peito dela.

Mais tarde, quando já estávamos sentadas, Tina só conseguiu beliscar a salada. Não disse uma única palavra sobre essa coisa de princesa. Mas, enquanto isso, todo mundo na lanchonete — incluindo os nerds, que nunca notam coisa nenhuma — olhava para nossa mesa. Eu quero dizer uma coisa, aquilo foi meio incômodo. Eu podia sentir o olhar da Lilly me atravessando. Ela não me disse nada ainda, mas acho que ela já deve ter descoberto. Quase nada escapa da Lilly.

De qualquer jeito, depois de algum tempo, não aguentei mais. Joguei no prato uma garfada de feijão e arroz e disse: "Olhe aqui, Tina, se você não quiser se sentar mais comigo, eu entendo."

Os grandes olhos da Tina se encheram de lágrimas. Estou falando sério. Ela sacudiu a cabeça, balançando as compridas tranças pretas. "O que você quer dizer com isso?", perguntou. "Você não gosta mais de mim, Mia?"

Foi minha vez de ficar chocada. "O quê? É óbvio que gosto de você. Eu pensei que você talvez não gostasse de mim. Quero dizer, todo mundo está olhando para nós. Posso entender se você não quiser se sentar comigo."

Tina sorriu, triste. "Todo mundo olha para mim também", disse. "Por causa de Wahim, sabe."

Wahim é o segurança dela. Wahim e Lars estavam sentados junto com a gente, discutindo qual pistola tinha mais poder de fogo. A Magnum 357 de Wahim ou a Glock 9mm de Lars. Era um assunto meio assustador, mas os dois pareciam se sentir tão felizes quanto possível. Dentro de um minuto ou dois, eu esperava que eles começassem uma prova de fogo.

"Então você entende", disse Tina, "*eu estou* acostumada a pessoas que me acham esquisita. É por *você* que lamento, Mia. Você poderia se sentar com qualquer pessoa — com qualquer uma nesta lanchonete — e está aqui presa comigo. Não quero que você ache que tem que ser legal comigo só porque ninguém mais é".

Aí é que eu fiquei realmente furiosa. Não com Tina. Mas com todo mundo na Albert Einstein. Quero dizer, Tina Hakim Baba é realmente legal e ninguém sabe disso porque ninguém conversa com ela, porque ela não é magra que nem um palito, é meio na dela e está sempre presa a um segurança estúpido. Enquanto certas pessoas se preocupam com coisas como o fato de uma *delicatéssen* estar cobrando cinco centavos a mais de alguns por comprimidos de ginkgo biloba, há seres humanos que andam em nossa escola no sofrimento mais terrível e ninguém diz nem bom-dia para eles, ou "Como foi seu fim de semana?".

Mas depois eu me senti culpada porque, uma semana antes, eu havia sido uma dessas pessoas. Eu sempre achei Tina Hakim Baba esquisita. A razão por que eu não queria que ninguém descobrisse que eu era princesa era que tinha medo de que me tratassem da maneira como tratavam Tina Hakim Baba. E agora que a conheço, eu sei como errei ao pensar tão mal dela.

Então eu disse a Tina que não queria me sentar com ninguém, só com ela. Disse ainda que achava que nós duas tínhamos que permanecer unidas, e não apenas pela razão óbvia (Wahim e Lars). Disse que a gente precisava se unir porque todo mundo mais nessa escola estúpida era completamente MALUCO.

Tina pareceu ficar bem mais feliz quando eu disse isso e começou a me contar sobre o novo livro que estava lendo. O título deste é *Só ame uma vez* e é sobre uma garota que se apaixona por um garoto com câncer terminal. Eu disse a ela que aquilo parecia uma coisa chata de ler, mas ela me disse que já tinha lido o fim do livro e que o câncer terminal do garoto desaparece. Se é assim, tudo bem.

Quando fomos devolver nossas bandejas, vi Lilly olhando fixamente na minha direção. Mas não era o tipo de olhar usado por alguém que logo ia pedir desculpas. Por isso não fiquei surpresa quando, mais tarde, cheguei à S & T e Lilly ficou sentada ali, me encarando mais. Boris continuava querendo conversar com ela, mas ela obviamente não estava escutando. Finalmente, ele desistiu, pegou o violino e voltou ao seu lugar no almoxarifado.

Enquanto isso, minha sessão de explicação com o irmão da Lilly foi mais ou menos assim:

Eu: Oi, Michael. Resolvi todos aqueles problemas que você me passou. Mas ainda não entendo por que a gente não olha simplesmente o horário dos trens se quer descobrir a que horas um trem viajando a 107,202 quilômetros por hora chegará a Fargo, Dakota do Norte, se deixar Salt Lake City às sete da manhã.

Michael: Princesa de Genovia, hein? Você algum dia ia passar essa pequena informação para o grupo ou a gente deveria adivinhar?

Eu: Eu estava torcendo para que ninguém nunca descobrisse.

Michael: Bem, isso é óbvio. Mas não entendo por quê. Não parece ser algo ruim.

Eu: Tá brincando? É totalmente ruim!

Michael: Você leu a matéria no *Post* de hoje, Thermopolis?

Eu: De jeito nenhum. Não vou ler aquele lixo. Eu não sei quem essa Carol Fernandez pensa que é, mas...

Nesse momento, Lilly entrou na conversa. Foi como se ela não aguentasse mais ficar de fora.

Lilly: Então você não sabe que o príncipe herdeiro de Genovia — isto é, seu pai — tem um patrimônio pessoal total, incluindo propriedades imobiliárias e a coleção de obras de arte do palácio, estimado em mais de trezentos milhões de dólares?

Bem, acho que é mais do que óbvio que Lilly leu a matéria de hoje do *Post*.

Eu: Hummm...

Alô? Trezentos milhões de dólares?? E eu só recebo uns miseráveis US$100 por dia???

Lilly: Eu gostaria de saber quanto dessa fortuna foi acumulada explorando o suor do trabalhador comum.

Michael: Considerando que o povo de Genovia, tradicionalmente, nunca pagou imposto de renda, nem impostos imobiliários, eu diria que nenhuma parte. O que deu em você, Lil?

Lilly: Bem, se você quer tolerar os excessos da monarquia, fique à vontade, Michael. Mas acontece que acho revoltante, com a economia mundial no estado em que está, que alguém tenha um patrimônio líquido de trezentos milhões de dólares... especialmente alguém que nunca trabalhou um dia por isso.

Michael: Foi mal, Lilly, mas sei que o pai da Mia trabalha muito pelo seu país. A promessa histórica do pai dele, depois da invasão por forças de Mussolini em 1939, de exercer os direitos de soberania de acordo com os interesses políticos e econômicos da vizinha França, em troca de proteção militar e naval na eventualidade de uma guerra, poderia ter amarrado as mãos de um político menos íntegro, mas o pai da Mia conseguiu dar um jeito de contornar o acordo. Seu trabalho resultou numa nação que tem a mais alta taxa de alfabetização da Europa, uma das melhores de aproveitamento educacional e os índices mais baixos de mortalidade infantil, inflação e desemprego do Ocidente.

Depois disso, só pude olhar admirada para Michael. Uau! Por que Grandmère não me ensina coisas como essas em nossas aulas de princesa? Quero dizer, essas são informações realmente úteis. Não preciso saber exatamente em que direção inclinar minha tigela de sopa. Preciso é saber como me defender de antimonarquistas virulentos como minha ex-melhor amiga Lilly.

Lilly: (para Michael) Cala a boca. (para mim) Estou vendo que já conseguiram que você, como boa menina, repita a propaganda populista deles.

Eu: *Eu*? Foi Michael quem...

Michael: Ah, Lilly, você está apenas com ciúme.

Lilly: Não estou!

Michael: Está, sim. Está com ciúme porque ela cortou o cabelo sem consultar você. Está com ciúme porque você deixou de falar com ela, ela saiu e arranjou uma nova amiga. E está com ciúme porque desta vez Mia tinha um segredo e não contou a você.

Lilly: Michael, CALA A BOCA.

Boris: (enfiando a cabeça pela porta do almoxarifado) Lilly? Você disse alguma coisa?

Lilly: EU NÃO ESTAVA FALANDO COM VOCÊ, BORIS!

Boris: Desculpe. (volta para o almoxarifado)

Lilly: (Nesse momento, uma verdadeira fera) Porra, Michael, lógico que você tinha que sair correndo em defesa da Mia. O que eu gostaria de saber é se talvez tenha ocorrido a você que seu argumento, embora aparentemente baseado na lógica, pode ter raízes menos intelectuais do que libidinosas.

Michael: (ficando vermelho por alguma razão) E o que você tem a dizer sobre a sua perseguição contra os Ho? Isso é baseado em raciocínio intelectual? Ou é mais um exemplo de vaidade descontrolada?

Lilly: Isso é um círculo vicioso.

Michael: Não é. É empírico.

Uau! Michael e Lilly são espertos. Grandmère tem razão: preciso melhorar meu vocabulário.

Michael: (para mim) Então esse cara (e apontou para Lars) tem que segui-la, de agora em diante, a todo lugar que você for?

Eu: Tem.

Michael: De verdade? Qualquer lugar?

Eu: Qualquer lugar, menos o banheiro. Nesse caso, ele espera do lado de fora.

Michael: E se você tem um encontro? Como o Baile da Diversidade Cultural, neste fim de semana?

Eu: Isso não é exatamente um problema, considerando que ninguém me convidou.

Boris: (inclinando-se pela janelinha da porta do almoxarifado) Desculpe. Eu derramei acidentalmente uma garrafa de cimento emborrachado com o arco do meu violino e está ficando difícil respirar aqui. Posso sair agora?

Todo mundo na sala de S & T: NÃO!!!

Sra. Hill: (no corredor, enfiando a cabeça pela porta) Que barulho todo é este aqui? Quase não conseguimos ouvir nossos pensamentos na sala dos professores. Boris, por que você está aí no almoxarifado? Saia daí, agora. Todo mundo volte aos estudos!

Vou precisar ler com mais atenção aquela matéria no *Post* de hoje. Trezentos milhões de dólares? Isto foi quase tanto quanto Oprah ganhou no ano passado!

Então, se somos tão ricos assim, como a TV do meu quarto é apenas preto e branco?

***Nota para mim mesma:** Procurar no dicionário as palavras *empírico* e *libidinoso*.

Quarta à noite

Não era de espantar que papai tivesse ficado tão furioso com a matéria da Carol Fernandez! Quando Lars e eu saímos da Albert Einstein depois da minha aula de reforço, havia repórteres por todos os lados. Não estou brincando. Era como se eu fosse uma assassina, uma celebridade ou coisa assim.

Pelo que disse o Sr. Gianini, que saiu da escola com a gente, repórteres chegavam o dia inteiro. Havia também furgões da New York One, Fox News, CNN, Entertainment Tonight... tudo que você imaginar. Queriam entrevistar todos os garotos que estudam na Albert Einstein, perguntando se me conheciam (pelo menos ser impopular é bom, às vezes. Não acho que tenham localizado alguém que realmente se lembrasse de como eu era — pelo menos não com meu novo cabelo não triangular). O Sr. G disse que a diretora Gupta, no fim, teve que chamar a polícia, porque a Escola Albert Einstein é propriedade particular e os repórteres estavam invadindo o terreno, jogando pontas de cigarros nos degraus, bloqueando a calçada, encostando no Joe, o leão de pedra, e coisas desse tipo.

O que é, pensando bem, exatamente o que todos os garotos populares fazem quando ficam de bobeira no pátio da escola, depois do último sinal, e a diretora Gupta nunca chama a polícia. Se bem que os pais deles pagam mensalidade...

Tenho que dizer: agora sei mais ou menos como a Princesa Diana deve ter se sentido. Quero dizer, quando Lars, o Sr. G e eu saímos, os repórteres tentaram nos cercar por todos os lados, balançando microfones na nossa cara e gritando coisas como "Amelia, que tal um sorriso?" e "Amelia, como é acordar uma manhã como produto de uma família de mãe solteira e ir dormir na noite seguinte como uma princesa real que vale trezentos milhões de dólares?".

Fiquei meio assustada. Mesmo que quisesse, não poderia responder às perguntas deles, porque não sabia em que microfone falar. E, além do mais, eu estava praticamente cega com aqueles flashes disparando no meu rosto.

Foi aí que Lars entrou em ação. Você precisava ver. Em primeiro lugar, ele me disse para não falar nada. Em seguida, pôs o braço em volta de mim. E disse ao Sr. G para passar o braço pelo meu outro lado. Depois, não sei como, baixamos a cabeça e passamos como um torpedo por todas aquelas câmeras e microfones e as pessoas ligadas a eles, até que, quando eu menos esperava, Lars estava me botando no banco traseiro do carro do papai e depois saltando pra dentro também.

Alô! Acho que todo aquele treinamento no Exército israelense valeu a pena. (Ouvi, sem querer, Lars dizendo a Wahim que foi lá que aprendeu a manejar uma Uzi. Wahim e Lars têm até amigos comuns, como acabaram descobrindo. Acho que todos os seguranças estudam no mesmo centro de treinamento no deserto de Gobi.)

Logo que bateu a porta traseira do carro, Lars disse "Vamos" e o motorista pisou fundo. Eu não o reconheci, mas sentado ao lado dele, olha só quem estava ali, meu pai. E quando a gente saiu dali, com o barulho de freios, os flashes estourando, repórteres saltando em cima do para-brisa para pegar um ângulo melhor, meu pai perguntou, no tom de voz mais normal do mundo: "Bem, como foi seu dia hoje, Mia?"

Meu Deus!

Resolvi ignorar papai. Em vez disso, virei para acenar para o Sr. G, só que ele havia sido engolido por um mar de microfones! Mas não quis falar com a imprensa. Continuava apenas tentando afastá-los com as mãos e seguir para o metrô, pegar o trem e ir para casa.

Nessa hora, senti pena do pobre Sr. G. É verdade que ele havia provavelmente enfiado a língua na boca da minha mãe, mas ele é realmente um cara legal e não merece ser perseguido pela mídia.

Também disse ao papai que a gente devia ter dado uma carona ao Sr. G até em casa, mas ele ficou todo sensível, colocou o cinto de segurança e disse: "Coisas malditas. Eles sempre me enforcam."

Então perguntei ao papai em qual escola eu ia estudar agora.

Ele me olhou como se eu tivesse ficado louca. "Você disse que queria continuar na Albert Einstein!", disse quase gritando.

Eu disse: bem, sim, mas isso foi antes de a Carol Fernandez me dedurar.

Meu pai quis saber o que era dedurar, então expliquei a ele que é quando alguém revela sua orientação sexual em uma rede nacional de TV, jornal ou algum outro grande espaço público. Só que, neste caso, expliquei, em vez da minha orientação sexual, meu status real foi revelado.

Então papai disse que eu não podia mudar de escola simplesmente porque havia revelado minha condição de princesa. Disse que eu tinha que continuar na Albert Einstein, que Lars ia assistir às aulas comigo e me proteger dos repórteres.

Quando perguntei quem ia dirigir para ele, ele apontou pro novo cara, Hans.

O novo cara inclinou a cabeça para mim no retrovisor e disse: "Oi."

Então eu disse: "Lars vai comigo a todo lugar que eu for?" E se eu quisesse apenas ir até a casa da Lilly? Quero dizer, se Lilly e eu ainda fôssemos amigas. O que certamente nunca mais vai acontecer.

Ao que papai disse: "Lars iria com você."

Resumindo, basicamente nunca mais vou sozinha a lugar nenhum.

Isso me deixou meio irritada. Eu estava sentada no banco de trás, com uma luz vermelha de sinal de trânsito piscando em cima de meu rosto, e disse: "Ok, bem, é isso. Não quero mais ser princesa. Pode receber de volta seus cem dólares por dia e mandar Grandmère de volta para a França. Eu me demito."

E papai respondeu naquela voz cansada: "Você não pode se demitir, Mia. A matéria hoje no jornal selou o trato. Amanhã seu rosto estará em todos os jornais da América — talvez do mundo. Todo mundo saberá que você é a princesa Amelia de Genovia. E você não pode se demitir de quem é."

Acho que não foi uma coisa muito nobre o que fiz, mas chorei o caminho todo até o Plaza. Lars me deu um lenço, o que achei muito legal da parte dele.

Ainda na quarta

Mamãe acha que foi Grandmère quem deu a dica para Carol Fernandez. Mas eu, realmente, não posso acreditar que Grandmère faria uma coisa dessa — você sabe, dar ao *Post* o furo de reportagem sobre mim. Especialmente quando estou tão atrasada nas aulas de princesa. Quer saber de uma coisa? É quase certo que agora vou ter que começar a me comportar como uma princesa — quero dizer, realmente me comportar como uma — e Grandmère nem chegou perto das coisas realmente importantes, coisas como discutir sem dizer besteira com antimonarquistas virulentos como Lilly. Até agora, tudo que ela me ensinou foi como me sentar, vestir, usar o garfo de peixe, falar com membros graduados da equipe doméstica da residência real, como dizer muitíssimo obrigada e, isto não me interessa, dizer em sete idiomas como preparar um Sidecar, e um pouco de teoria marxista.

Que bem qualquer DESSAS COISAS vai me fazer?

Mas mamãe está convencida. Nada vai mudar o que ela pensa. Papai está realmente furioso com ela, mas ela não muda de opinião. Diz que foi Grandmère quem passou a dica a Carol Fernandez e que tudo que papai tem que fazer é perguntar a ela e então descobrir a verdade.

Papai de fato perguntou a ela — não, não a Grandmère, mas a mamãe. Perguntou por que ela nunca parou para pensar que seu namorado pode ter sido a pessoa que deu a dica para Carol Fernandez.

Logo que disse isso, acho que papai provavelmente se arrependeu. Porque os olhos da mamãe ficaram daquele jeito quando ela fica realmente muito, muito irritada — quero dizer, *realmente* irritada, como daquela vez que um cara no Washington Square Park mostrou para mim e para Lilly o seu você-sabe-o-que enquanto a gente filmava cenas para o programa dela. Os olhos dela ficaram cada vez mais apertados, até que não eram mais do que risquinhos. Quando dei por mim, ela estava vestindo o casaco e saindo para dar um chute na bunda de algum exibicionista.

Só que ela não vestiu o casaco quando papai falou sobre o Sr. Gianini. Em vez disto, os olhos dela ficaram muito apertados e os lábios quase desapareceram de tanto os apertar, e depois disse: "Saia... daqui", uma voz que até parecia o *poltergeist* daquele filme, *Horror em Amityville*.

Mas papai não saiu, embora tecnicamente o apartamento pertença à mamãe (graças a Deus, Carol Fernandez não divulgou no jornal nosso endereço, e graças a Deus minha mãe é tão paranoica sobre Jesse Helms jogando a CIA contra pintores politizados como ela, a fim de conseguir verbas do governo, que mantém nosso número fora do catálogo de endereços. Nenhum repórter descobriu o endereço do apartamento, assim pelo menos podemos pedir comida chinesa pelo telefone, sem ouvir uma matéria no *Extra* dizendo que a Princesa Amelia gosta de verduras *moo shu*).

Em vez disso, papai continuou: "Sério, Helen? Acho que você está deixando que sua antipatia por minha mãe a cegue para a verdade pura e simples."

Nessa altura, cheguei à conclusão de que seria melhor ir para o quarto. E coloquei os fones de ouvido para não ter que ouvir a briga deles. Esse foi um macete que aprendi vendo as crianças de documentários sobre pais se divorciando. Meu CD favorito no momento é o *Oops!... I Did It Again*, da Britney Spears, o que é idiota, eu sei, e algo que nunca poderei dizer a Lilly, embora, por dentro, eu quisesse ser Britney Spears. Uma noite sonhei que era ela e estava me apresentando no auditório da Albert Einstein; usava aquele minivestido cor-de-rosa e Josh Richter me disse "oi" antes de eu subir ao palco.

Não é constrangedor confessar uma coisa dessa? O engraçado é que, embora eu saiba que nunca poderia contar a Lilly sobre o sonho sem que ela se torne toda freudiana ao meu respeito e me diga que vestido cor-de-rosa é um símbolo fálico e que ser Britney significa baixa autoestima ou coisa assim, sei que poderia contar a Tina Hakim Baba, e ela entenderia tudo e só ia querer saber se Josh estava usando ou não calça de couro.

Acho que não disse isso antes, mas é realmente muito difícil escrever com minhas novas unhas postiças.

Quanto mais penso nisso, mais fico me perguntando se foi Grandmère ou não quem me dedurou para Carol Fernandez. Quero dizer, fui à aula de princesa hoje, ainda chorando, e Grandmère nem ligou. Só disse: "E essas lágrimas são por quê...?" E quando eu contei, ela apenas ergueu suas sobrancelhas pintadas — todo dia ela arranca uma e pinta outra — e continuou: "*C'est la vie*", que significa "É a vida", em francês.

Só não acho que um monte de garotas tenha o rosto estampado na primeira página do *Post*, a menos que tenham ganhado na loteria, feito sexo com o presidente ou coisa assim. Eu não fiz nada, exceto nascer.

Não acredito mesmo que "é a vida". Acho que a vida é uma droga, é isto o que penso.

Depois Grandmère começou a falar que tinha passado o dia inteiro atendendo telefonemas de representantes da mídia, e que todas essas pessoas queriam me entrevistar, pessoas como Leeza Gibbons e Barbara Walters, e ela disse que eu devia dar uma entrevista coletiva, e que já falara com o pessoal do Plaza sobre isso, e que eles haviam reservado uma sala especial com um estrado e uma jarra de água gelada, alguns coqueiros e coisa e tal.

Não pude acreditar nisso! O que eu disse foi: "Grandmère! Eu não quero conversar com Barbara Walters! Deus! Como se eu quisesse que todo mundo soubesse da minha vida!"

E ela, toda afetada, disse: "Bem, se você não quer tentar agradar a mídia, ela vai simplesmente tentar obter a matéria do jeito que puder, o que significa que vai continuar a aparecer na sua escola, na casa das suas amigas, no supermercado e na locadora onde você aluga aqueles filmes de que gosta tanto."

Grandmère não acredita em videocassetes. Diz que, se Deus quisesse que a gente assistisse a cinema em casa, Ele não teria inventado próximas atrações.

Depois, ela quis saber o que havia acontecido com meu senso de dever cívico. Disse que esse senso de dever daria um grande empurrão no turismo para Genovia, se eu apenas aparecesse no programa *Dateline*.

Eu realmente quero fazer o que for melhor para Genovia. Quero de verdade. Mas tenho que fazer também o que é melhor para Mia Thermopolis. E aparecer no *Dateline*, definitivamente, não seria a melhor coisa para mim.

Mas Grandmère parece mesmo fixada nessa coisa de promover Genovia. Então comecei a me perguntar se, talvez, apenas talvez, minha mãe não tinha razão. Talvez Grandmère tivesse de fato conversado com Carol Fernandez.

Mas ela faria uma coisa dessa?

Bem, que faria, faria.

Levantei um pouquinho os fones de ouvido. Eles continuam brigando.

Parece que a noite vai ser longa.

Quinta, 16 de outubro, Sala de Estudos

Bem, esta manhã minha cara está na primeira página do *Daily News* e do *New York Newsday*. E também na seção Metro, do *New York Times*. Usaram minha foto de matrícula na escola e, pode crer, minha mãe não ficou muito feliz com isto, já que isto significa que ou alguém da nossa família, a quem ela enviou a foto — o que compromete Grandmère —, ou alguém na Albert Einstein deve ter sido o responsável por enviá-la, o que compromete o Sr. Gianini. Eu também não estava muito feliz, porque minha foto da escola foi tirada antes de o Paolo arrumar meu cabelo, e eu pareço uma daquelas mulheres que estão sempre aparecendo na TV, contando suas tristes experiências como membros de um culto, com um marido abusivo ou coisa assim.

Havia mais repórteres do que nunca na frente da Albert Einstein quando Hans parou o carro ali hoje cedo. Acho que todos os noticiários da manhã precisam de alguma coisa que possam mostrar ao vivo. Geralmente é um caminhão tombado que transportava frangos pela Palisades Parkway ou um louco mantendo a esposa e os filhos como reféns no Queens. Mas hoje fui eu.

Eu tinha meio que previsto o que poderia acontecer e hoje estava um pouco mais preparada do que ontem. Por isso, em total violação das regras de minha avó sobre moda, eu usava meus coturnos com cadarços novos (no caso de eu ter que chutar alguém que segurasse um microfone perto demais da minha cara) e também todos os meus bottons do Greenpeace e contra pessoas que usam peles de animais, para que meu status de celebridade pudesse ter pelo menos bom uso.

Foi o mesmo exercício de ontem. Lars me pegou pelo braço e nós dois atravessamos correndo o mar de câmeras e microfones até dentro da escola. Enquanto a gente corria, os repórteres gritavam coisas como: "Amelia, você pensa em seguir o exemplo da Princesa Diana e tornar-se rainha de todos os corações?" e "Amelia, de quem é que você gosta mais, de Leonardo di Caprio ou do Príncipe William?" e ainda "Amelia, o que você acha da indústria de carne?".

Eles quase conseguiram uma resposta com a última pergunta. Comecei a me virar. Lars me puxou para dentro da escola.

O QUE TENHO QUE FAZER É O SEGUINTE

1. Pensar numa maneira de fazer com que Lilly goste novamente de mim
2. Deixar de ser tão covarde
3. Parar de mentir
   e/ou
4. Pensar em mentiras melhores
5. Deixar de ser tão teatral
6. Começar a ser mais
   ↳ Independente
   ↳ Autoconfiante
   ↳ Madura
7. Parar de pensar em Josh Richter
8. Parar de pensar em Michael Moscovitz
9. Tirar notas melhores
10. Desenvolver autorrealização

Quinta, Álgebra

Hoje, na aula de álgebra, o Sr. Gianini fez o que pôde para nos ensinar o que era plano cartesiano, mas ninguém conseguiu prestar atenção, por causa de todas aquelas vans de imprensa na frente da escola. A turma continuava a se levantar, se debruçar na janela e gritar para os repórteres: "Vocês mataram a Princesa Di! Tragam de volta a Princesa Di!"

O Sr. Gianini tentou o máximo possível restabelecer a ordem na sala, mas era impossível. Lilly começou a ficar nervosa, porque todo mundo estava se juntando contra os repórteres e ninguém queria um protesto na frente da Ho's Deli e entoar o hino que ela havia bolado, que era "Nós nos opomos aos Ho racistas".

Isso é muito mais difícil de dizer do que "Vocês mataram a Princesa Di! Tragam de volta a Princesa Di!".

Mas aí o Sr. Gianini achou que tinha que conversar com a gente sobre a mídia ser ou não culpada pela morte da Princesa Diana ou se, talvez, não era o fato de que o cara que guiava o carro naquela noite estava bêbado. Então alguém tentou dizer que o motorista não estava bêbado, que tinha sido envenenado e que tudo aquilo era armação do Serviço Secreto Britânico, e aí o Sr. Gianini disse: nós não poderíamos, por favor, voltar à realidade?

E depois Lana Weinberger quis saber há quanto tempo eu sabia que era princesa, e eu não consegui acreditar que ela estava realmente me fazendo uma pergunta sem se mostrar superior ao assunto, e eu disse que, bem, não sei, umas duas semanas ou coisa parecida, e em seguida Lana disse que se ela descobrisse que era princesa, iria direto para a Disneylândia, e eu disse: não, você não iria, porque você ia sentir falta do treinamento da torcida, e então ela disse que não entendia por que eu não ia para a Disneylândia, já que eu nem participava de atividades extracurriculares, e foi aí que Lilly começou a falar sobre a Disneyficação dos Estados Unidos e disse que Walt Disney era, na verdade, um fascista, e então todo mundo começou a dar palpite se era realmente verdade que o corpo dele havia sido criogenicamente congelado sob o castelo em Anaheim, e então o Sr. Gianini disse: por favor, podemos voltar ao plano cartesiano?

O que é provavelmente um plano mais seguro para se estar, se a gente pensar bem, do que este em que vivemos, já que nele não há nenhum repórter.

*O sistema de coordenadas cartesianas divide o plano em quatro partes, denominadas quadrantes.

Quinta, S & T

Eu estava almoçando com Tina Hakim Baba, Lars e Wahim quando ela começou a contar que, na Arábia Saudita, país natal do pai dela, as mulheres têm que usar uma coisa chamada burca, que parece um cobertor enorme que as cobre da cabeça aos pés e tem apenas uma fresta para que possam enxergar. A intenção disso é protegê-las contra o olhar de cobiça dos homens. Mas Tina diz que suas primas usam calça jeans por baixo da burca e, quando não há adultos por perto, arrancam aquela coisa e saem com os garotos, exatamente como a gente faz aqui.

Bem, *faria*, se qualquer um dos garotos gostasse da gente.

Retiro o que disse. Esqueci que Tina tem um garoto para paquerar, o cara que vai ser seu par no Baile da Diversidade Cultural. O nome dele é Dave Farouq El-Abar.

Meu Deus! O que há de *errado* comigo, afinal de contas? Por que nenhum cara gosta de mim?

Tina estava me contando tudo sobre as burcas quando, de repente, Lana Weinberger botou a bandeja dela junto das nossas.

Não estou brincando: *Lana Weinberger*.

Eu, obviamente, achei que ela fosse puxar a conta da tinturaria pela lavagem do seu suéter, jogar molho Tabasco em cima das nossas saladas ou fazer alguma outra coisa assim, mas, ao contrário, ela simplesmente disse, toda alegre: "Vocês, garotas, não se importam se nós sentarmos aqui, certo?"

E logo depois vi a bandeja dela passando por cima da minha. Estava carregada com dois cheeseburgers duplos, batatas fritas grandes, dois milkshakes de chocolate, uma tigela de molho chili, um pacote de Doritos, uma salada com maionese, um pacote de bolinhos de chocolate, uma maçã e uma Coca grande. Quando levantei a cabeça para ver quem poderia ingerir tanta gordura saturada, vi Josh Richter puxando uma cadeira ao lado da minha.

Não estou brincando. *Josh Richter*.

Ele disse "Oi" para mim, sentou-se e começou a comer.

Olhei para Tina, Tina olhou para mim, e nós duas olhamos para nossos seguranças. Mas eles estavam muito ocupados discutindo se balas com pontas de borracha realmente machucam arruaceiros ou se é melhor usar cassetete mesmo.

Tina e eu voltamos a olhar para Lana e Josh.

Pessoas realmente atraentes como Lana e Josh nunca vão sozinhas a lugar nenhum. Sempre têm uma espécie de turminha que as segue por toda parte. A turma da Lana consiste em um bando de outras garotas, a maioria líderes de torcida como ela. Todas são muito bonitas, com cabelos compridos, seios e outras coisas, como Lana.

A turma do Josh é formada por um monte de veteranos que também são da equipe de remo. São todos grandões e bonitos, e todos estavam comendo quantidades absurdas de produtos animais, igual ao Josh.

A turma do Josh colocou suas bandejas ao lado da dele. A da Lana botou as suas perto da dela. E, logo depois, nossa mesa, que antes era formada apenas por duas garotas esquisitas e seus seguranças, estava toda enfeitada com as duas pessoas mais bonitas da Albert Einstein — talvez até de toda Manhattan.

Dei uma boa olhada em Lilly e os olhos dela estavam arregalados como ficam quando ela vê alguma coisa que pensa que daria um bom episódio em seu programa.

"Então...", disse Lana, amigavelmente, enquanto comia a salada — sem molho e acompanhada só de água. "O que você vai fazer neste fim de semana, Mia? Vai ao Baile da Diversidade Cultural?"

Era a primeira vez que ela me chamava de Mia, e não de Amelia.

"Hummmm", falei, toda alegre. "Deixa eu ver..."

"Tô perguntando porque os pais do Josh vão viajar e a gente estava pensando em organizar alguma coisa na casa dele, no sábado à noite, depois do baile e tal. Você devia ir também."

"Hummm", respondi. "Bem, eu não..."

"Ela tem mesmo que ir", disse Lana, furando um tomate com o garfo, "não tem, Josh?"

Josh, nesse momento, estava com um monte de chili na boca, usando Doritos, em vez de colher. "Com certeza", disse ele, com a boca cheia. "Ela tem que ir."

"Vai ser tão legal", disse Lana. "A casa do Josh é realmente *grande*. Tem seis quartos. Na Park Avenue. E tem uma banheira de hidromassagem na suíte principal. Não tem uma banheira dessa, Josh?"

Josh respondeu: "Isso, tem..."

Pierce, um cara da turma do Josh e também um remador de 1,90m de altura, interrompeu:

"Ei, Richter, lembra do que aconteceu depois do último baile? Quando Bonham-Allen desmaiou na banheira da sua mãe? Aquilo foi *demais*."

Lana soltou um risinho. "Ai, Deus! Ela virou uma garrafa de licor. Lembra, Josh? Ela bebeu praticamente toda a garrafa — que porca! — e depois não parou mais de vomitar."

"Grande vômito", concordou Pierce.

"Ela teve que fazer lavagem estomacal", disse Lana a Tina e a mim. "Os paramédicos disseram que, se Josh não tivesse ligado naquela hora, ela teria morrido."

Nós todos nos voltamos para Josh. Modestamente, ele disse: "Aquilo foi meio idiota."

Lana parou de rir. "Foi mesmo", disse ela, toda séria, já que Josh Richter havia considerado o incidente idiota.

Eu não sabia o que devia dizer sobre isso, então disse apenas: "Uau."

"Então...", disse Lana. Comeu um pedacinho de alface e derramou um pouco de água na boca. "Você vai ou não?"

"Sinto muito", respondi. "Não posso."

Algumas das amigas da Lana, que estavam conversando entre si, pararam de conversar e me olharam. Os amigos do Josh continuaram a comer.

"Não pode?", disse Lana, fazendo uma cara de muito espantada.

"Não", respondi. "Não posso."

"O que você quer dizer com 'não posso?'"

Pensei em mentir. Podia ter dito alguma coisa como "Lana, não posso ir porque vou ter que jantar com o primeiro-ministro da Islândia". Podia ter dito também "Não posso ir porque vou ter que batizar um navio". Havia várias desculpas que eu poderia ter dado. Mas pelo menos por uma vez, por uma vez nesta minha vida estúpida, fui em frente e disse a verdade.

"Não posso ir", disse, "porque minha mãe não deixaria que eu fosse a uma festa desse tipo".

Ai, meu Deus. Por que eu disse isso? Por quê, por quê, por quê? Eu devia ter mentido. Devia, com certeza, ter mentido. Porque, com o que eu pareci dizendo uma coisa dessa? Hummm, uma esquisitona. Pior do que uma esquisitona. Uma aberração. Uma nerd metida a besta.

Para começar, não sei o que me obrigou a dizer a verdade. E não era nem a verdade mesmo. Quero dizer, era uma verdade, mas não a verdadeira razão por que eu estava dizendo não. Quero dizer, de jeito nenhum mamãe ia deixar que eu fosse a uma festa no apartamento de um rapaz quando os pais dele estivessem viajando. Mesmo com um segurança. Mas a verdadeira razão, lógico, era que eu não sabia como me comportar numa festa como essa. Quero dizer, eu já tinha ouvido falar nesses tipos de festa. Há espaços reservados para pegação. Estamos falando daqueles beijões de língua. Talvez ainda mais do que beijos de língua. Talvez até uns bons amassos. Não tenho certeza, porque não conheço ninguém que já tenha ido a uma festa dessa. Ninguém que eu conheço é suficientemente popular para ser convidado.

E, mais, todo mundo bebe. Mas eu não bebo e não tenho ninguém com quem fazer pegação. Então, o que eu ia fazer lá?

Lana me olhou, olhou em seguida para as amigas e depois explodiu numa gargalhada. Alta, quero dizer, alta MESMO.

Bem, eu acho que não posso botar a culpa nela.

"Ai, meu Deus", disse Lana quando acabou aquela gargalhada tão alta que nem podia falar. "Você não pode estar falando sério."

Tive certeza nessa hora de que Lana acabava justamente de descobrir uma forma inteiramente nova de me torturar. Eu não me importava tanto assim comigo, mas sentia pena da Tina Hakim Baba, que havia conseguido manter toda essa discrição por tanto tempo. De repente, por minha causa, ela estava sendo sugada para o meio da zona de tortura das garotas populares.

"Ai, meu Deus!", disse Lana. "Você está brincando comigo, não está?"

"Hmmmm", respondi. "Não."

"Bem, ninguém espera que você conte a ela a *verdade*", disse Lana, mais uma vez toda esnobe. "Você diz a ela que vai passar a noite na casa de uma amiga. *Só!*"

Ah!

Ela queria dizer: mentir. Para minha mãe. Lana, evidentemente, não conhecia minha mãe. *Ninguém* mente para minha mãe. Ninguém consegue. Não sobre uma coisa dessa. De jeito nenhum.

Então eu disse:

"Bom, não é que eu não me sinta satisfeita por ter sido convidada, mas realmente não acho que possa ir. Além do mais, eu nem bebo..."

OK, este foi outro grande erro.

Lana olhou para mim como se eu tivesse acabado de dizer que nunca assisto a *Party of Five*, ou alguma coisa assim. E continuou: "Você não *bebe*?"

Eu fiquei olhando para ela. A verdade é que, em Miragnac, eu bebo. Bebemos vinho no jantar todas as noites. É isso o que todo mundo faz na França.

Mas ninguém bebe para ficar bêbado. Bebe porque cai bem com a comida. Eles dizem por lá que o *foie gras* fica mais gostoso. Eu não sei, porque não como *foie gras*, mas posso lhe dizer que vinho combina mais com queijo de cabra do que Dr. Pepper.

E eu nunca beberia uma garrafa inteira, nem mesmo para ganhar uma aposta. Nem mesmo por Josh Richter.

Então encolhi os ombros e continuei: "Não. Eu tento respeitar meu corpo e não engolir um carregamento inteiro de toxinas."

Lana fez um barulho estranho ao ouvir isso, mas, de frente para ela — e ao meu lado —, Josh Richter engoliu o pedaço de hambúrguer que estava mastigando e disse: "Eu respeito esse ponto de vista."

Lana ficou de boca aberta. E eu, sinto dizer, também. Josh Richter respeita alguma coisa que *eu* disse? Você está *brincando* comigo?

Mas ele parecia totalmente sério. Mais do que isso. Estava com uma cara igual à daquele dia no Bigelows, como se ele pudesse ver dentro da minha alma com aqueles olhos azuis brilhantes dele... Como se ele tivesse sempre visto dentro da minha alma...

Mas acho que Lana não notou que seu namorado estava olhando dentro da minha alma, porque o que disse foi: "Meu Deus, Josh. Você bebe mais do que todo mundo da escola."

Josh virou a cabeça e a encarou com aqueles olhos hipnóticos. Disse, sem sorrir: "Bem, talvez, nesse caso, eu deva parar de beber."

Lana começou a rir. E disse: "Ah, certo! Quero ver isso acontecer."

Josh não riu. Simplesmente continuou olhando para ela.

Foi aí que começou minha tremedeira. Ele simplesmente continuou olhando para Lana. Eu fiquei contente porque ele não estava olhando para mim desse jeito: aqueles olhos azuis dele são hipnotizantes.

Levantei depressa e peguei a bandeja. Tina, vendo o que eu estava fazendo, fez o mesmo.

"Bem", falei, "a gente se vê".

E caímos fora dali.

Antes de entregarmos as bandejas, Tina perguntou: "O que foi *aquilo*?", e eu disse que não sabia. Mas de uma coisa tenho certeza:

Pelo menos uma vez na vida estou feliz por não ser Lana Weinberger.

Quinta, Francês

Quando fui ao meu armário depois do almoço pegar os livros para a aula de francês, Josh estava lá, meio encostado na porta do armário dele, olhando em volta. Quando me viu chegando, ele se endireitou e disse: "Oi."

E depois sorriu. Um sorriso grande, mostrando todos os dentes brancos. Dentes perfeitamente certinhos e brancos. Tive que desviar a vista daqueles dentes tão perfeitos e ofuscantemente brancos.

Eu disse "Oi" de volta. Eu estava realmente meio sem graça, já que eu o havia visto, poucos minutos antes, brigando com Lana. Deduzi que ele estava provavelmente esperando por ela, que os dois fariam as pazes e que provavelmente iam dar beijos de língua pelo corredor, então tentei acertar a combinação da fechadura do armário o mais rápido possível e cair fora dali com toda pressa para não ter que ver a pegação dos dois.

Mas Josh começou a *conversar* comigo. Disse: "Eu concordo mesmo com o que você acabou de dizer na lanchonete. Você sabe, sobre respeitar seu corpo e tal. Acho que essa atitude é realmente legal."

Comecei a sentir meu rosto ardendo. Era como se eu estivesse pegando fogo. Concentrei-me em não deixar cair nada no chão enquanto mexia nos livros dentro do armário. É uma pena que meu cabelo agora seja tão curto. Eu não podia baixar a cabeça para esconder o fato de que estava toda vermelha. "Hummm", murmurei, em um tom muito inteligente.

"Então", disse Josh, "você vai ao baile com alguém ou não?".

Deixei cair o livro de álgebra, que foi parar no outro lado do corredor. Abaixei para apanhá-lo.

"Hummmm", disse, como maneira de responder à pergunta dele.

Eu estava de quatro, pegando velhos rascunhos que haviam caído do livro de álgebra, quando vi aqueles joelhos cobertos de flanela cinza também se dobrarem. Em seguida, o rosto de Josh ficou bem perto do meu.

"Toma", disse ele, e me entregou meu lápis predileto, o que tem um pompom de penas.

"Obrigada", agradeci. Mas aí cometi o erro de olhar bem naqueles olhos azuis.

"Não", disse, desmaiando de verdade, porque foi assim que aqueles olhos dele me fizeram sentir: desmaiando. "Eu não tenho par para o baile."

Nesse momento, o sinal tocou.

E Josh disse: "Bem, a gente se vê." E depois foi embora.

Continuo em estado de choque.

Josh Richter *conversou* comigo. *Conversou* mesmo comigo. *Duas vezes.*

Pela primeira vez em um mês, não me importo se estou indo mal em álgebra. Não me importo se minha mãe está namorando com um dos meus professores. Não me importo se sou a herdeira do trono de Genovia. Não me importo nem mesmo se minha melhor amiga e eu estamos brigadas.

Acho que Josh Richter pode *gostar* de mim.

Meu Deus, só porque talvez um cara goste de mim, eu perco totalmente a cabeça. Tenho vergonha de mim mesma.

* DEVER DE CASA

Álgebra: ??? Não consigo me lembrar!!!

Inglês: ??? Perguntar a Shameeka

Civilizações Mundiais: ??? Perguntar a Lilly. Esqueci. Não posso perguntar a Lilly. Ela não está falando comigo

S&T: Nenhum

Francês: ???

Biologia: ???

Quinta à noite

O que Grandmère disse foi: "Bem, é óbvio que o rapaz gosta de você. Por que não gostaria? Você está se saindo muito bem, graças às mãos mágicas do Paolo e as minhas instruções."

Meu Deus, Grandmère, obrigada. Como se fosse impossível para qualquer cara gostar de mim pelo que eu sou e não porque, de repente, viro uma princesa com um corte de cabelo de US$200.

Acho que a odeio, um pouco.

Quero dizer, sei que é errado odiar pessoas, mas eu realmente odeio um pouco minha avó. No mínimo, tenho muita antipatia por ela. Quero dizer, além do fato de que ela é inteiramente presunçosa e só pensa nela, ela também é meio mesquinha com os outros.

Como hoje à noite, por exemplo.

Grandmère resolveu que, como aula, a gente ia jantar hoje em algum lugar longe do hotel, de modo que ela pudesse me ensinar como tratar a imprensa. Só que não havia muita imprensa por perto quando nós saímos, apenas um garoto do *Tiger Beat* ou coisa parecida. Acho que todos os verdadeiros repórteres haviam ido para casa jantar. (Além disso, não tem graça para a imprensa seguir os outros às escondidas quando os outros estão prontos para isso. Só quando menos os esperamos é que eles dão as caras. É assim que eles se excitam, ou pelo menos é isto que eu acho.)

De qualquer jeito, fiquei muito feliz com isso, porque quem é que precisa da imprensa em volta, berrando perguntas e estourando flashes na nossa cara? Acredite em mim, como andam as coisas, vejo grandes explosões brilhantes em todos os lugares aonde vou.

Mas, quando eu estava entrando no carro, que Hans havia trazido para a porta do hotel, Grandmère disse: "Espere um momento", e voltou para o hotel. Pensei que ela havia esquecido a tiara ou alguma coisa assim, mas ela voltou um minuto depois, com nada diferente de antes.

Mas, quando paramos em frente ao restaurante, que era o Four Seasons, todos aqueles repórteres estavam lá! No início, pensei que alguém importante devia estar lá dentro, como Shaquille O'Neal ou Madonna, mas logo em seguida eles começaram a tirar fotos de mim e a gritar "Princesa Amelia, como é crescer num lar de mãe solteira e depois descobrir que o ex da sua mãe tem trezentos milhões de dólares?" e "Princesa, que tipo de tênis de corrida você usa?".

Esqueci inteiramente meu medo dessa coisa de confronto. Eu estava furiosa. Virei para Grandmère ainda no carro e disse: "Como foi que eles souberam que a gente estava vindo para cá?"

Grandmère apenas botou a mão na bolsa para pegar um cigarro. "Essa não, onde foi que deixei aquela droga do isqueiro?", perguntou.

"Você ligou para eles, não ligou?" Eu estava tão nervosa que nem conseguia enxergar direito. "Você ligou e disse que a gente estava vindo para cá."

"Não seja ridícula", respondeu Grandmère. "Eu não tive tempo de ligar para todas essas pessoas."

"Você não precisava ligar. Bastava ligar para um e todos os outros viriam atrás dele. Grandmère, por quê?"

Grandmère acendeu o cigarro. Odeio quando ela fuma no carro. "Esta é uma parte importante de ser uma figura da realeza, Amelia", disse ela, entre baforadas. "Você tem que aprender como tratar a imprensa. Por que você está falando comigo nesse tom?"

"Foi você quem contou tudo aquilo a Carol Fernandez." Eu disse isto inteiramente calma.

"Certamente fui eu", respondeu Grandmère, encolhendo os ombros como se dissesse "E daí?".

"Vovó", gritei, "como você pôde fazer uma coisa dessa?"

Ela pareceu inteiramente surpresa. E disse: "Não me chame de vovó."

"Estou falando sério", berrei. "Papai pensa que foi o Sr. Gianini! Ele e mamãe tiveram a maior briga por causa disso. Ela disse que foi você, mas ele não acreditou."

Grandmère soltou a fumaça pelo nariz.

"Phillipe", disse ela, "sempre foi incrivelmente ingênuo".

"Nesse caso", respondi, "eu vou contar a ele. Vou contar a ele a verdade".

Grandmère fez um gesto de pouco caso com a mão, como se dizendo "Tanto faz".

"Estou falando sério", ameacei, "vou contar a ele. E ele vai ficar uma fera com você, Grandmère".

"Não vai. Você precisa de treinamento, querida. Aquela matéria no *Post* foi só o começo. Em pouco tempo você vai ser capa da *Vogue,* e então..."

"Grandmère", gritei, "eu não quero ser capa da *vogue!* será que você não compreende? eu só quero ser aprovada na escola!"

Grandmère pareceu um pouco chocada. "Tudo bem, querida, tudo bem. Você não precisa berrar."

Não sei quanto disso tudo adiantou alguma coisa, mas, depois do jantar, notei que todos os repórteres tinham ido para casa. Então talvez ela tenha me ouvido.

Quando cheguei em casa, encontrei o Sr. Gianini, NOVAMENTE. Tive que ligar do quarto pro papai. Eu disse: "Papai, foi a vovó, não o Sr. Gianini, quem contou tudo a Carol Fernandez", e ele disse "Eu sei", daquela maneira lamentosa.

"Você *sabe*?" Eu mal podia acreditar nisso. "Você *sabe*, e não disse nada?"

Ele continuou: "Mia, sua avó e eu temos um relacionamento muito complicado."

Ele queria dizer que tem medo dela. Acho que não posso censurar o papai, considerando o fato de que ela costumava prendê-lo no calabouço do castelo e tal.

"Bem", falei, "você ainda poderia pedir desculpa à mamãe por tudo que disse sobre o Sr. Gianini".

Ainda parecendo sofrer muito, ele disse: "Eu sei."

Então eu perguntei:

"E então? Vai pedir?"

Ele respondeu: "Mia..." Só nesse momento é que ele pareceu desesperado. Eu achei que já havia praticado boas ações suficientes para um dia só e desliguei.

Depois disso, fiquei sentada enquanto o Sr. Gianini me ajudava com o dever de casa. Estava distraída demais por Josh Richter ter conversado comigo hoje para prestar atenção enquanto Michael tentava me ajudar durante a aula de S&T.

Acho que consigo entender um pouco por que mamãe gosta do Sr. G. Ele é tranquilo de ficar por perto, você sabe como é, tipo assistindo TV. Ele não fica o tempo todo com o controle remoto na mão, como alguns dos antigos namorados da mamãe. E, pelo que parece, não dá a mínima para esportes.

Uma meia hora antes de eu ir dormir, papai ligou e pediu para falar com minha mãe. Ela foi para o quarto falar com ele e, quando voltou, parecia toda satisfeita, daquele jeito lembra-do-que-eu-disse?

Queria poder contar a Lilly que Josh Richter conversou comigo.

Sexta, 17 de outubro, Inglês

AI, MEU DEUS!!!
JOSH E LANA TERMINARAM!!!!

Não estou brincando. É só o que se fala na escola. Josh brigou com ela na noite passada, depois de um treino da equipe de remo. Eles estavam jantando juntos no Hard Rock Café, quando ele pediu que ela lhe devolvesse seu anel!!!! Lana ficou inteiramente humilhada debaixo do sutiã em forma de cone, feito para Madonna!

Eu não desejaria uma coisa dessa nem para minha pior inimiga.

Ela não andou rondando o armário de Josh esta manhã, como de costume. E depois eu a vi na aula de álgebra, os olhos todos vermelhos e sem rumo, o cabelo parecendo que não tinha sido escovado, quanto mais lavado, e as meias compridas soltas e folgadas nos joelhos. Eu nunca pensei que um dia veria Lana Weinberger tão desarrumada assim!!! Antes do começo da aula, ela estava no celular, conversando com a Bergdorf's e tentando convencer a loja a receber de volta o vestido para o Baile da Diversidade Cultural, embora já tivesse arrancado as etiquetas. Depois, durante a aula, ela passou o tempo todo com um grande marcador riscando o nome "*Sra. Josh Richter*" que havia escrito na capa de todos os seus livros.

Aquilo foi tão deprimente. Mal consegui decompor em fatores meus números inteiros, de tão confusa que eu estava.

EU GOSTARIA DE SER

1. Tamanho 36, sutiã 46
2. Boa em matemática
3. Integrante de uma banda de rock mundialmente famosa
4. Ainda amiga da Lilly Moscovitz
5. A nova namorada do Josh Richter

Ainda na sexta

Você não vai acreditar no que acaba de acontecer. Eu estava guardando o livro de álgebra no armário enquanto Josh Richter pegava suas notas de trigonometria, quando, da maneira mais natural possível, ele disse: "Ei, Mia, com quem você vai ao baile amanhã?"

Nem preciso dizer que o fato de ele falar isso quase me fez desmaiar. E em seguida o fato de ele parecer estar me sondando antes de me convidar — bem, eu quase vomitei. Estou falando sério. Fiquei enjoada mesmo, mas no bom sentido.

Acho.

De alguma maneira, consegui gaguejar: "Hummm, com ninguém", e ele disse, acredite ou não:

"Bem, por que não vamos juntos?"

AI, MEU DEUS!!!!! JOSH RICHTER ME CONVIDOU PARA SAIR COM ELE!!!!!!

Fiquei tão chocada que não consegui dizer nada durante quase um minuto. Pensei que fosse ficar sem ar, como quando vi aquele documentário mostrando como as vacas viram hambúrgueres. Só consegui ficar ali e levantar o rosto para ele. (Ele é tão alto!)

Mas aí aconteceu uma coisa esquisita: aquela parte minúscula do meu cérebro — a única parte que não estava perplexa por ele ter me convidado — disse para mim: ele só está te convidando porque você é a Princesa de Genovia.

Estou falando sério. Foi isso o que pensei, mas apenas por um segundo.

Em seguida, esta outra parte do meu cérebro, uma parte muito maior, disse: E DAÍ?

Quero dizer, talvez ele tenha me convidado porque me respeita como ser humano e quer me conhecer melhor e talvez, apenas talvez, goste de mim, coisas desse tipo.

Isso podia acontecer.

Então a parte do meu cérebro que estava racionalizando tudo isso me levou a dizer, meio desinteressada: "Está bem, ok. Pode ser divertido."

Depois, Josh disse um monte de coisas sobre como ia me pegar em casa, que jantaríamos antes ou coisa assim. Mas eu quase não ouvi o que ele dizia. Porque, dentro da minha cabeça, uma voz estava dizendo:

Josh Richter acaba de convidar você para sair com ele. Josh Richter acaba de convidar VOCÊ para sair com ele. JOSH RICHTER ACABA DE CONVIDAR VOCÊ PARA SAIR COM ELE!!!!

Acho que morri e fui para o céu. Porque isso aconteceu. Finalmente tinha acontecido: Josh Richter tinha, finalmente, olhado dentro da minha alma e visto a verdadeira eu, a que existe atrás dos peitos que eu não tenho. E DEPOIS ME CONVIDOU PARA SAIR COM ELE.

Nesse momento, o sinal tocou e Josh foi embora. Continuei parada ali, até que Lars cutucou meu braço.

Não sei qual é o problema do Lars. Sei que ele não é meu secretário particular.

Mas graças a Deus ele estava ali, ou eu nunca teria sabido que Josh estava me convidando para amanhã à noite, às sete. Vou ter que aprender a não ficar tão chocada assim na próxima vez ou nunca vou aprender a controlar essa coisa de sair com um garoto.

COISAS PRA FAZER

(NUNCA TENDO SIDO CONVIDADA ANTES PARA SAIR COM UM GAROTO, NÃO TENHO MUITA CERTEZA DO QUE DEVO FAZER)

1. Arranjar um vestido
2. Arrumar o cabelo
3. Mandar consertar as unhas (deixar de roer as postiças)

Sexta, S & T

Tudo bem, não sei quem Lilly Moscovitz pensa que é. Primeiro, ela para de falar comigo. Depois, quando resolve falar, é apenas para me criticar ainda mais. Que direito ela tem, é o que estou perguntando, de arrasar meu par para o Baile da Diversidade Cultural? Quero dizer, ela vai com Boris

Pelkowski. *Boris Pelkowski*. Isso mesmo, ele pode ser um gênio musical, mas continua a ser Boris Pelkowski.

E o que Lilly disse foi: "Eu pelo menos sei que Boris *não* está se recuperando de um trauma."

Dá licença. Josh Richter *não* está se recuperando de um trauma. Ele e Lana já estavam brigados há exatamente 16 horas inteiras antes de ele me convidar para sair.

E Lilly continua: "Além do mais, Boris não usa *drogas*."

Juro que, para uma pessoa tão inteligente, Lilly cai como um patinho nesses boatos e insinuações. Perguntei se ela já tinha visto Josh usar drogas. E o que foi que ela fez? Me olhou sarcasticamente.

Mas, na verdade, se a gente pensar bem, não há *prova* nenhuma de que Josh use drogas. Ele realmente anda com gente que usa, mas, espera aí, Tina Hakim Baba anda com uma princesa e isto não *a* torna princesa.

Mas Lilly não gostou desse argumento. E disse: "Você está super-racionalizando. Sempre que você super-racionaliza, Mia, eu sei que você está preocupada."

Eu *não* estou preocupada. Vou à maior festa do semestre com o cara mais gato, mais sensível da escola, e nada que alguém possa fazer ou dizer vai me fazer sentir mal respeito disso.

Exceto que me dá uma sensação esquisita ver Lana parecer tão triste e Josh se portando como se não desse a mínima bola para isso. Hoje, ele e sua turma se sentaram comigo e com Tina, enquanto Lana e sua turma se sentaram com outras líderes de torcida. Aquilo tudo foi tão estranho. Além do mais, nem Josh nem nenhum dos seus amigos conversou comigo ou com Tina. Eles apenas conversaram entre si. O que não incomodou Tina em nada, mas acho que me chateou um pouco. Principalmente porque Lana fazia muita força para não olhar para nossa mesa.

Tina não disse nada de ruim sobre Josh quando contei a ela a novidade. Ela ficou apenas muito empolgada e disse que mais tarde, quando eu for passar a noite na casa dela, poderemos experimentar várias roupas e penteados para ver o que ficará melhor para amanhã à noite. Bem, eu não tenho muito cabelo para experimentar, mas podemos fazer isso com o cabelo dela. Na verdade, Tina está quase tão animada quanto eu. Ela é uma amiga muito mais compreensiva do que Lilly, que disse, muito sarcástica, quando ouviu falar nisso: "Aonde é que ele vai levar você para jantar? Ao Harley-Davidson Café?"

Respondi: "Não", com grande sarcasmo. "Tavern on the Green."

E Lilly disse: "Ah, mas que falta de imaginação."

Nesse momento, Michael, que tinha estado muito calado (para ele) durante toda a aula, olhou para Lars e perguntou: "Você vai também, certo?"

E Lars respondeu: "Ah, sim." E os dois se entreolharam daquela maneira irritante como homens às vezes se entreolham, como se tivessem um segredo. Você sabe, na sexta série, quando mandam todas as meninas passar para outra sala e assistir a um vídeo sobre menstruação e coisas assim? Aposto que, enquanto a gente estava na outra sala, os garotos estavam na deles assistindo a um vídeo sobre como se entreolharem dessa maneira irritante.

Ou talvez assistindo a um desenho animado ou coisa parecida.

Mas, agora que estou pensando nisso, Josh está desrespeitando Lana. Quero dizer, ele provavelmente não devia ter convidado outra garota tão cedo assim depois de terminar com ela — pelo menos não para um lugar aonde ele ia antes com ela. Entendeu o que eu quero dizer? Eu me sinto meio mal a respeito de tudo isso.

Mas não mal demais para não ir.

DE AGORA EM DIANTE

1. Serei mais boazinha com todo mundo, até com Lana Weinberger
2. Nunca mais vou roer as unhas, mesmo as postiças
3. Escreverei fielmente neste diário todos os dias.
4. Deixarei de assistir às velhas reprises de *S.O.S. Malibu* e usarei sensatamente meu tempo, por exemplo, estudando álgebra, melhorando o meio ambiente ou coisa assim.

Sexta à noite

A aula com Grandmère foi mais curta hoje, porque vou passar a noite na casa da Tina. Grandmère praticamente esqueceu que gritei com ela ontem por causa da imprensa. Estava mesmo era preocupada em me ajudar a escolher o que vou usar amanhã à noite, exatamente como eu imaginava. Ligou para a Chanel e marcou um horário amanhã para escolher alguma coisa. Tem que ser uma coisa urgente e vai custar uma fortuna, mas ela diz que não se importa. Será meu primeiro evento oficial como representante de Genovia e eu vou ter que "brilhar" (palavra dela, não minha).

Lembrei a ela que seria uma festa de escola, não um baile de inauguração ou coisa parecida e que não era nem um baile oficial da escola, simplesmente um baile idiota para homenagear os vários grupos sociais e culturais que estudam na Escola Albert Einstein. Mas Grandmère ainda assim ficou toda agitada e continuou a se preocupar, dizendo que não haveria tempo para pintar os sapatos, a fim de combinar com o vestido.

Há muitas coisas sobre ser mulher que nunca entendi. Como sapato ter que combinar com vestido. Eu não sabia que isso era tão importante assim.

Mas Tina Hakim Baba certamente sabia. Vocês deviam ver o quarto dela. Ela deve possuir todas as revistas femininas já publicadas. Estão organizadas em estantes por toda parte em volta do quarto, que, por falar nisso, é enorme e cor-de-rosa, muito parecido com o resto do apartamento, que ocupa todo o último andar do prédio. A gente aperta C no elevador e ele se abre no vestíbulo de mármore dos Hakim Baba, que realmente tem uma fonte, só que a gente não deve jogar moedinhas ali dentro, pelo que soube.

Depois da entrada, só há quartos, quartos e mais quartos. Eles têm arrumadeira, cozinheira, babá e motorista, todos morando ali. Então você pode imaginar quantos quartos há no apartamento, fora o fato de que Tina tem três irmãs mais novas e um irmãozinho, e cada um deles tem seu próprio quarto.

O quarto da Tina tem uma televisão de 37 polegadas com um PlayStation. Em comparação com ela, vejo agora que estive levando uma vida de simplicidade monástica.

Algumas pessoas têm toda a sorte do mundo.

De qualquer maneira, Tina é muito diferente em casa do que é na escola. Em casa ela é muito animada e extrovertida. Os pais dela também são muito legais. O Sr. Hakim Baba é muito engraçado. Ele teve um infarto no ano passado e não pode comer praticamente nada, a não ser legumes e arroz. Tem que perder mais de 10kg. Passou o tempo todo beliscando meu braço e dizendo: "Como você consegue ficar tão magra assim?" Contei sobre meu vegetarianismo rigoroso e ele disse "Ah", e se pôs a tremer todo. A cozinheira dos Baba tem ordem de só preparar refeições vegetarianas, o que é bom para mim. Comemos cuscuz e gulache de legumes. Tudo gostosíssimo.

A Sra. Hakim Baba é bonita, mas de uma maneira diferente de mamãe. Ela é britânica e muito loura. Acho que se sente muito entediada por morar aqui nos Estados Unidos e não ter um emprego. Ela era modelo, mas abandonou a profissão quando casou. Agora não conhece mais toda aquela gente interessante que conhecia quando trabalhava. Uma vez, ela se hospedou no mesmo hotel onde estavam a Princesa Diana e o Príncipe Charles. Ela disse que os dois dormiam em quartos separados. E isso na lua de mel!

As coisas não podiam mesmo dar certo entre eles.

A Sra. Hakim Baba é tão alta quanto eu, o que a torna uns doze centímetros mais alta do que o Sr. Hakim Baba. Mas não acho que ele ligue pra isso.

As irmãs e o irmãozinho da Tina são umas gracinhas. Depois de tirar de ordem todas as revistas de moda, pesquisando estilos de penteados, experimentamos alguns deles nas irmãs dela. Elas ficaram bem engraçadinhas. Em seguida, colocamos brincos no irmãozinho e fizemos um trabalho de manicure francesa nele igual ao meu. Ele ficou todo agitado, vestiu sua fantasia de Batman e saiu correndo aos gritos por todo o apartamento. Achei que ele ficou bonitinho, mas o Sr. e a Sra. Hakim não acharam graça. Mandaram a babá colocar Bobby Hakim Baba na cama logo depois do jantar.

Em seguida, Tina me mostrou o vestido que vai usar amanhã. É um Nicole Miller lindo de morrer, parecendo espuma do mar. Tina Hakim Baba se parece muito mais com uma princesa do que eu jamais conseguirei parecer.

Aí chegou a hora do programa *Lilly manda a real*, que vai ao ar toda sexta, às nove. Era o episódio que denuncia o racismo injusto da Ho's Deli, filmado antes da Lilly mandar suspender o boicote por falta de apoio. Era uma peça de jornalismo investigativo muito dura, e posso dizer isto sem me promover, porque não me envolvi na preparação do programa. Se o *Lilly manda a real* um dia entrasse em rede nacional, aposto que conseguiria uma audiência tão alta quanto o *Sixty Minutes*.

No fim, Lilly apareceu em cena e apresentou um quadro, que deve ter filmado na noite anterior, com uma câmera montada num tripé em seu próprio quarto. Mostra ela sentada na cama, dizendo que o racismo é uma poderosíssima força do mal, que todos nós temos que combater. Disse que mesmo que pagar cinco centavos a mais por um comprimido de ginkgo biloba possa não parecer grande coisa para algumas pessoas, vítimas de racismo violento, como os armênios, ruandeses, ugandenses e bósnios, reconheceriam logo que cinco centavos são apenas o primeiro passo na estrada do genocídio. E continuou dizendo que, por causa de sua posição corajosa contra os Ho, havia hoje um pouco mais de justiça ao lado do que é certo.

Não tenho opinião sobre isso, mas comecei a sentir um pouco de saudade dela quando ela mexeu os pés, calçados com pantufas imitando garras de urso, como uma homenagem a Norman. Tina é uma amiga divertida e tal, mas conheço Lilly desde o jardim de infância. É meio difícil esquecer isso.

Ficamos acordadas até bem tarde, lendo os romances adolescentes da Tina. Juro que não havia nenhum em que o rapaz acabasse com a garota metida a esnobe e começasse a namorar imediatamente com a heroína. Ele, geralmente, esperava pelo momento certo, como o verão ou pelo menos um fim de semana, antes de convidá-la para sair. Os únicos em que o cara começou imediatamente a namorar com a heroína eram aqueles em que ele a estava usando para se vingar ou coisa assim.

Mas então Tina disse que, embora adore ler esses livros, nunca os encara como um guia para a vida real. Porque quantas vezes na vida uma pessoa fica com amnésia? E quantos terroristas europeus jovens e bonitos fazem reféns no vestiário das meninas? E se fizessem, não seria no dia em que elas estariam usando calcinhas e sutiãs horríveis, com furos e elástico frouxo, ou sutiã que não combina, e não uma camisola de seda cor-de-rosa e calcinha tapa-sexo como a heroína daquele livro?

Ela tem um bom argumento.

Tina está desligando a luz agora, porque está cansada. Que bom. Este dia foi bem longo.

Sábado, 18 de outubro

Quando cheguei em casa, a primeira coisa que fiz foi conferir a caixa postal para ver se Josh havia ligado, cancelando o convite.

Não havia.

Mas o Sr. Gianini estava lá (óbvio). Desta vez, ele usava calça, graças a Deus. Quando me ouviu perguntar à mamãe se um rapaz chamado Josh tinha telefonado, ele perguntou: "Você não está se referindo a Josh Richter, está?"

Eu fiquei meio irritada, porque pelo tom de voz ele parecia... não sei. Chocado ou algo parecido.

Respondi: "Estou, sim. Estou falando de Josh Richter. Ele e eu vamos juntos hoje ao Baile da Diversidade Cultural."

O Sr. Gianini arregalou os olhos. "O que foi que aconteceu com aquela menina, a Weinberger?"

É meio chato ter uma mãe que está namorando com um professor da nossa escola. Mas respondi: "Eles terminaram."

Mamãe estava olhando a gente com toda atenção, o que não é típico dela, já que, na maior parte do tempo, vive num mundo particular. E disse: "Quem é esse Josh Richter?"

E eu disse: "Apenas o garoto mais bonito e mais sensível de toda a escola."

O Sr. Gianini fez um barulho e disse: "Bem, com certeza o mais popular."

E minha mãe perguntou, bastante surpresa: "E ele convidou Mia para o baile?"

Não preciso nem dizer que isso não foi nada agradável. Quando a nossa própria mãe acha esquisito que o cara mais gato e mais popular da escola convide a filha para o baile, sabemos que há algum problema.

"Convidou", respondi, em tom defensivo.

"Não estou gostando nada disso", observou o Sr. Gianini. E quando minha mãe perguntou a ele por quê, ele respondeu: "Porque eu conheço Josh Richter."

Mamãe se preocupou: "Hmmm, não! Não gostei desse tom", e antes que eu pudesse dizer alguma coisa em defesa de Josh, o Sr. Gianini continuou: "Esse garoto está correndo a 160 quilômetros por hora", o que nem mesmo fazia sentido.

Pelo menos não até mamãe observar que, como eu só corria a oito quilômetros por hora (OITO), ela ia ter que consultar meu pai "sobre isso".

Alô? Consultar meu pai sobre o quê? O que eu sou? Um carro com cinto de segurança defeituoso? Que história é essa de oito quilômetros por hora?

"Ele é rápido, Mia", traduziu o Sr. Gianini.

Rápido? RÁPIDO? Em que época nós estamos, na década de 50? De repente, Josh Richter passou a ser um rebelde sem causa?

E mamãe disse, enquanto discava o número de telefone do papai no Plaza: "Você é apenas uma caloura. Não deveria, de qualquer modo, sair com veteranos."

Já viram coisa mais injusta do que ISSO? Eu finalmente recebo um convite e, de repente, meus pais se transformam em Mike e Carol Brady? Quero dizer, dá um tempo!

Eu estava ali, escutando papai e mamãe conversando no viva-voz, os dois dizendo que acham que sou jovem demais para namorar e que NÃO DEVO NAMORAR, porque estes dias têm sido muito estressantes para mim, com essa coisa de descobrir que sou princesa e tal. E estavam planejando todo o resto da minha vida (nada de namorar até os 18 anos, dormitório só de garotas na faculdade etc.) quando a campainha do interfone do apartamento tocou e o Sr. Gianini foi atender. Quando perguntou quem era, uma voz muito conhecida disse: "Clarisse Marie Grimaldi Renaldo. Quem *é que está* falando?"

Do outro lado da sala, minha mãe deixou cair o telefone. Era Grandmère. Grandmère tinha vindo ao apartamento!

Eu nunca na vida pensei que seria grata a Grandmère por alguma coisa. Nunca pensei que sentiria prazer em vê-la. Mas quando ela apareceu no apartamento para me levar às compras, eu poderia ter dado um beijo nela — até nas duas bochechas —, poderia, de verdade. Porque quando fui recebê-la à porta, o que eu disse foi: "Grandmère, eles não me deixam ir ao baile!"

Esqueci que Grandmère nunca havia estado ali antes. Esqueci que o Sr. Gianini estava ali. Tudo em que eu conseguia pensar era que meus pais estavam tentando acabar com Josh. Grandmère resolveria isso, eu sabia.

E, cara, como ela resolveu!

Entrou feito uma tempestade, lançando um olhar que era só veneno ao Sr. Gianini — "Esse aí é *ele*?", parou o tempo suficiente para perguntar e, quando eu disse que era, ela fez aquele som de desprezo e passou direto por ele — e ouviu papai falando no viva-voz. E berrou "Me dá esse telefone" para minha mãe, que pareceu uma menina pega dando calote no ônibus.

"Mamãe?", perguntou meu pai no viva-voz com um grito. A gente percebeu que ele estava tão chocado quanto a minha mãe. "É você? O que *você* está fazendo aí?"

Para alguém que diz que não quer saber dessas tecnologias modernas, Grandmère sabia direitinho como operar aquele viva-voz. Desligou o negócio, arrancou o fone da mão da minha mãe e começou a falar: "Ouça aqui, Phillipe", disse. "Sua filha vai ao baile com o *beau* dela. Percorri 57 quadras de limusine para levá-la para comprar um vestido novo e se você pensa que eu não vou vê-la dançar dentro dele, então você pode ir direto para..."

E, então, minha avó usou umas palavras bem pesadas. Mas, como falou em francês, só papai e eu entendemos. Minha mãe e o Sr. Gianini ficaram simplesmente parados onde estavam. Minha mãe parecia furiosa. O Sr. Gianini, nervoso.

Depois de dizer ao meu pai aonde ele poderia ir, minha avó bateu o telefone e só então olhou em volta. Vamos apenas dizer que Grandmère nunca foi pessoa de esconder o que pensa, por isso não fiquei surpresa quando ela disse em seguida: "É *este* o lugar onde a princesa de Genovia foi criada? Neste... *galpão?*"

Bem, se ela tivesse acendido uma bombinha embaixo dos pés da minha mãe, mamãe não ficaria tão irritada.

"Agora, escute aqui, Clarisse", disse ela, batendo duro no chão com suas sandálias Birken, "não ouse me dizer como criar minha filha! Phillipe e eu resolvemos que ela não vai sair com aquele rapaz. Você não pode simplesmente entrar aqui e..."

"Amelia", disse minha avó, "vá pegar seu casaco".

Fui. Quando voltei, o rosto da minha mãe estava vermelho, vermelho mesmo, enquanto o Sr. Gianini olhava para o chão. Mas nenhum deles soltou um pio quando Grandmère e eu saímos do apartamento.

Uma vez do lado de fora, eu estava tão agitada que mal pude aguentar. "Grandmère!", gritei. "O que foi que você disse a eles? O que foi que você disse para eles deixarem eu ir à festa?"

Mas Grandmère apenas sorriu daquele jeito sinistro e respondeu: "Eu tenho meus métodos."

Cara, naquela hora eu nunca poderia odiá-la.

Ainda no sábado

Bem, aqui estou eu, sentada, usando meu vestido novo, meus sapatos novos, minhas unhas novas, minha meia-calça nova, meu cabelo novo, com minhas pernas e axilas devidamente depiladas, meu rosto profissionalmente maquiado, são sete horas, não há sinal de Josh e estou começando a pensar que talvez toda esta coisa tenha sido uma piada, como naquele filme, *Carrie*, que é assustador demais para eu assistir, mas que Michael Moscovitz alugou uma vez e depois contou tudo para mim e Lilly: aquela moça feia é convidada para um baile pelo garoto mais popular da escola para que ele e seus amigos populares possam derramar sangue de porco em cima dela. Só que ele não sabe que Carrie tem poderes psíquicos e, no fim da noite, ela mata todo mundo na cidade, incluindo a primeira esposa de Steven Spielberg e a mãe de *Eight Is Enough*.

O problema é que eu, óbvio, não tenho poderes psíquicos, então se Josh e seus amigos derramarem sangue de porco em cima de mim, não poderei matar todos eles. Quero dizer, a menos que eu chame a Guarda Nacional genoviana. Mas isso seria difícil, uma vez que Genovia não tem Força Aérea nem Marinha de Guerra, então como os guardas iam chegar aqui? Eles teriam que vir em voo comercial e custa UMA NOTA comprar passagens em cima da hora. Duvido que meu pai aprovasse esse gasto exorbitante de fundos do governo — especialmente pelo que ele, na certa, consideraria motivos frívolos.

Mas se Josh Richter furar comigo, pode ter certeza, eu *não* terei uma reação frívola. Mandei depilar minhas PERNAS com cera quente por causa dele, ok? Se você acha que isso não dói, pense em passar cera quente nos SOVACOS, o que eu também fiz por ele, ok? Esse troço de cera quente DÓI. Eu quase chorei de tanto que doeu. Então não ME diga que não podemos chamar a Guarda Nacional genoviana se ele furar.

Sei que papai pensa que Josh me deu o bolo. Ele está sentado à mesa da cozinha agora mesmo, fingindo ler o TV *Guide*. Mas vejo o tempo todo ele olhando o relógio. Mamãe também. Só que ela nunca usa relógio, por isso continua espiando disfarçadamente o relógio de gato piscando na parede.

Lars também está aqui. Mas não está olhando para o relógio. O que ele faz é examinar o carregador da pistola para se certificar de que tem balas suficientes. Acho que papai disse a ele para atirar no Josh se ele vier de mão-boba pra cima de mim.

Ah, sim, papai disse que posso sair com Josh, mas apenas se Lars também for. Isso não é um grande problema, porque sempre achei que ele fosse de qualquer jeito. Mas fingi ficar uma fera com isso, para que ele não pensasse que eu estava levando tudo numa boa. Quero dizer, ELE está na MAIOR FRIA com Grandmère. Ela me disse, quando eu estava experimentando o vestido, que papai sempre teve medo de compromisso e que o motivo por que não quer que eu saia com Josh é que ele não vai aguentar me ver mofando, da mesma maneira que ele fez com incontáveis modelos em todo o mundo.

Deus! Aceite o pior. Por que não aceita, papai?

Josh não pode furar. Ele nunca saiu comigo ainda.

E se ele não aparecer logo, bem, tudo que vou dizer é: AZAR O DELE. Estou mais bonita do que nunca. A velha Coco Chanel realmente se superou. Meu vestido é UM ARRASO, de seda azul-claro, todo cheio de dobras em cima, como uma sanfona, disfarçando minha ausência de peito, depois reto e fino até embaixo, até os sapatos de salto da mesma cor. Acho que pareço um pingente de gelo, mas, segundo as mulheres da Chanel, este é o look do novo milênio. Pingentes de gelo estão na moda.

O único problema é que não posso acariciar Fat Louie ou vou ficar com pelo alaranjado de gato no vestido. Ele está sentado ao meu lado no sofá, parecendo todo triste porque não estou fazendo carinho nele. Escondi todas as minhas meias para o caso de ele querer me castigar, ou alguma coisa parecida, comendo uma delas.

Meu pai acabou de olhar o relógio e disse: "Hummm. Sete e quinze. Não posso elogiar muito a pontualidade desse rapaz."

Fiz força para permanecer calma. "Tenho certeza de que o trânsito está congestionado", disse com uma voz tão nobre quanto pude.

"Tenho certeza disso", concordou papai. Mas não parecia muito triste. "Bem, Mia, a gente ainda pode ir assistir à *Bela e a Fera*, se você quiser. Tenho certeza de que posso conseguir..."

"Papai!", exclamei, horrorizada. "Eu NÃO vou assistir à *Bela e a Fera* com você hoje à noite."

Aí ele pareceu triste. "Mas você adorava *A Bela e a Fera*..."

GRAÇAS A DEUS o interfone tocou nesse momento. É ele. Minha mãe disse para ele subir. A outra exigência, antes de meu pai me deixar ir, é que, além de Lars ir também, Josh tem que conhecer meus pais — e, provavelmente, mostrar o RG, embora eu não tenha certeza de que papai já tenha pensado nisso.

Vou ter que deixar este diário aqui, porque não há lugar para ele na *clutch*, que é o nome da minha bolsa pequena e achatada.

Ai, meu Deus, como minhas mãos estão suando! Eu devia ter dado atenção a Grandmère quando ela sugeriu aquelas luvas até os cotovelos...

Sábado à noite, no banheiro do Tavern on the Green

Ok, eu menti. Acabei trazendo o diário. Mandei Lars carregá-lo. Bem, não parece faltar espaço naquela pasta que ele carrega para todo lugar. Sei que ela está cheia de silenciadores, granadas e coisas assim, mas eu tinha certeza de que ele podia arrumar espaço para um diariozinho de nada.

E eu estava certa.

Então estou no banheiro do Tavern on the Green. O banheiro aqui não é tão chique como o do Plaza. Não há um banquinho aqui na cabine, por isso estou sentada no vaso, com a tampa abaixada. Posso ver um monte de pés femininos se movendo do lado de fora da porta. Há muitas mulheres gordas por aqui, a maioria para este casamento entre uma moça de cabelos escuros e sobrancelhas grossas, parecendo italiana, e um ruivo alto e magro chamado Fergus. Fergus me deu uma encarada quando entrei na sala de jantar. Não estou brincando. Meu primeiro homem casado, mesmo que ele só esteja casado há uma hora e pareça ter a minha idade. Este vestido é UMA LOUCURA!

Mas o jantar não foi tão espetacular como eu esperava. Quero dizer, aprendi com Grandmère qual garfo usar e tudo aquilo, e a afastar o prato de sopa para longe de mim, mas não é disto que estou falando.

Estou falando do Josh.

Não me entenda mal. Ele fica um gato de smoking. Ele me disse que é dele mesmo. No ano passado, ele acompanhou a namorada, antes da Lana, a todas as festas de debutante da cidade, sendo essa garota antes da Lana parente do cara que inventou aqueles sacos plásticos onde a gente põe as verduras quando faz compras no supermercado. Só que os dele foram os primeiros a dizer ABRA AQUI para a gente saber que lado devia tentar abrir. Essas duas palavrinhas deram ao cara meio bilhão de dólares. É o que Josh diz.

Não sei por que ele me contou isso. Devo ficar impressionada com alguma coisa que o pai da sua ex fez? Ele não está sendo muito sensível, para dizer a verdade.

Mesmo assim, ele se comportou realmente bem com meus pais. Entrou, me deu um *corsage* (de rosas brancas pequenininhas amarradas com uma fita cor-de-rosa, maravilhosas, deve ter custado a ele uns dez dólares, pelo menos — embora eu não pudesse deixar de pensar que ele as tinha escolhido inicialmente para outra garota, com um vestido de cor diferente), apertou a mão do meu pai e disse: "É um prazer conhecê-lo, Vossa Alteza", o que fez minha mãe começar a rir bem alto. Ela pode ser tão inconveniente às vezes.

Depois, ele se virou para minha mãe e disse: "A senhora é a mãe da Mia? Ah, pensei que fosse uma irmã universitária dela", o que era uma coisa totalmente boba de dizer, mas minha mãe realmente caiu, eu acho. Ela ficou TODA VERMELHA quando ele apertou sua mão. Acho que não sou a única Thermopolis a cair no encanto dos olhos azuis de Josh.

Depois, meu pai tossiu e começou a fazer um monte de perguntas a Josh sobre o tipo de carro que ele estava usando (o BMW do pai dele), onde nós íamos (dã) e a que hora iríamos voltar (a tempo de pegar o café da manhã, disse Josh). Meu pai não gostou dessa e Josh se corrigiu: "A que horas quer que ela esteja de volta, sir?"

SIR! Josh Richter chamou meu pai de SIR!

Papai olhou para Lars e disse: "Uma da manhã, o mais tardar", o que ele achou que era muito generoso, já que meu limite é de 11 horas nos fins de semana. Quer dizer, considerando que Lars ia estar presente e que nenhum mal poderia nos acontecer, era meio cretino que eu não pudesse ficar até tão tarde quanto quisesse, mas Grandmère me disse que uma princesa devia estar sempre preparada para uma solução conciliatória, então fiquei calada.

Depois, meu pai fez mais perguntas a Josh, como em que faculdade ele queria estudar no outono (Josh ainda não escolheu, mas está se candidatando a todas da Ivy League), e o que ele pensa em estudar (administração de empresas), e em seguida minha mãe perguntou o que havia de errado com um curso na área de ciências humanas, e Josh respondeu que pretendia obter um diploma que lhe garantisse um salário mínimo de 80 mil dólares por ano, ao que minha mãe replicou que há coisas mais importantes do que dinheiro, e então eu disse "Pô, olha só a hora", peguei Josh pelo braço e o levei para a porta.

Josh, Lars e eu fomos para o carro do pai do Josh. Josh abriu para mim a porta da frente e, em seguida, Lars perguntou se não podia dirigir, para que Josh pudesse se sentar atrás e nos conhecermos melhor. Achei isso muito legal da parte do Lars, mas, quando Josh e eu nos sentamos atrás, não tivemos muita coisa para dizer um ao outro. Quero dizer, Josh disse "Você está muito bem nesse vestido" e eu disse que gostava do smoking dele e agradeci pelo *corsage*. Depois, a gente não disse mais nada por uns vinte quarteirões.

Não estou nem brincando. Eu estava tão sem graça! Quero dizer, eu não saio muito com garotos, mas nunca tive problema com aqueles com quem saí. Quero dizer, Michael Moscovitz praticamente não cala a boca. Eu não entendia por que Josh não estava DIZENDO nada. Pensei em perguntar a ele com quem gostaria de passar a eternidade se o mundo acabasse e tivesse que escolher entre Winona Ryder ou Nicole Kidman, mas achei que não o conhecia o suficiente...

Mas, finalmente, ele quebrou o silêncio, perguntando se era verdade que mamãe estava namorando com o Sr. Gianini. Bem, eu devia ter esperado que isso se espalhasse. Talvez não tanto quanto eu ser princesa, mas tinha se espalhado, disto não havia dúvida.

Então eu disse que sim, era verdade, e ele quis saber como era isso.

Mas, por alguma razão, não pude dizer a ele que vi o Sr. G de cueca à mesa da nossa cozinha. Isso simplesmente não parecia... não sei. Eu simplesmente não pude contar a ele. Não é engraçado isso? Contei a Michael Moscovitz sem ele sequer pedir. Mas não podia contar a Josh, embora ele tivesse olhado dentro da minha alma e tal. Esquisito, não?

Depois do que pareceu mais um zilhão de quadras de silêncio, paramos na frente do restaurante. Lars entregou o carro ao manobrista e Josh e eu entramos (Lars prometeu que não ia jantar com a gente. Disse que ficaria apenas na porta e que olharia com cara de mau, como Arnold Schwarzenegger, para todo mundo que chegasse), e acabou que a turma do Josh encontrou com a gente ali, o que eu não sabia, mas que mais ou menos me aliviou. Quero dizer, eu estava meio com medo de ficar ali sentada mais uma hora sem nada pra dizer...

Mas, graças a Deus, os caras da equipe de remo dele já ocupavam uma grande mesa com suas namoradas líderes de torcida. Na cabeceira da mesa havia dois lugares vazios, um para Josh e o outro para mim.

Tenho que dizer que todo mundo foi muito legal. Todas as meninas elogiaram meu vestido e fizeram perguntas sobre ser princesa, como qual era a sensação de acordar um dia e ver a cara na primeira página do *Post*, e se eu já tinha botado uma coroa na cabeça e coisas assim. Todas elas são muito mais velhas do que eu — algumas são veteranas —, então são muito maduras. Nenhuma delas comentou que não tenho peito ou algo parecido, como Lana teria feito se estivesse aqui.

Mas, também, se Lana estivesse aqui, eu não estaria.

O que mais me surpreendeu foi que Josh pediu champanhe e ninguém pediu para ver a carteira de identidade dele, que, obviamente, era falsa. Na mesa já havia três garrafas e Josh continuou pedindo mais, já que o pai lhe deu um cartão de crédito especial da American Express para a ocasião. Eu só não entendi uma coisa. Será que os garçons não conseguem ver que ele só tem 18 anos e que a maioria dos seus convidados é ainda mais nova do que ele?

E como Josh pode ficar ali bebendo tanto? E se Lars não estivesse aqui para dirigir? Josh levaria o BMW do pai meio bêbado. Até que ponto uma pessoa pode ser irresponsável? E Josh é o orador oficial da turma!

Em seguida, sem me perguntar, Josh pediu o jantar para toda a mesa: filé mignon para todo mundo. Acho que isso foi legal e tal, mas eu não como carne, nem pelo cara mais sensível do mundo.

E ele sequer notou que eu não tocava na comida! Tive que ficar comendo apenas salada e pãozinho para não morrer de fome.

Talvez eu pudesse dar uma saidinha e pedir ao Lars para comprar um sanduíche vegetariano no Emerald Planet.

E o engraçado é que, quanto mais champanhe bebia, mais Josh tocava em mim. Tipo botando a mão na minha perna por baixo da mesa. No começo, pensei que ele estivesse fazendo sem querer, mas agora já foram quatro vezes. Na última vez, ele até apertou!

Não acho que ele esteja exatamente bêbado, mas está certamente mais carinhoso do que na vinda de carro até aqui. Talvez ele esteja apenas se sentindo menos inibido, sem Lars seguindo a gente a meio metro de distância.

Bem, eu acho que devo voltar aqui. Eu só gostaria que Josh tivesse me avisado antes que a gente ia se encontrar com seus amigos. Aí eu poderia ter convidado Tina Hakim Baba e o namorado dela — ou mesmo Lilly e Boris. Pelo menos eu teria algumas pessoas divertidas com quem conversar.

Ah, bem. Até agora, nada.

Ainda mais tarde no sábado, Banheiro da Escola Albert Einstein

Por quê?
Por quê??
Por quê???

Não posso acreditar que isso esteja acontecendo. Não posso acreditar que esteja acontecendo COMIGO!

POR QUÊ? POR QUE EU? POR QUE É SEMPRE COMIGO que acontecem essas coisas???

Estou tentando me lembrar do que Grandmère me disse sobre agir sob pressão. Porque estou, com certeza, sob pressão. Continuo tentando inspirar pelo nariz, expirar pela boca, como Grandmère me ensinou. Pra dentro pelo nariz, pra fora pela boca. Pra dentro pelo nariz, pra fora pela boca...

COMO ELE PÔDE FAZER ISSO COMIGO? COMO, COMO, COMO????!!!

Eu podia arrebentar aquele rosto imbecil com as unhas. Eu podia mesmo. Quero dizer, quem ele pensa que é? Sabe o que foi que ele fez? Sabe o que foi que ele fez? Vou contar o que ele fez.

Depois de esvaziar NOVE garrafas de champanhe — praticamente uma garrafa por pessoa, sendo que eu apenas dei um golinho, então alguém bebeu a própria garrafa e a minha também —, Josh e a turma acharam que estava na hora de ir para o baile. Ah, deixe eu ver, o baile devia ter começado uma HORA antes. Já estava mais do que NA HORA de a gente se mandar para a escola.

Então a gente saiu e, enquanto esperava que o manobrista trouxesse o carro, eu pensei que talvez tudo corresse bem, já que Josh colocou o braço sobre meus ombros, o que foi realmente legal, porque meu vestido não tinha mangas e, mesmo que eu usasse uma echarpe, seria do tipo transparente. Por isso gostei do braço dele ali, me mantendo aquecida. O braço dele é bonito, muito musculoso de tanto remar. O único problema é que Josh não cheira tão bem, nem um pouco parecido com Michael Moscovitz, que sempre tem cheirinho de sabonete. Não, acho que Josh deve ter tomado um banho de Drakkar Noir, que em grande quantidade deixa um cheiro muito enjoado. Eu mal conseguia respirar. Apesar disso, eu estava pensando, ok, as coisas não são tão ruins assim. É verdade que ele não respeitou meus direitos de vegetariana, mas, você sabe, pessoas cometem erros. Nós vamos para o baile, ele vai olhar novamente dentro da minha alma com aqueles olhos azuis eletrizantes e tudo vai ficar bem.

Cara, como eu me enganei.

Em primeiro lugar, quase não conseguimos chegar à escola, tamanha a confusão. No início, não entendi aquilo. Sim, era sábado à noite, mas não devia haver tanto movimento assim em frente à Albert Einstein, certo? Quero dizer, é apenas uma festa de escola. A maioria dos garotos de Nova York nem pode dirigir, certo? Nós fomos praticamente as únicas pessoas que chegaram de carro à Albert Einstein.

Mas aí entendi por que havia tanta confusão. Havia vans de imprensa estacionadas por toda parte. Ligaram aqueles holofotes na escada da Albert Einstein e havia repórteres por todos os lados, fumando cigarro, falando ao telefone, esperando.

Esperando o quê?

Esperando por mim, lógico.

Logo que Lars viu aquelas luzes, começou a xingar em alguma língua que não era inglês nem francês. Mas, pelo tom de voz, a gente sabia que eram palavrões. Cheguei para a frente e perguntei: "Como eles descobriram? Como eles descobriram? Será que Grandmère contou?"

Mas, na verdade, eu realmente não pensei que Grandmère tivesse feito uma coisa dessa. Realmente não. Não depois da nossa conversa. Eu disse a ela exatamente o que pensava. Avancei nela como um policial de Nova York sobre um jogo de cartas. Grandmère NUNCA MAIS, com certeza, ia jogar a imprensa em cima de mim sem minha permissão.

Mas ali estavam todos eles e ALGUÉM tinha dado a dica, e, se não foi Grandmère, quem foi?

Josh estava inteiramente indiferente às luzes, às câmeras, a tudo. E disse: "E daí? A esta altura, você já deve estar acostumada."

Ah, sim. Vou dizer como estou acostumada. Tão acostumada que a ideia de descer daquele carro, mesmo com o braço do rapaz mais bonito da escola em volta de mim, me deu vontade de vomitar toda aquela salada e os pãezinhos.

"Vamos", disse Josh. "Nós dois podemos correr lá pra dentro enquanto Lars estaciona o carro."

Lars não gostou dessa ideia e disse: "Não acho bom. *Você* estaciona o carro e a princesa e eu corremos lá pra dentro."

Mas Josh já estava abrindo a porta do seu lado. E agarrando minha mão, disse: "Vamos. A gente só vive uma vez", e começou a me puxar do carro.

E, como a verdadeira imbecil que sou, deixei que ele fizesse isso.

Isso mesmo. Deixei que ele me puxasse do carro. Porque a mão dele parecia tão gostosa segurando a minha, tão grande e protetora, tão quente e segura. Ah, o que poderia acontecer? Um monte de flashes. E daí? A gente simplesmente ia correndo para a porta, como ele disse. Tudo ia dar certo.

Então eu disse a Lars: "Tudo bem assim, Lars. Estacione o carro. Josh e eu vamos entrar."

Lars respondeu: "Não, princesa, espere..."

Foram as últimas palavras que ouvi dele — por algum tempo pelo menos —, já que, nessa hora, Josh e eu estávamos fora do carro e ele tinha batido a porta.

E em seguida, instantaneamente, a imprensa correu em cima da gente, todo mundo jogando fora os cigarros, tirando a tampa da lente das câmeras, berrando: "É ela! É ela!"

E logo depois Josh me puxava degraus acima e eu estava mais ou menos rindo, já que, pela primeira vez, aquilo era meio divertido. Flashes estouravam por toda parte, me cegando, por isso tudo que eu podia ver eram os degraus embaixo de nós enquanto subíamos correndo. Eu estava totalmente concentrada em segurar a barra do vestido para não pisar nela e cair, e tinha depositado toda minha fé naqueles dedos que envolviam minha outra mão. Eu dependia inteiramente de Josh para me levar adiante porque eu não podia ver droga nenhuma.

Por isso, quando paramos de repente, pensei que era porque estávamos na entrada da escola. Pensei que tivéssemos parado porque Josh estava abrindo as portas para mim. Sei que isso é estúpido, mas foi isso o que pensei. Podia ver as portas. Estávamos bem à frente delas. Abaixo de nós, nos degraus, os repórteres gritavam perguntas e tiravam fotos. Algum idiota gritava: "Dê um beijo nela! Dê um beijo nela!", o que não preciso dizer a vocês que era muito constrangedor.

E assim fiquei parada ali, como uma completa IDIOTA, esperando que Josh abrisse as portas, em vez de fazer a coisa mais inteligente, que era eu mesma abrir a porta e entrar num local seguro, onde não havia câmeras nem gente berrando *"Dê um beijo nela! Dê um beijo nela!"*.

E depois, não sei como, quando dei por mim, Josh havia me envolvido novamente nos braços, me puxado para perto e beijado minha boca.

Juro, foi exatamente assim. Ele simplesmente me beijou e todos aqueles flashes começaram a disparar, mas pode ter certeza de que não era como naqueles livros que Tina está sempre lendo, em que o rapaz beija a moça e ela vê fogos de artifício e coisas parecidas por trás das pálpebras. Eu ESTAVA realmente vendo luzes dispararem, mas não eram fogos de artifício, eram flashes de máquinas fotográficas. TODO MUNDO estava tirando uma foto da Princesa Mia recebendo seu primeiro beijo.

Não estou brincando, de jeito nenhum. Como se já não tivesse sido horrível ser esse o meu primeiro beijo.

O meu primeiro beijo, e fotografado pela *Teen People*.

E tem mais uma coisa sobre esses livros que a Tina lê: quando a moça recebe o primeiro beijo, ela tem aquela sensação interior calorosa, profunda. Como se o cara estivesse trazendo sua alma lá do fundo. Não senti isso. Não senti nada disso. Tudo que senti foi vergonha. E não achei nada de especial em Josh Richter ter me beijado. Tudo que senti, pra dizer a verdade, foi muito estranho. Me senti esquisita, com aquele cara ali apertando minha boca contra a dele. E você poderia pensar que, depois de passar tanto tempo pensando que esse cara era a coisa mais importante da Terra, eu teria sentido ALGUMA COISA quando ele me beijou.

Mas tudo que senti foi vergonha.

E, como na nossa ida de carro ao restaurante, eu simplesmente fiquei torcendo que aquilo acabasse. A única coisa em que eu conseguia pensar era: quando é que ele vai acabar de fazer isso? No cinema, eles ficam mexendo a cabeça de um lado para o outro. Devo mexer a cabeça? O que vou fazer se ele tentar enfiar a língua na minha boca, como ele fazia com Lana? Eu não posso deixar que a *Teen People* tire uma foto minha com a língua de um cara na minha boca. Papai vai me matar.

Mas então, quando pensei que não podia aguentar aquilo por nem mais um minuto, que eu ia MORRER de vergonha ali mesmo nos degraus da Escola Albert Einstein, Josh levantou a cabeça, acenou para os repórteres, abriu as portas da escola e me empurrou para dentro.

Onde, juro por Deus, todas as pessoas que eu conhecia estavam olhando para nós.

Não estou brincando. Lá estavam Tina e seu namorado da Trinity, Dave, olhando para mim meio chocados, e também Lilly e Boris, e, pelo menos uma vez ele não havia enfiado na calça nada que não devia ser enfiado nela. Na verdade, ele até parecia bonito, do jeito meio esquisito de um gênio musical. E Lilly usando um belo vestido branco com lantejoulas por todos os lados e rosas brancas no cabelo. E Shameeka e Ling Su com seus namorados, e mais um monte de outras pessoas que eu provavelmente conhecia, mas não reconheci sem o uniforme da escola, todos me olhando com o mesmo tipo de expressão que eu via no rosto da Tina, uma expressão de total e completo espanto.

E ali estava o Sr. G, ao lado da bilheteria, em frente à porta da lanchonete, onde estava rolando o baile, parecendo mais surpreso do que qualquer outra pessoa.

Exceto, talvez, eu. Eu diria que, de todas as pessoas ali, era eu a que estava no estado mais profundo de choque. Quero dizer, Josh Richter TINHA ACABADO de me beijar. JOSH RICHTER tinha acabado de ME BEIJAR. EU tinha acabado de ser beijada por Josh Richter.

Eu disse que ele me beijou NA BOCA?

Ah, e que fez isso na frente dos repórteres da TEEN PEOPLE?

Então eu estava ali, todo mundo olhando para mim, e eu ainda podia ouvir os repórteres gritando lá fora e, na lanchonete, o *tum, tum, tum* do sistema de som tocando um hip-hop, numa homenagem à nossa população estudantil latina, e esses pensamentos se moviam muito devagar na minha cabeça, pensamentos que estavam dizendo:

Ele tramou tudo isso.

Ele só convidou você para ter a foto nos jornais.

Foi ele quem avisou à imprensa que você estaria aqui hoje à noite.

Ele provavelmente só terminou com a Lana para poder dizer aos amigos que está namorando uma garota que vale trezentos milhões de dólares. Ele nunca sequer havia notado você, até que sua foto apareceu na primeira página do *Post*. Lilly tinha razão. Naquele dia, na Bigelows, ele ESTAVA sofrendo apenas um ataque quando sorriu para mim. Ele provavelmente acha que suas probabilidades de ser aceito por Harvard ou outra faculdade de prestígio são maiores pelo fato de namorar a princesa de Genovia.

E, como uma grande idiota, eu caí direitinho.

Ótimo. Simplesmente ótimo.

Lilly diz que eu não me posiciono o bastante. Os pais dela dizem que tenho tendência de internalizar tudo e temer confrontos.

Mamãe diz a mesma coisa. Foi por isso que ela me deu este diário, na esperança de que aquilo que eu não conto a ela eu expresse de alguma maneira.

Se as coisas não tivessem me transformado em uma princesa, talvez eu ainda fosse tudo aquilo. Você sabe como é, passiva, com medo de confronto, internalizadora de sentimentos. E eu provavelmente não teria feito o que fiz depois.

Que foi me virar para Josh e perguntar: "Por que você fez isso?"

Ele nesse momento estava apalpando o corpo, procurando os ingressos do baile para entregar ao pessoal que estava controlando a entrada.

"Fiz o quê?"

"Me beijar daquele jeito na frente de todo mundo."

Ele encontrou os ingressos na carteira. "Não sei", disse. "Você não ouviu o que estavam dizendo? Estavam pedindo aos gritos que eu beijasse você. Então beijei. Por quê?"

"Porque eu não gostei."

"Não gostou?" Ele pareceu confuso. "Está falando sério? Não gostou?"

"Estou", respondi. "Foi exatamente isso o que eu quis dizer. Não gostei. Não gostei mesmo. Porque sei que você não me beijou porque gosta de mim. Você me beijou porque eu sou a princesa de Genovia."

Josh me olhou como se achasse que eu estava doida.

"Isso é loucura", disse ele. "Eu gosto de você. Gosto muito de você."

E eu disse: "Você não pode gostar muito de mim. Você nem me conhece. Foi por isso que pensei que você me convidou para sair com você. Para que pudesse me conhecer melhor. Mas você nem tentou fazer isso. Você simplesmente queria sua foto no *Extra*."

Ele riu quando eu disse isso, mas notei que não me olhou nos olhos quando respondeu: "O que você quer dizer com isso de que eu não te conheço? É óbvio que conheço você."

"Não, não conhece. Porque, se me conhecesse, não teria pedido bife para mim no jantar."

Ouvi um murmurinho entre as minhas amigas. Acho que elas reconheciam a gravidade do erro de Josh, mesmo que ele não. Ele também as ouviu; então, quando respondeu, estava era se dirigindo a elas: "Tudo bem, pedi um bife para ela", reconheceu, com os braços cruzados daquele jeito então-me-processem. "E isso é crime? Era *filé mignon*, pelo amor de Deus."

Em sua voz mais dura, Lilly tomou a palavra: "Ela é vegetariana, seu sociopata."

Essa informação não pareceu incomodá-lo muito. Ele simplesmente encolheu os ombros e continuou: "Opa, erro meu."

Depois, virou para mim e perguntou: "Pronta para dançar?"

Mas eu não tinha intenção de dançar com Josh. Nenhuma intenção de fazer qualquer coisa com ele, nunca mais. Eu não podia acreditar que, depois de eu ter dito aquilo, ele ainda quisesse dançar. Aquele cara era realmente um sociopata. Como eu podia ter pensado um dia que ele havia visto minha alma? Como???

Dei as costas a ele e saí.

Mas como eu não podia evidentemente ir lá para fora — não se não quisesse que a *Teen People* pegasse um bom close de mim, chorando —, meu único recurso era entrar no banheiro.

Finalmente, Josh entendeu que eu estava dando um fora nele. À essa altura, todos os amigos dele tinham aparecido, entrando tempestuosamente pelas portas, exatamente como Josh tinha feito, parecendo profundamente irritados. "Pô! Foi só um beijo."

Eu me virei rápido. "Não foi só um beijo", disse. Estava ficando realmente furiosa. "Talvez tenha sido assim que vocês quisessem que parecesse, que fosse apenas um beijo. Mas vocês e eu, nós, sabemos o que aquilo realmente foi: uma encenação para a mídia, uma encenação que vocês estiveram planejando desde que me viram no *Post*. Muito bem, obrigada, Josh, mas eu posso conseguir minha própria publicidade. Eu não preciso de você."

Em seguida, depois de estender a mão para Lars, pedindo o diário, peguei-o e entrei no banheiro. Que é onde estou agora, escrevendo isto.

Deus! Dá pra ACREDITAR nisso? Quero dizer, estou perguntando: meu primeiro beijo — meu primeiro, primeiríssimo beijo — e, na próxima semana, vai estar em todas as revistas para adolescentes do país. Provavelmente até alguma revista internacional vai dar a matéria, como a *Majesty*, que acompanha a vida de todos os jovens da família real na Grã-Bretanha e em Mônaco. Eles publicaram uma vez uma matéria inteira sobre o guarda-roupa da esposa do Príncipe Edward, Sophie, classificando cada roupa numa escala de um a dez. E deram à matéria o título "Direto do Armário". Acho que não vai demorar muito para a *Majesty* começar a me seguir por toda parte, classificando meu guarda-roupa — e também meus namorados. Será que a legenda da minha foto com Josh vai ser "Jovem Figura da Realeza Apaixonada"?

Desculpe, mas vou vomitar.

E o sensacional de tudo isso é que NÃO estou absolutamente apaixonada por Josh Richter. Quero dizer, teria sido legal... Quem é que eu estou querendo enganar? Teria sido MARAVILHOSO... ter um namorado. Às vezes, acho que há alguma coisa errada comigo por não ter um.

Mas a verdade é que prefiro não ter um namorado do que ter um que está me usando pelo meu dinheiro, pelo fato de o meu pai ser um príncipe, ou por qualquer outra razão, exceto gostar de mim por mim mesma e nada mais.

Agora que todo mundo sabe que sou uma princesa, vai ser meio difícil saber quais caras gostam de mim por mim mesma e quais gostam de mim por causa da minha tiara. Mas, pelo menos, descobri a verdade sobre Josh antes de ser tarde demais.

Como eu pude gostar dele? Que grande explorador de pessoas ele é. Ele me usou totalmente! Magoou Lana de propósito e depois tentou me usar. E caí direitinho nas garras dele como a grande burra que eu sou.

O que eu vou fazer? Quando papai vir a foto, ele vai ter um troço. Não há como explicar a ele que aquilo não foi culpa minha. Talvez se eu tivesse socado Josh na frente de todas aquelas câmeras, talvez meu pai acreditasse que fui uma espectadora inocente...

Mas, provavelmente, não.

Nunca mais vão me deixar sair com alguém, nunca, pelo resto da minha vida.

Ah, ah. Estou vendo sapatos do lado de fora da cabine. Alguém está falando comigo.

É Tina. Tina quer saber se estou bem. Mas tem alguém com ela.

Ai, meu Deus, reconheço esses pés! São da Lilly! Lilly e Tina querem saber se estou bem!

Lilly está mesmo falando comigo novamente. Não me criticando ou se queixando do meu comportamento. Está falando comigo como uma amiga fala. Está dizendo pela porta da cabine que sente muito por ter rido do meu cabelo, que reconhece que é mandona e que sofre de um distúrbio de personalidade autoritária limítrofe, e ainda que vai fazer um esforço orquestrado para não dizer a todo mundo, principalmente a mim, o que fazer.

Uau! Lilly está reconhecendo que fez alguma coisa errada! Não posso acreditar nisso! NÃO POSSO ACREDITAR NISSO!

Ela e Tina querem que eu saia daqui e que faça companhia a elas. Mas eu disse que não quero sair. Seria muito esquisito, todas elas com um par e eu segurando vela.

Aí Lilly disse: "Ah, tudo bem. Michael está aqui. Tem andado sozinho como um grande babaca a noite inteira."

Michael Moscovitz veio a uma festa da escola??? Não posso acreditar nisso! Ele nunca vai a lugar nenhum, exceto a palestras sobre física quântica e coisas assim!

Vou ter que conferir isso. Vou sair daqui agora mesmo.

Depois conto mais.

Domingo, 19 de outubro

Acabei de acordar do mais estranho dos sonhos.
No sonho, Lilly e eu não brigávamos mais. Ela e Tina haviam se tornado amigas, Boris Pelkowski mostrou que não era realmente um chato quando a gente conseguia afastá-lo do violino, o Sr. Gianini disse que aumentou minha nota para cinco, dancei uma música lenta com Michael Moscovitz, e o Irã bombardeou o Afeganistão, então nenhum jornal mostrou Josh me beijando, porque em todos eles só havia fotos da carnificina da guerra.

Mas não foi um sonho! Não foi um sonho, nada disto! Tudo isso realmente aconteceu.

Porque acordei esta manhã com alguma coisa úmida na cara e, quando abri os olhos, vi que estava deitada na cama extra do quarto da Lilly, que o cachorro do irmão dela estava lambendo a minha cara. Quero dizer, eu tinha baba de cachorro por todo o rosto.

E eu nem me importo! Pavlov pode babar o quanto quiser em cima de mim! Minha melhor amiga está de volta! Não vou ser reprovada na escola! Meu pai não vai me matar por ter beijado Josh Richter!

Ah, e acho que, talvez, Michael Moscovitz goste de mim!

Eu mal consigo escrever de tão feliz.

Mal sabia, quando saí da cabine com Tina e Lilly na noite passada, que toda essa felicidade estava à minha espera. Eu estava *morbidamente* deprimida — isto mesmo, *morbidamente*, não é uma palavra legal? aprendi com Lilly — pelo que aconteceu entre mim e Josh.

Mas, quando saí do banheiro, Josh tinha desaparecido. Lilly me contou mais tarde que depois de eu ter humilhado ele publicamente e depois entrado feito um furacão no banheiro, ele foi dançar, parecendo que não estava dando muita bola para a coisa. Lilly não tem certeza do que aconteceu depois disso, porque o Sr. G pediu a ela e a Tina para irem ver como eu estava (isto não foi delicado da parte dele?), mas acho que Lars pode ter usado em Josh algum de seus produtos paralisantes, porque na última vez que o vi, Josh estava caído sobre a mesa com a maquete das Ilhas do Pacífico, com a testa em cima de um modelo do Krakatoa. Ele não se moveu um centímetro durante a noite, embora eu desconfiasse que fosse o efeito de todo aquele champanhe que ele havia bebido.

De qualquer forma, Lilly, Tina e eu nos juntamos a Boris e Dave — que é realmente um cara legal, mesmo que vá estudar na Trinity — e Shameeka e seu namorado, Allan, e Ling-Su e seu par, Clifford, nesta mesa que eles conseguiram. Era a mesa do Paquistão, com uma maquete patrocinada pelo Economics Club, mostrando em detalhes como o mercado de maunds (uma unidade de medida do Paquistão) de arroz estava caindo. A gente afastou para um lado alguns maunds de arroz e nos sentamos ali mesmo, em cima da mesa, para que a gente pudesse ver tudo.

E, de repente, Michael apareceu, vindo ninguém sabe de onde, parecendo ter saído do banho — não é uma expressão engraçada? Aprendi com Michael — e usando o smoking que a mãe o obrigou a comprar para o bar-mitzvá do seu primo Steve. Michael, na verdade, não tinha uma mesa para ficar, já que a diretora Gupta havia decidido que a internet não é uma cultura e, por isso, não poderia ter sua própria mesa e, então, o Clube de Computação, por questão de princípio, boicotou o Baile da Diversidade Cultural.

Mas Michael não parecia se importar com o que o Clube de Computação pensava, e olha que ele é o tesoureiro! Ele sentou perto de mim, perguntou se estava tudo bem comigo e depois a gente se divertiu contando piadas sobre as líderes de torcida, que certamente não praticam qualquer diversidade cultural, já que estavam vestidas praticamente com o mesmo vestido, um negócio preto colante da Donna Karan. Depois, alguém começou a falar de *Star Trek: Deep Space Nine* e se há ou não cafeína em café replicado, e Michael disse, como quem entende do assunto, que tudo que sai do replicador é lixo, o que significa que quando a gente pede um sundae ele pode ser feito de urina, embora antes tenham sido extraídos os germes e impurezas. E nós estávamos ficando meio revoltados com essa nojeira quando a música mudou para uma canção lenta e todo mundo saiu da mesa para dançar.

Quer dizer, menos eu e Michael. Nós simplesmente ficamos ali, entre os maunds de arroz.

O que, para dizer a verdade, não foi nada ruim, já que Michael e eu nunca ficamos sem assunto — ao contrário de mim e Josh. Continuamos discutindo sobre o replicador e, em seguida, decidimos analisar quem era o líder mais eficaz, o Capitão Kirk ou o Capitão Picard, quando o Sr. Gianini se aproximou e me perguntou se eu estava bem.

Eu disse que sim, e foi então que o Sr. G falou que estava feliz por ouvir isso e, baseado nas notas dos testes práticos que ele me dava todos os dias, eu tinha conseguido cinco em álgebra, motivo pelo qual ele me dava os parabéns e insistia para que eu continuasse a estudar bastante.

Mas eu dei o crédito pelo meu progresso em matemática ao Michael, que me ensinou a parar de fazer anotações de álgebra no diário, a não bagunçar minhas colunas e a riscar os números quando faço uma subtração. Michael ficou todo envergonhado e disse que não tinha nada a ver com isso. Mas o Sr. G não o ouviu porque teve que se afastar às pressas para convencer um grupo de góticos a desistir de iniciar um protesto contra a exclusão injusta de uma mesa dedicada aos devotos de Satanás pelos organizadores da festa.

Em seguida, uma música mais agitada começou a tocar e todo mundo voltou para a mesa, nos sentamos e conversamos sobre o programa da Lilly, do qual Tina Hakim Baba vai ser produtora, já que descobrimos que ela tem uma mesada de 50 dólares por semana (ela vai começar a pegar os romances para adolescentes na biblioteca, em vez de comprá-los, então poderá usar todos os seus recursos para promover o *Lilly manda a real*). Lilly me perguntou se eu me importava de ser o assunto do próximo programa, intitulado "A Nova Monarquia: Figuras da Realeza que Fazem a Diferença". Dei a ela direitos exclusivos à minha primeira entrevista pública, desde que ela prometesse me perguntar o que eu pensava da indústria de carne.

Depois, tocaram outra música lenta e todo mundo foi dançar. Michael e eu fomos deixados novamente no meio do arroz. Eu estava quase perguntando quem ele escolheria para passar a eternidade se uma catástrofe nuclear varresse todo o resto da população: Buffy, a Caça-Vampiros, ou Sabrina, a bruxa adolescente, quando ele me perguntou se eu queria dançar.

Fiquei tão surpresa que disse que queria, mesmo sem pensar. E, quando dei por mim, eu estava no meio da minha primeira dança com um rapaz que não era meu pai!

E era mesmo uma música *lenta*!

Dançar com música *lenta* é uma coisa *estranha*. Não é nem dançar de verdade. É mais como ficar ali com os braços em volta de outra pessoa, movendo um pé após o outro no ritmo da música. E acho que não se espera que a gente converse — pelo menos ninguém em volta da gente estava conversando. Eu acho que sabia por que: estamos tão ocupados *sentindo* a coisa que é difícil pensar em algo para dizer. Quero dizer, Michael *cheirava* tão bem — como sabonete Ivory — e eu me sentia tão bem — o vestido que Grandmère tinha escolhido para mim era bonito e tal, mas eu sentia um pouco de frio dentro dele, então era bom ficar perto do Michael, que estava tão quentinho —, que era quase impossível dizer alguma coisa.

Acho que Michael se sentia do mesmo jeito, porque até quando a gente estava sentado à mesa com todo aquele arroz nenhum de nós deixou de falar. Tínhamos tanta coisa para conversar, mas, quando a gente dançou, nenhum dos dois disse uma única palavra.

Mas no instante em que a música parou, Michael começou a falar, perguntando se eu queria um pouco de chá gelado tailandês, da Mesa da Cultura Tailandesa, ou talvez algum edamame da mesa do Clube de Anime japonês. Para uma pessoa que nunca havia estado em um evento escolar — a não ser em reuniões do Clube de Computação — Michael estava, com seu entusiasmo por este, compensando o tempo perdido.

E o resto da noite foi assim: a gente se sentou às mesas e conversou durante as músicas rápidas e dançou as lentas.

E quer saber de uma coisa? Para dizer a verdade, eu não sei do que gostei mais: de conversar com Michael ou de dançar com ele. As duas coisas foram tão... interessantes.

De maneiras diferentes, lógico.

Quando a festa terminou, todos nos amontoamos na limusine que o Sr. Hakim Baba mandou para pegar Tina e Dave. (As vans da imprensa, a essa hora, tinham se mandado, porque a notícia agora é o bombardeio. Acho que elas vão vigiar a embaixada iraniana.) Liguei para mamãe do celular da limusine, disse a ela onde estava e perguntei se podia passar a noite na casa da Lilly, porque era para lá que todo mundo estava indo. Ela disse que eu podia, sem fazer nenhuma pergunta, o que me fez acreditar que ela já havia conversado com o Sr. G e que ele já tinha contado as novidades da noite. Será que ele disse a ela que aumentou minha nota para cinco?

Quer saber de uma coisa? Ele poderia ter me dado mais do que cinco. Eu tenho apoiado bastante o caso dele com mamãe. Uma lealdade desse tipo merece ser recompensada.

O Dr. e a Dra. Moscovitz pareceram um pouco surpresos quando nós dez — doze, se incluirmos Lars e Wahim — aparecemos à porta deles. E mais surpresos ainda ficaram quando viram Michael. Nem sabiam que ele tinha saído do quarto. Mas deixaram que a gente dominasse a sala de estar, onde a gente jogou Fim do Mundo, até que os pais de Lilly e Michael apareceram de pijama e disseram para todo mundo voltar para casa, porque ele tinha aula cedo com seu professor de tai chi.

Todos disseram adeus e lotaram o elevador, menos eu e os Moscovitz. Até Lars pegou uma carona para o Plaza — como eu não ia mais sair, as responsabilidades dele haviam terminado. Obriguei Lars a prometer que não ia dizer nada sobre o beijo. Ele disse que não ia me entregar, mas a gente nunca sabe com esses caras: eles têm um código de honra próprio, sabe? Eu me lembrei disto quando Lars e Michael se cumprimentaram antes de ele ir embora.

A coisa mais esquisita de tudo que aconteceu ontem à noite é que descobri o que Michael faz o tempo todo no quarto. Ele me mostrou, mas me fez jurar que nunca ia dizer a ninguém, incluindo Lilly. Eu nem devia estar escrevendo isto aqui, porque alguém pode achar este diário e ler. Tudo que posso dizer é que Lilly está perdendo seu tempo adorando Boris Pelkowski: há um gênio musical na própria família.

E pensar que ele nunca teve uma aula de música! Ele aprendeu sozinho a tocar violão — e compõe suas próprias músicas! A que tocou para mim se chama "Coquetel de Água". É sobre uma moça alta, muito bonita, que não sabe que aquele rapaz está apaixonado por ela. Acho que um dia a música vai estar em primeiro lugar na parada de sucessos da *Billboard*. Qualquer dia destes, Michael Moscovitz pode ficar tão famoso quanto Puff Daddy.

Só quando todo mundo foi embora é que percebi como estava cansada. O dia tinha sido longo mesmo. Terminei com um cara que só namorei por meio dia. Isso pode ser muito desgastante emocionalmente.

Mesmo assim, acordei cedo, como sempre acontece quando passo a noite na casa da Lilly. Deitada com Pavlov nos braços, fiquei escutando o som dos carros na Quinta Avenida, que não é realmente muito alto, uma vez que os Moscovitz mandaram fazer um isolamento acústico. Enquanto estava deitada ali, pensei que realmente sou uma garota muito feliz. As coisas pareceram muito ruins durante algum tempo, mas não é engraçado como tudo se resolve no fim?

Estou ouvindo barulho na cozinha. Maya deve estar lá, preparando suco de laranja sem bagaço para o café da manhã. Vou ver se ela precisa de uma ajudinha.

Não sei por que, MAS ESTOU TÃO FELIZ!

Acho que não é preciso muita coisa pra gente ficar feliz, não é?

Domingo à noite

Grandmère apareceu hoje no apartamento, carregando papai. Ele queria saber como foram as coisas no baile. Lars não contou! Eu amo meu segurança. E Grandmère queria me dizer que vai viajar durante uma semana, então nossas aulas de princesa ficam suspensas por ora. Ela disse que é hora de fazer sua visita anual a alguém chamado Baden-Baden. Acho que ele é amigo daquele outro cara com quem ela se dava, um tal Boutros-Boutros de Tal e Tal.

Até minha avó tem um namorado.

De qualquer modo, ela e papai chegaram de repente e vocês deviam ver a cara da minha mãe. Ela parecia prestes a vomitar. Especialmente quando Grandmère começou a perturbá-la, dizendo que o apartamento era uma bagunça só (eu andei muito ocupada nestes últimos tempos para fazer uma limpeza).

Para tirar vovó de cima da mamãe, eu disse que ia acompanhá-la até a limusine e, no caminho, contei a ela sobre Josh. Ela ficou meio interessada, já que a história tinha tudo do que ela gosta, repórteres, gente bonita e gente tendo o coração inteiramente despedaçado e coisas assim.

Quando a gente estava na esquina dizendo adeus até a próxima semana (ISSO MESMO! Nenhuma aula de princesa durante uma semana inteira! Ela arremessa, ela faz a cesta!), o Cara Cego passou, batendo com a bengala no chão. Parou na esquina e ficou ali, esperando que a próxima vítima aparecesse e o ajudasse a cruzar a rua. Grandmère viu isto e caiu feito uma idiota. E disse: "Amelia, ajude aquele pobre rapaz."

Mas eu, que obviamente estava por dentro da coisa, disse: "De jeito nenhum."

"Amelia!" Grandmère ficou chocada. "Um dos traços mais importantes de uma princesa é sua bondade incansável com estranhos. Agora vá ajudar aquele pobre rapaz a atravessar a rua."

Aí eu disse: "Nem morta, Grandmère. Se acha que ele precisa de ajuda, vá você ajudá-lo."

Então Grandmère, ajeitando-se toda — e acho que querendo me mostrar como é incansavelmente bondosa —, foi até o Cara Cego e disse numa voz disfarçada: "Deixa eu lhe dar uma ajudinha, rapaz..."

O Cara Cego pegou Grandmère pelo braço. Acho que gostou do que sentiu, porque, quando eu menos esperava, ele estava dizendo: "Ah, obrigado, muito obrigado, madame" e ele e Grandmère começaram a atravessar a Spring Street.

Não achei que o Cara Cego fosse passar a mão na minha avó. Realmente não achei, ou não deixaria que ela fosse ajudá-lo. Quero dizer, Grandmère não é nenhuma gatinha gostosa, se é que entende o que eu quero dizer. Eu não podia imaginar cara nenhum, mesmo um cara cego, passando uma mão-boba nela.

Mas, quando eu menos esperava, Grandmère estava berrando feito uma desesperada e tanto o motorista dela quanto nosso vizinho, que é um homem decidido, foram correndo ajudá-la.

Mas Grandmère não precisava de ajuda nenhuma. Deu uma bolsada com tanta força na cara do Cara Cego que os óculos escuros dele voaram para longe. Depois disso, não havia mais dúvida: o Cara Cego vê até demais.

E quero lhe dizer uma coisa: não acho que, por um bom tempo, ele vá passear mais pela nossa rua.

Depois de toda aquela gritaria, foi quase uma bênção voltar para casa e trabalhar no meu dever de álgebra durante o resto do dia. Eu precisava de um pouco de paz e tranquilidade.

A Princesa sob os Holofotes

*Para meus avós,
Bruce e Patsy Mounsey,
que não se parecem em nada com os avós deste livro.*

Agradecimentos

Meus sinceros agradecimentos a Barb Cabot, Martin Chase, Bill Contardi, Sarah Davies, Laura Langlie, Abby McAden, Alison Donalty e os de sempre: Beth Ader, Jennifer Brown, Dave Walton e, principalmente, Benjamin Egnatz.

Quando as coisas estão horríveis — simplesmente horríveis —
Concentro-me com toda força na ideia de que sou uma princesa.
Digo a mim mesma: "Sou uma princesa."
Vocês não imaginam como isso ajuda a superar os obstáculos da vida.

A P<small>RINCESINHA</small>
F<small>RANCES</small> H<small>ODGSON</small> B<small>URNETT</small>

Segunda, 20 de outubro, 8h

Vamos lá. Eu estava na cozinha, comendo meus sucrilhos, numa boa, naquela minha rotina de todas as segundas, quando de repente minha mãe saiu do banheiro com aquela expressão estranha no rosto. Estava assim toda pálida, sabe, com o cabelo meio espetado, e vestida com seu roupão felpudo, em vez do quimono, o que em geral significa que está na TPM.

Aí eu disse: "Mãe, vai um remedinho aí? Porque, não leva a mal, mas você parece que está precisando de um."

Parece uma coisa perigosa de se dizer a uma mulher na TPM, mas, peraí, ela é minha mãe, não vai me trucidar a golpes de caratê como trucidaria qualquer outra pessoa que dissesse isso a ela.

Mas ela simplesmente respondeu: "Não. Não, obrigada", numa voz confusa.

Então desconfiei de que alguma coisa realmente horrível tinha acontecido. Tipo o Fat Louie ter engolido outra meia, ou a companhia elétrica ter cortado nossa luz outra vez porque eu havia me esquecido de tirar a conta de luz da saladeira em que mamãe vive jogando as contas.

Então fui até ela e perguntei: "Mãe, o que tá pegando? Qual é o problema?"

Ela sacudiu de leve a cabeça, como faz quando não entende as instruções para assar uma pizza congelada no micro-ondas. "Mia", disse, numa voz de quem está chocada, mas feliz, "Mia, eu estou grávida".

Ai, meu Deus do céu. AI, MEU JESUS CRISTINHO!

Minha mãe vai ter um filho do meu professor de álgebra.

Segunda, 20 de outubro, Sala de Estudos

Eu estou tentando mesmo levar essa história numa boa, sabe? Porque não adianta ficar chateada com isso.

Mas como eu posso NÃO ficar chateada? Minha mãe vai ser mãe solteira. DE NOVO.

Ela devia ter aprendido de uma vez por todas depois que nasci e tal, mas pelo visto não aprendeu.

Como se eu já não tivesse problemas suficientes. Como se minha vida já não tivesse ido por água abaixo. Eu simplesmente não sei o que mais estão esperando que eu aguente. Pelo jeito, não basta:

1. Ser a garota mais alta do primeiro ano
2. Ser também a garota mais sem peito de todas
3. Ter descoberto no mês passado que minha mãe estava namorando meu professor de álgebra
4. Ter descoberto, também no mês passado, que sou a única herdeira do trono de um pequeno principado europeu
5. Ser obrigada a receber aulas de princesa da minha avó. Todos os dias!
6. Estar para ser apresentada oficialmente aos meus novos compatriotas em dezembro em um programa de TV em rede nacional (em Genovia, a população é de 50 mil habitantes, mas mesmo assim)
7. Não ter namorado

Ah, não, não. Pelo jeito, tudo isso ainda não basta. Agora minha mãe tem que engravidar sem estar casada. DE NOVO.

Obrigada, mamãe. Muitíssimo obrigada.

Segunda, 20 de outubro, ainda na Sala de Estudos

Mas como isso foi acontecer? Por que ela e o Sr. Gianini não estavam usando anticoncepcionais? Será que alguém podia fazer o favor de me explicar isso? Que fim levou o diafragma dela? Eu sei que ela tem um. Eu o encontrei uma vez no chuveiro quando era pequena. Guardei-o e o usei como banheirinha de pássaros para a minha casinha da Barbie durante algumas semanas, até a mamãe finalmente encontrá-lo e dar sumiço nele.

E as camisinhas??? Será que gente da idade da minha mãe acha que é imune a infecções sexualmente transmissíveis? Obviamente não são imunes à gravidez, portanto, o que está rolando?

Isso é mesmo típico da minha mãe. Ela não consegue nem se lembrar de comprar papel higiênico! Como vai se lembrar de usar métodos anticoncepcionais????????

Segunda, 20 de outubro, Álgebra

Não dá pra acreditar. Realmente não dá pra acreditar numa coisa dessa. Ela não contou a ele. Minha mãe vai ter um filho do meu professor de álgebra e nem mesmo contou a ele!

Tenho certeza de que não contou, porque, quando entrei na sala, esta manhã, o Sr. Gianini só disse o seguinte: "Ah, oi, Mia. Como vai?"

Ah, oi, Mia. Como vai?????

Não é o tipo de coisa que um cara diz para alguém cuja mãe vai ter um filho dele. Ele diz mais ou menos o seguinte: "Mia, com licença, será que poderíamos conversar um instante?"

Aí ele leva a filha da mulher com quem cometeu essa abominável indiscrição para o corredor e cai de joelhos aos pés dela, rastejando e suplicando-lhe sua aprovação e seu perdão. É o que ele deveria fazer.

Não consigo deixar de olhar para o Sr. G e imaginar como será meu novo irmãozinho ou minha nova irmãzinha. Minha mãe é muito gata, como a Carmen Sandiego, só que sem a capa — mais uma prova de que sou uma anomalia biológica, já que não herdei nem a cabeleira encaracolada e preta da minha mãe, nem o busto 44, redondo e durinho dela. Então não preciso me preocupar quanto a ela.

Mas o Sr. G eu simplesmente não sei. Não é que o Sr. G não seja interessante, eu acho. Sabe, ele é alto, tem uma cabeleira espessa (um a zero para o Sr. G, já que o meu pai é careca feito um parquímetro). Mas e o nariz dele? Eu simplesmente não consigo imaginar como será esse bebê. O nariz dele é tão... grande.

Eu sinceramente espero que o bebê herde o nariz da minha mãe e a capacidade do Sr. G para dividir frações de cabeça.

O triste disso tudo é que o Sr. Gianini não tem a menor ideia do que o aguarda. Eu sentiria pena se ele não fosse culpado. Sei que para fazer um filho é necessária a participação de duas pessoas, mas, pelo amor de Deus, mamãe é pintora. Ele é professor de álgebra.

Agora, me fala, quem é que vai se responsabilizar?

Segunda, 20 de outubro, Inglês

Fantástico. Simplesmente fantástico.

Como se as coisas já não estivessem bem, agora nossa professora de inglês quer que escrevamos um diário inteiro este semestre. Não estou brincando não. Um diário. Como se eu já não escrevesse um.

E escutem só mais esta: no final de cada semana, devemos entregar nossos diários. Para a Sra. Spears ler. Porque ela quer nos conhecer melhor. É para começarmos nos apresentando e fornecendo nossos respectivos dados pessoais: descrição, pai, mãe, profissão deles e tal. Depois, devemos começar a registrar no diário nossos pensamentos e emoções mais profundos.

Ela deve estar brincando. Até parece que eu vou deixar a Sra. Spears tomar conhecimento dos meus pensamentos e emoções mais profundos. Eu não menciono meus pensamentos e emoções mais profundos nem à minha própria mãe! Imaginem se vou revelá-los à minha professora de inglês!

E certamente não vou poder entregar a ela *este* diário. Aqui há coisas que não quero que ninguém descubra. Por exemplo, que a minha mãe está grávida do meu professor de álgebra.

Ora, eu simplesmente vou precisar começar um novo diário. Um diário falso. Em vez de registrar meus sentimentos e emoções mais profundos nele, vou registrar só um monte de mentiras e entregar no lugar do que deveria escrever.

Minto tão bem que duvido muito que a Sra. Spears consiga descobrir.

Diário de Inglês
Mia Thermopolis

NÃO LEIA!!!
ESTE AVISO É PRA VOCÊ, LEITOR,
A MENOS QUE VOCÊ SEJA A SRA. SPEARS!!!!

Introdução

NOME:
Amelia Mignonette Grimaldi Thermopolis Renaldo, apelido Mia. Sua Alteza Real, Princesa de Genovia, ou simplesmente Princesa Mia, em certos círculos.

IDADE:
14 anos

ANO:
Primeiro

SEXO:
Não fiz ainda. Ah, ah, brincadeirinha, Sra. Spears! Visivelmente feminino, mas a ausência de seios dá uma impressão perturbadora de androgenia.

DESCRIÇÃO:
Quase 1,80m de altura
Cabelo curto cor de pelo de rato (com reflexos louros recentes)
Olhos cinzentos
Sapatos 40
O resto não vale a pena mencionar

FILIAÇÃO:
↳ MÃE: Helen Thermopolis

PROFISSÃO:
Pintora

PAI:
Artur Christoff Phillipe Gerard Grimaldi Renaldo

PROFISSÃO:
Príncipe de Genovia

ESTADO CIVIL DOS PAIS:
Como fui fruto de uma aventura que minha mãe teve com meu pai na faculdade, eles nunca se casaram (atualmente ambos são solteiros. É provável que seja melhor assim, porque eles só sabem brigar). Um com o outro, quero dizer.

ANIMAIS DE ESTIMAÇÃO:
Um gato chamado Fat Louie. Pardo e branco, Louie pesa 11kg, tem oito anos de idade e vem fazendo dieta há mais ou menos seis anos. Quando Louie se aborrece com a gente, digamos, por termos nos esquecido de encher sua tigela de ração, come todas as meias que encontra largadas pela casa. Também tem atração por coisas brilhantes e pequenas, e possui uma coleção relativamente grande de tampinhas de garrafa de cerveja e pinças, que guarda atrás do vaso sanitário do meu banheiro, coleção essa de cuja existência ele pensa que eu nem desconfio.

MINHA MELHOR AMIGA:
Minha melhor amiga é Lilly Moscovitz. Lilly é minha amiga desde o jardim de infância. É legal andar com ela porque ela é muito inteligente e tem seu próprio programa de entrevistas na TV, chamado *Lilly manda a real*. Vive bolando coisas engraçadas para fazer, como roubar a escultura de espuma do Parthenon que a turma de Derivados do Grego e do Latim fez para a Noite dos Pais, e pedir um resgate de 4kg de balas Juquinha. Não estou dizendo que fomos nós, Sra. Spears. Estou só citando isto como um exemplo do tipo de loucura que Lilly seria capaz de fazer.

NAMORADO:
Ah! Eu bem que gostaria de ter um.

ENDEREÇO:
Sempre morei em Nova York com a minha mãe, mas passo os verões tradicionalmente com o meu pai, no castelo da mãe dele na França. A residência oficial dele é em Genovia, um pequeno país da Europa situado no Mediterrâneo, entre a fronteira italiana e a francesa. Durante muito tempo achei que meu pai era um político importante de Genovia, como o prefeito ou coisa assim. Ninguém me disse que ele era, na verdade, membro da família real genoviana — e que era o monarca regente, já que Genovia é um principado. Acho que ninguém jamais teria me contado se meu pai não tivesse contraído câncer no testículo e ficado estéril, o que fez de mim, sua filha ilegítima, a única herdeira do trono que ele terá na vida. Desde que me contou esse segredinho ligeiramente importante (há um mês), ele está hospedado no Plaza Hotel aqui em Nova York, enquanto sua mãe, minha Grandmère, a princesa viúva, me ensina o que preciso saber para ser a herdeira do meu pai.

Por tudo isso eu só posso dizer: Obrigada. Muitíssimo obrigada mesmo!
E querem saber o que é realmente triste em tudo isso? É que nada do que eu registrei é mentira.

Segunda, 20 de outubro, na hora do almoço

Já saquei que Lilly descobriu.
Tá legal, talvez ela não SAIBA, mas desconfie que há alguma coisa errada. Quero dizer, convenhamos: ela é minha melhor amiga desde o jardim de infância. Sabe perfeitamente quando tem alguma coisa me preocupando. Nós criamos um vínculo eterno de amizade no primeiro ano primário, no dia em que o Orville Lockhead baixou a calça na nossa frente na fila para a sala de música. Eu fiquei horrorizada, porque nunca tinha visto um pênis antes. Lilly, porém, nem piscou. Ela tem irmão, sabem, portanto não foi nenhuma novidade para ela. Simplesmente encarou Orville e disse: "Já vi maiores."

E sabem do que mais? Orville nunca mais fez aquilo.

Como podem ver, o vínculo entre mim e Lilly vai muito além da mera amizade.

Por isso, bastou ela olhar para a minha cara à mesa do almoço hoje para dizer: "O que tá rolando? Tem alguma coisa errada. Não foi o Louie, foi? Engoliu outra meia?"

Como se isso fosse motivo. O que tá rolando é bem mais sério. Não que eu não me apavore quando Louie engole uma meia. Quer dizer, sempre temos que correr com ele para o veterinário e tal, na mesma hora, porque senão ele pode morrer. Mil dólares depois, recebemos uma meia semidigerida como lembrança do ocorrido.

Pelo menos o gato volta a ser como era antes.

Mas isso? Mil pratas não vão resolver isso. E nada jamais vai voltar a ser como era antes.

É uma coisa tão incrivelmente constrangedora… Quer dizer, a minha mãe e o Sr. Gianini terem… sabem, TRANSADO.

Pior ainda, TRANSARAM sem usar nenhum método anticoncepcional. Quero dizer, fala sério! QUEM É QUE FAZ ISSO HOJE EM DIA?

Eu disse a Lilly que não havia nada errado, que era só TPM. Foi incrivelmente constrangedor admitir isso na frente do Lars, meu guarda-costas, que estava ali sentado, comendo um sanduíche de churrasco grego no pão árabe que Wahim, o guarda-costas da Tina Hakim Baba — Tina tem guarda-costas porque o pai dela é um xeque árabe que teme que ela seja raptada por executivos de uma empresa petrolífera rival; eu tenho um porquê… ora, só porque sou princesa, acho —, tinha comprado numa barraquinha em frente à Ho's Deli, do outro lado da rua da escola.

A questão é que ninguém fala dos caprichos do seu ciclo menstrual na frente do seu guarda-costas…

Mas o que mais eu podia inventar?

Notei que Lars não terminou o sanduíche. Acho que o deixei enjoado.

Será que aquele dia podia piorar ainda mais?

Mas mesmo assim Lilly não desistiu. Às vezes ela me lembra mesmo um daqueles pugs, esses buldogues anões que a gente sempre vê as senhorinhas levando para passear. Quero dizer, não só o rosto dela é pequeno e meio amassadinho (um amassadinho bonito, é claro), como também, quando ela cisma com uma coisa, simplesmente não larga mais.

Tipo esse assunto do almoço. Ela ficou insistindo: "Se a única coisa que está te incomodando é a TPM, o que tanto você escreve nesse seu diário? Pensei que estava furiosa com a sua mãe por ter lhe dado esse diário. Pensei que nunca ia usá-lo."

Isso me fez lembrar de que eu estava mesmo furiosa com a mamãe por me dar o diário. Ela me deu porque diz que eu reprimo muito minha raiva e minha agressividade, e preciso desabafar de alguma forma, porque não estou em contato com minha criança interior e tenho uma incapacidade inerente para verbalizar meus sentimentos.

Acho que a minha mãe, na época, deve ter conversado com os pais da Lilly, que são psicanalistas.

Mas, quando descobri que era a princesa de Genovia, comecei a usar o diário para registrar meus sentimentos com relação a isso, que, pensando bem, eram realmente bastante hostis.

Só que nem se comparam ao que estou sentindo agora.

Não que eu tenha ódio do Sr. Gianini e da minha mãe. Quero dizer, afinal de contas, eles são adultos. Donos de seus próprios narizes. Mas será que não veem que essa é uma decisão que vai afetar não só a eles, mas todos ao redor? Quer dizer, Grandmère NÃO vai gostar nada quando descobrir que minha mãe vai ter outro filho fora do casamento.

E meu pai, então? Ele já teve câncer no testículo este ano. Descobrir que a mãe da sua única filha vai ter um bebê de outro homem simplesmente vai arrasá-lo. Não que ele esteja apaixonado pela minha mãe, nem nada, pelo menos eu acho que não.

E Fat Louie, o que vai ser dele? Como ele vai reagir à presença de um bebê na casa? Ele já é bem carente de afeição com o ambiente como é, considerando-se que eu sou a única pessoa que se lembra de lhe dar comida. Ele talvez tente fugir, ou resolva deixar de comer apenas meias e tente engolir o controle remoto, ou coisa assim.

Mas acho que eu não me importaria de ter uma irmãzinha ou um irmãozinho. Aliás, ia ser até legal. Se for menina, eu divido meu quarto com ela. Posso lhe dar banhos de espuma e vesti-la do jeito que Tina Hakim Baba e eu vestimos as irmãzinhas dela — e o irmãozinho também, falando disso.

Irmãozinho acho que eu não quero não. Tina Hakim Baba me disse que os bebês do sexo masculino mijam na cara da gente quando a gente tenta trocar as fraldas deles. Nem quero imaginar isso de tão nojento que deve ser.

A mamãe deveria ter pensado nisso antes de resolver transar com o Sr. Gianini.

Segunda, 20 de outubro, S & T

Mas, afinal, como isso aconteceu, hein? Quantos encontros minha mãe teve com o Sr. G? Não foram muitos. Acho que uns oito. Oito encontros e ela já dormiu com ele? E provavelmente mais de uma vez, porque mulheres de 36 anos não ficam grávidas com essa facilidade. Eu sei porque sempre que leio a revista *New York* vejo um zilhão de anúncios de vítimas de menopausa precoce procurando doadoras de óvulos mais jovens.

Mas minha mãe, não. Ah, não. Tão jovem e fresca como uma manguinha madura essa minha mãe.

Eu deveria saber, é claro. Bem que eu vi naquela manhã, quando entrei na cozinha o Sr. Gianini ali, de samba-canção!

Andei tentando reprimir essa lembrança, mas acho que não consegui.

Além disso, será que ela parou para pensar na ingestão de ácido fólico? Aposto que não. E será que posso salientar que os brotos de alfafa podem ser letais para um feto em formação? Temos brotos de alfafa na geladeira. Nossa geladeira é uma armadilha mortal para uma criança na barriga da mãe. Tem CERVEJA na gaveta das verduras, caramba!

Minha mãe pode achar que é uma mulher apta a ser mãe, mas tem muito a aprender. Quando eu chegar em casa, pretendo mostrar-lhe um monte de informações que encontrei na internet e imprimi. Se ela pensa que pode colocar a saúde da minha futura irmãzinha em perigo bebendo café e incluindo brotos de alfafa nos sanduíches, essas coisas, vai ter uma bela surpresa.

Segunda, 20 de outubro, ainda em S & T

Lilly me pegou pesquisando sobre gravidez na internet.
Ela disse: "Caramba! Tem alguma coisa que ainda não me contou sobre aquele seu encontro com Josh Richter?"

Não gostei nem um pouquinho disso, porque ela soltou essa piada na frente do irmão dela, Michael — sem mencionar Lars, Boris Pelkowski e o resto da turma. Disse isso numa voz bem alta também.

Sabe, esse tipo de coisa não aconteceria se os professores dessa escola fizessem seu trabalho e realmente ensinassem algo de vez em quando. Porque, salvo o Sr. Gianini, todos os professores daqui parecem achar perfeitamente aceitável passar um trabalhinho qualquer para a gente fazer e depois sair da sala para fumar um cigarrinho na sala dos professores.

Ainda por cima, isso deve ser proibido pelas normas sanitárias.

E a Sra. Hill é a pior de todas. Quer dizer, eu sei que S & T não é exatamente uma aula. É mais uma sala de estudos para os deslocados sociais. Mas se a Sra. Hill estivesse aqui de vez em quando para supervisionar as atividades, pessoas como eu, que não sou nem superdotada, nem talentosa, mas acabei aqui porque estava indo mal em álgebra e precisava estudar mais um pouquinho, talvez não vivesse sendo atormentada pelos gênios da turma.

A verdade é que Lilly sabe muito bem que a única coisa que aconteceu no meu encontro como Josh Richter foi que eu descobri que Josh Richter estava a fim só de me usar, apenas porque sou princesa, e ele achou que podia aparecer ao meu lado na capa da *Teen Beat*. Além disto, a gente nem teve tempo de ficar juntos a sós, a não ser quando estávamos no carro, o que não conta, porque Lars estava lá, a gente também, vigiando para ver se nenhum terrorista sentiria alguma compulsão para me raptar.

Tratei de sair bem depressa do site *Você e sua gravidez* que eu estava consultando, mas não deu tempo de impedir que Lilly visse o que era. Ela insistiu: "Ai, meu Deus, Mia, por que não me contou?"

Aquilo estava ficando constrangedor, apesar de eu ter explicado que estava fazendo um trabalho de biologia para ajudar na nota, o que não é exatamente mentira. Por questão de ética, eu e meu parceiro de laboratório, Kenny

Showalter, fomos contra a dissecação de sapos, coisa que a turma iria fazer na próxima aula, então a Sra. Sing disse que, em vez disto, a gente poderia apresentar um trabalho para compensar a nota.

Acontece que o trabalho final vai ser sobre a vida das larvas do besouro tenébrio, usadas para alimentar pássaros. Só que Lilly não sabe disso.

Tentei mudar de assunto, perguntando a Lilly se ela sabia a verdade sobre os brotos de alfafa, mas ela ficou ali falando um monte de baboseiras sobre mim e Josh Richter. Eu realmente não teria me importado tanto se não fosse pelo irmão dela, Michael, estar sentado logo ali perto, escutando, em vez de trabalhar na newsletter dele, a *Crackhead*, como devia estar fazendo. Quer dizer, eu sempre tive uma forte queda por ele, sabe.

Mas ele nunca notou, é claro. Para ele, eu sou a melhor amiga da irmã mais nova dele e só. Ele tem que me tratar bem, senão Lilly conta a todos na escola que ela uma vez o pegou com os olhos cheios de lágrimas enquanto assistia a uma reprise de *Sétimo céu*.

Além do mais, eu sou apenas uma reles aluna do primeiro ano. Michael Moscovitz é veterano e tem a melhor média de pontuação da escola (depois da Lilly), por isso ele é o orador substituto da turma. E nem herdou o gene da carinha amassada, como a irmã dele. Michael podia sair com qualquer garota da Escola Albert Einstein se quisesse.

Bom, menos as líderes de torcida. Elas só saem com atletas.

Não que Michael não seja atlético. Quero dizer, ele não acredita nos esportes em grupo, mas tem uns quadríceps excelentes. Aliás, todos os "ceps" dele são ótimos. Notei isso da última vez que ele entrou sem camisa no quarto da Lilly para gritar com a gente porque estávamos gritando obscenidades alto demais durante um vídeo da Christina Aguilera.

Por isso não gostei nada daquele negócio de a Lilly ficar falando sobre minha possível gravidez bem na frente do irmão dela.

CINCO PRINCIPAIS MOTIVOS PELOS QUAIS É DIFÍCIL SER A MELHOR AMIGA DE UMA GÊNIA DE CARTEIRINHA

1. Ela usa um vocabulário complicado demais para mim
2. Costuma ser incapaz de admitir que eu talvez possa dar uma contribuição significativa a qualquer conversa ou atividade

3. Quando em grupo, ela tem problemas para abrir mão do controle da situação
4. Ao contrário das pessoas normais, ao resolver um problema, não parte de A e chega a B, mas vai logo de A a D, tornando difícil para nós, formas inferiores de vida humana, acompanhar seu raciocínio
5. Não se pode contar nada a ela sem que ela analise a coisa de cabo a rabo

* DEVER DE CASA

<u>Álgebra</u>: problemas da pág. 133

<u>Inglês</u>: escrever uma breve história da família

<u>Civilizações Mundiais</u>: encontrar um exemplo de estereótipo negativo dos árabes (cinema, TV, literatura) e apresentar com redação explicativa

<u>S&T</u>: não tem

<u>Francês</u>: *ecrivez une vignette parisiene*

<u>Biologia</u>: sistema reprodutor (pegar as respostas com Kenny)

Diário de Inglês

História da Minha Família

Os ancestrais paternos da minha família remontam ao ano 568 d.C. Foi nesse ano que um chefe militar visigodo chamado Albion, que parecia sofrer do que hoje em dia se poderia chamar de distúrbio de personalidade autoritária, matou o rei da Itália e um monte de outras pessoas e usurpou o trono. Depois que se tornou rei, decidiu se casar com Rosagunde, a filha de um dos generais do antigo rei.

Só que Rosagunde não gostou muito do Albion depois que ele a obrigou a beber vinho no crânio do pai dela, de forma que se vingou dele na noite do casamento, estrangulando-o com suas tranças enquanto ele dormia.

Com Albion morto, o filho do ex-rei da Itália não tardou a assumir o trono. Sentiu tal gratidão pela façanha de Rosagunde que a tornou princesa de uma região que hoje é conhecida como o país de Genovia. De acordo com os únicos relatos existentes sobre a época, Rosagunde foi uma governante clemente e atenciosa. É minha bisavó umas sessenta vezes. É um dos principais motivos pelos quais a Genovia de hoje tem um dos menores índices de analfabetismo, mortalidade infantil e desemprego de toda a Europa: Rosagunde implementou um sistema altamente sofisticado (para a época dela) de equilíbrio de poderes e acabou de vez com a pena de morte.

Os Thermopolis, do lado materno da minha família, foram pastores de cabras na ilha de Creta até 1904, quando Dionysius Thermopolis, o bisavô da mamãe, se encheu daquilo e fugiu para a América. Acabou se instalando em Versailles, Indiana, onde abriu uma loja de ferramentas. Seus descendentes vêm trabalhando na loja de ferragens Handy Dandy, em Versailles, Indiana, na praça do fórum, desde aquela época. Minha mãe diz que teria sido criada de uma forma muito menos repressiva, e, diga-se de passagem, bem mais liberal, lá em Creta.

SUGESTÃO DE DIETA DIÁRIA PARA GRAVIDEZ

- Duas a quatro porções de proteína, que podem ser de carne bovina, peixe, frango, queijo, tofu, ovos ou combinações de nozes, grãos, feijões e derivados do leite.
- Um litro de leite (integral, desnatado, magro) ou equivalentes do leite (queijo, iogurte, queijo cottage).
- Um ou dois alimentos ricos em vitamina C: batatas, toranja, laranja, melão, pimentão-verde, repolho, morango, frutas em geral, suco de laranja.
- Uma fruta ou legume amarelo ou cor de laranja.
- Quatro a cinco fatias de pão integral, panquecas, *tortillas*, pão árabe, broa de milho ou uma porção de cereais integrais ou massa integral. Usar germe de trigo e levedo de cerveja para fortificar outros alimentos.
- Manteiga, margarina reforçada com vitaminas, óleo vegetal.
- Seis a oito copos de líquidos: sucos de frutas e vegetais, água e chás de ervas. Evitar sucos adoçados com açúcar, além de refrigerantes, álcool e cafeína.
- Lanche: frutas secas, nozes, sementes de abóbora e girassol, pipoca.

Mamãe não vai gostar nada disso. Se a dieta não incluir litros do molho inglês à base de soja, do Number One Noodle Son, ela nem vai se interessar.

COISAS A FAZER ANTES DE A MAMÃE VOLTAR

JOGAR FORA:	COMPRAR:
Heineken	Multivitaminas
Xerez para culinária	Frutas frescas
Brotos de alfafa	Germe de trigo
Café torrado colombiano	Iogurte
Gotas de chocolate	
Salame	
Não esquecer a garrafa de Absolut no congelador!	

Segunda, 20 de outubro, depois da aula

Exatamente quando pensei que não dava para piorar, de repente piorou. Grandmère ligou.

Não é justo. Pensei que ela estivesse em Baden-Baden para relaxar. Eu estava louquinha para ter umas férias daquelas sessões de tortura dela — também conhecidas como lições de princesa, às quais meu pai, o déspota, exige que eu compareça. Sabe, eu precisava dar um tempo também. Será que eles acham mesmo que alguém em Genovia realmente se importa se eu sei como usar um garfo para peixe? Ou se consigo me sentar sem amassar a parte de trás da saia? Ou se eu sei como dizer obrigado em suaíli? Será que meus futuros compatriotas não estariam mais preocupados com minhas opiniões sobre o meio ambiente? E o controle dos armamentos? E o controle de natalidade?

Porém, de acordo com Grandmère, os habitantes de Genovia não se preocupam com nada disso. Só querem que eu não dê vexame e os deixe mal em nenhum jantar oficial.

Até parece. Deviam estar preocupados era com Grandmère. Quero dizer, não fui *eu* quem mandou fazer maquiagem definitiva nas pálpebras. Não visto *meu* animalzinho de estimação com boleros de chinchila. Nunca fui amiga íntima do Richard Nixon.

Mas, ah, não, é *comigo* que todo mundo deve se preocupar. Como se *eu* pudesse cometer alguma gafe imperdoável na minha apresentação ao povo de Genovia em dezembro.

Me aguardem.

Mas voltando à roubada. Acontece que ela não foi, afinal de contas, por causa da greve dos carregadores de bagagens da Baden-Baden.

Gostaria muito de conhecer o presidente do sindicato dos carregadores de bagagens da Baden-Baden. Porque, se eu o conhecesse, não hesitaria em lhe oferecer os cem dólares por dia que meu pai anda doando em meu nome ao Greenpeace para que eu desempenhe meus deveres como princesa de Genovia, simplesmente para que ele e os outros carregadores de bagagens voltassem ao trabalho e tirassem Grandmère do meu pé durante algum tempo.

Ora, acontece que Grandmère me deixou um recado apavorante. Disse que tem uma "surpresa" para mim e que espera que eu ligue imediatamente para ela.

Imagino qual possa ser a tal surpresa. Conhecendo Grandmère, deve ser alguma coisa absolutamente horrível, como um casaco feito com pele de filhotes de *poodle*.

E olha que ela bem que seria capaz disso.

Vou fingir que não recebi o recado.

Mais tarde na segunda

Acabei de sair do telefone depois de falar com Grandmère. Ela queria saber por que eu não tinha respondido à ligação anterior. Eu lhe disse que não tinha recebido o recado.

Por que eu minto tanto assim? Caramba, não consigo dizer a verdade nem mesmo sobre as menores coisas! E ainda dizem que sou princesa! Que tipo de princesa fica por aí mentindo o tempo todo?

Bom, para encurtar a história, Grandmère diz que vai mandar uma limusine me pegar. Ela e o papai vão jantar na suíte dela no Plaza. Grandmère diz que vai me contar qual é a surpresa durante o jantar.

Contar. Não me mostrar. Isso elimina, espero, o tal casaco de pele de filhotes.

Acho que é melhor mesmo jantar com Grandmère hoje à noite. Mamãe convidou o Sr. Gianini para vir aqui hoje para poderem "conversar". Ela não está muito satisfeita por eu ter jogado fora o café e a cerveja (eu não joguei fora, na verdade dei tudo à nossa vizinha Ronnie). Agora mamãe está batendo os pés pela casa e reclamando que não tem nada para oferecer ao Sr. G quando ele chegar.

Eu lhe disse que foi para o bem dela, e que se o Sr. Gianini for mesmo um cavalheiro, vai abrir mão da cerveja, e do café também, para apoiá-la durante esse período. Sei que esperaria que o pai do meu filho ainda não nascido me fizesse essa gentileza.

Isto é, no caso improvável de eu algum dia vir a transar com alguém.

Segunda, 20 de outubro, 23h

Foi mesmo uma surpresa daquelas.

Alguém precisa realmente dizer a Grandmère que surpresas normalmente devem ser agradáveis. Não há nada de agradável no fato de ela ter conseguido me enfiar numa entrevista em horário nobre com Beverly Bellerieve no *Twenty Four/Seven*.

Não me importo se é o programa de TV mais conceituado dos Estados Unidos. Disse a Grandmère um milhão de vezes que não quero nem que tirem fotos minhas, muito menos aparecer na TV. Quero dizer, já é bem ruim todos que eu conheço saberem que pareço um cotonete ambulante com essa ausência de seios e cabelo em forma de triângulo. Não preciso que o país inteiro descubra isso.

Mas agora Grandmère diz que é meu dever como membro da família real genoviana. E dessa vez ela conseguiu convencer papai a ficar do lado dela. Ele só dizia: "Sua avó está certa, Mia."

Então vou passar a tarde do próximo sábado sendo entrevistada pela Beverly Bellerieve.

Eu disse a Grandmère que considerava a entrevista uma péssima ideia. Disse que não estava pronta para nada desse nível ainda. Disse que talvez devêssemos começar por baixo, e pedir a Carson Daly ou alguém desse tipo que me entrevistasse.

Mas Grandmère não caiu nessa. Eu nunca conheci ninguém que precisasse tanto de uma temporada em Baden-Baden para dar um tempinho no estresse. Grandmère parece tão relaxada quanto o Fat Louie depois de o veterinário enfiar o termômetro "naquele lugar" para medir a temperatura dele.

Naturalmente, isso pode ter alguma ligação com o fato de que Grandmère raspa as sobrancelhas e desenha novas no lugar todas as manhãs. Não me pergunte por quê. Ela tem sobrancelhas perfeitas. Eu vi os pelinhos crescendo. Mas ultimamente venho notando que ela está desenhando as sobrancelhas cada vez mais alto, o que lhe dá uma aparência permanente de surpresa. Acho que é por causa das cirurgias plásticas. Se não tomar cuidado, algum dia as pálpebras dela vão estar lá perto dos lobos frontais.

E meu pai não ajudou nada. Ficou fazendo um monte de perguntas sobre Beverly Bellerieve, se era verdade que ela foi Miss Estados Unidos em 1991 e se Grandmère sabia se ela (Beverly) ainda estava saindo com Ted Turner ou se o namoro tinha terminado.

Juro, para um cara que tem um testículo só, meu pai passa mesmo muito tempo pensando em sexo.

Discutimos a entrevista durante todo o jantar. Por exemplo, seria melhor eles filmarem tudo ali no hotel ou no nosso apartamento? Se eles filmassem no hotel, as pessoas teriam uma falsa impressão sobre meu estilo de vida. Mas, se filmassem no nosso apartamento, Grandmère insistiu, as pessoas ficariam horrorizadas com a miséria no meio da qual minha mãe havia me criado.

Que injustiça! O nosso apartamento não dá ideia de miséria. Só não parece vitrine de loja de decorações. Tem aquele ar aconchegante de lugar bacana e habitado.

"Lugar cafona e abandonado, você quer dizer", disse Grandmère, corrigindo-me. Mas não é verdade, porque faz bem pouco tempo eu passei desinfetante na casa inteira.

"Com aquele animal morando lá, não sei como pode manter esse lugar limpo de verdade", disse Grandmère.

Fat Louie, porém, não tem culpa da sujeira. O pó, como todos sabem, é 95% constituído por tecido dérmico humano.

A única coisa boa que posso encontrar em tudo isso é que pelo menos a equipe de filmagem não vai me seguir até a escola, nem nada parecido. Pelo menos fiquei aliviada com isso. Já pensou se eles me filmassem sendo torturada pela Lana Weinberger durante a aula de álgebra? Ela certamente ia começar a sacudir seus pompons de torcida na minha cara, ou coisa assim, só para mostrar aos produtores a covarde que eu era às vezes. Gente do país inteiro diria: O que há com essa menina? Por que ela não é autoconsciente?

E a aula de S&T, então? Além de não haver supervisão de nenhum professor nessa aula, tem aquele negócio de trancarmos Boris Pelkowski no almoxarifado para não termos que ouvi-lo praticar os exercícios de violino. Isso com certeza é uma infração das normas de segurança para utilização de materiais perigosos.

Bom, para encurtar a conversa, enquanto ficamos discutindo a entrevista, o tempo todo uma parte do meu cérebro pensava: *Agora, neste exato momento, enquanto estamos aqui discutindo sobre essa entrevista, a 57 quarteirões de distância, minha mãe está anunciando ao namorado dela — meu professor de álgebra — que está grávida de um filho dele.*

O que o Sr. G diria? Não podia deixar de imaginar. Se expressasse alguma coisa que não fosse alegria, eu ia mandar Lars dar um jeito nele, ah, ia sim. Lars ia dar uma surra daquelas no Sr. G para mim, sem nem me cobrar muito por isso. Ele tem três ex-esposas às quais paga pensão, então sempre está precisando de dez pratas extras, que é tudo que posso pagar por um capanga.

Eu realmente estou precisando de uma mesada mais alta, quer dizer, quem já ouviu falar de uma princesa que ganha só dez dólares por semana? Isso não dá nem para pagar um ingresso de cinema.

Bom, até dá, mas não dá pra comprar pipoca.

Só que agora que voltei pra casa, não sei dizer se vou precisar que Lars espanque meu professor de álgebra ou não. O Sr. G e a mamãe estão conversando aos cochichos no quarto dela.

Não consigo ouvir nada do que está rolando lá, nem mesmo quando encosto o ouvido na porta.

Espero que o Sr. G encare a coisa numa boa. É o cara mais legal que mamãe já namorou, apesar de quase ter me reprovado. Não sei se ele vai fazer alguma burrice, como abandoná-la ou tentar processá-la para ficar com a guarda da criança.

Como ele é homem, nunca se sabe.

Engraçado, porque enquanto estou escrevendo isso recebi uma mensagem. É do Michael! Ele está dizendo:

> **CracKing**: O que deu em você na escola hoje? Parecia que estava com a cabeça na lua ou coisa parecida.

Respondi:

> **FtLouie**: Não sei do que está falando. Não tem nada errado comigo. Estou ótima.

Sou uma tremenda mentirosa mesmo.

> **CracKing**: Bom, tive a impressão de que não ouviu uma palavra do que eu disse sobre inclinações negativas.

Desde que descobri que o meu destino é governar um pequeno principado europeu um dia, ando tentando com todo o empenho entender álgebra, porque um dia vou precisar calcular o orçamento de Genovia e essas coisas. Então vou ter aulas de reforço todos os dias depois das aulas e, durante o tempo de S&T, Michael também me dá uma forcinha.

É muito difícil prestar atenção quando Michael está me ensinando alguma coisa, porque ele tem um cheirinho tão bom...

Como vou conseguir estudar inclinações negativas quando esse cara no qual eu me amarro desde... ah, sei lá... nem me lembro quando, está ali sentado pertinho de mim, com um cheirinho de sabonete, às vezes encostando o joelho no meu?

Respondi:

FtLouie: Ouvi tudo que disse sobre inclinações negativas. Dada a inclinação m, +y-intercepto (0,b), equação y + mx + b, inclinação-intercepto.

CracKing: como é???

FtLouie: Não está certo?

CracKing: Copiou isso do fim do livro, não foi?

Claro.

Ih, mamãe está aqui na porta.

Ainda mais tarde na segunda

Mamãe entrou. Pensei que o Sr. G tinha ido embora, então perguntei: "Como foi a conversa?"

Aí vi que ela estava com os olhos cheios de lágrimas, por isso me aproximei e lhe dei um grande abraço.

"Tudo bem, mãe", disse. "Vou sempre estar ao seu lado. Vou ajudar em tudo, dar mamadeira à meia-noite, trocar fraldas, tudo. Mesmo se for menino."

Mamãe retribuiu meu abraço, mas depois vi que ela não estava chorando porque estava triste. Estava chorando porque estava feliz demais.

"Ah, Mia", disse ela. "Queremos que seja a primeira a receber a notícia."

Depois me puxou para a sala de visitas. O Sr. Gianini estava ali de pé com o maior sorriso de bobo na cara. Bobo de felicidade.

Eu entendi antes mesmo de ela abrir a boca, mas fingi me surpreender mesmo assim.

"Vamos nos casar!"

Mamãe me puxou e me incluiu num grande abraço em grupo entre ela e o Sr. G.

É meio esquisito ser abraçada pelo seu professor de álgebra. É só o que tenho a declarar.

Terça, 21 de outubro, 1h

Olha, pensei que minha mãe fosse uma feminista que não acreditasse na hierarquia machista e fosse contrária à submissão e ao apagamento da identidade feminina que o casamento necessariamente acarreta.

Pelo menos é o que ela costumava dizer quando eu lhe perguntava por que nunca se casou com meu pai.

Sempre pensei que fosse porque ele nunca a pediu em casamento.

Talvez seja por isso que ela me pediu para não contar a ninguém ainda. Quer que meu pai saiba do jeito dela, diz.

Essa agitação toda me deixou com dor de cabeça.

Terça, 21 de outubro, 2h

Ai, meu pai do céu! Eu acabei de me lembrar de que, se a mamãe se casar com o Sr. Gianini, ele vai morar aqui. Quero dizer, minha mãe jamais se mudaria para o Brooklyn, onde ele mora. Sempre diz que o metrô aumenta a antipatia dela para com as hordas corporativas.

Não posso acreditar. Vou ter que tomar café todas as manhãs com meu professor de álgebra!

E o que vai acontecer se eu o vir pelado sem querer ou coisa assim? Posso ficar traumatizada pelo resto da vida!

É melhor eu tratar de mandar consertar a tranca da porta do banheiro antes de ele se mudar.

Agora estou com dor de garganta, além da dor de cabeça.

Terça, 21 de outubro, 9h

Quando levantei hoje de manhã, estava com uma dor de garganta tão forte que nem conseguia falar. Só dava para sussurrar.

Tentei sussurrar chamando minha mãe durante algum tempo, mas ela não me ouviu. Então tentei dar socos na parede, mas só consegui derrubar meu pôster do Greenpeace.

Finalmente, não me restou alternativa, senão levantar. Me enrolei no edredom, para não pegar friagem e ficar ainda mais doente, e percorri o corredor até o quarto da mamãe.

Para meu horror, não havia só um montinho na cama da minha mãe, mas DOIS!!! O Sr. Gianini tinha passado a noite lá!

Bem, peraí. Afinal, ele já prometeu fazer dela uma mulher honesta.

Mesmo assim, é meio constrangedor entrar cambaleando no quarto da nossa mãe às seis da matina e encontrar seu professor de álgebra na cama com ela. Quero dizer, esse tipo de coisa poderia causar um trauma em uma pessoa menos tolerante do que eu.

Seja lá como for, fiquei ali sussurrando na porta, apavorada demais para entrar, e finalmente mamãe conseguiu abrir um olho, a muito custo. Aí sussurrei para ela que não estava me sentindo bem, e que precisaria ligar para o pessoal que controla a frequência explicando por que eu não podia ir à escola hoje.

Também pedi para cancelar minha limusine e avisar a Lilly que não ia poder dar carona pra ela hoje.

Também disse que, se ela fosse para o estúdio, teria que pedir ao meu pai ou ao Lars (pelo amor de Deus, Grandmère não) para vir aqui, para evitar que alguém me raptasse ou me assassinasse enquanto ela estivesse fora e eu, assim, debilitada.

Acho que ela me entendeu, mas não deu para confirmar.

Tô falando, esse negócio de ser princesa não é brincadeira não...

Mais tarde na terça

Minha mãe ficou em casa, em vez de ir ao estúdio hoje. Sussurrei para ela que não deveria fazer isso. Tinha uma mostra na Galeria Mary Boone dentro de mais ou menos um mês, e eu sei que ela só tem pronta mais ou menos metade dos quadros que vai precisar expor. Se ela começar a ter enjoos matinais, seria uma realista morta.

Mas ela ficou mesmo assim. Acho que está sentindo remorso porque acha que fiquei doente por causa dela. Como se todo o meu nervosismo com o estado uterino dela fosse debilitar meu sistema imunológico ou coisa parecida.

Isso não tem nada a ver. Tenho certeza de que, seja lá o que for, peguei de alguém na escola. A Escola Albert Einstein é uma gigantesca placa de Petri onde se faz a cultura de milhares de bactérias, se quer saber, ainda mais com o número incrível de gente lá que respira pela boca.

Assim, a cada dez minutos, minha mãe, atormentada pelo remorso, entra e me pergunta se quero alguma coisa. Esqueci que ela tem um complexo de Florence Nightingale. Fica fazendo chá e rabanadas sem as casquinhas pra mim. Devo reconhecer que isso é muito bom.

A não ser quando ela tentou me obrigar a dissolver um tablete de zinco na língua, porque uma das amigas dela recomendou isto para combater o resfriado comum.

Isso não foi nada agradável.

Ela ficou apavorada quando tive ânsias de vômito por causa do zinco. Até correu para a *delicatéssen* e comprou para mim uma dessas barras gigantes de chocolate para compensar o sofrimento que me causou.

Mais tarde ela tentou preparar ovos com bacon para me dar força, mas aí eu disse que bastava: só porque eu estava no leito de morte, não significava que eu deveria deixar de lado todos os meus princípios vegetarianos.

Minha mãe acabou de medir minha temperatura. Trinta e sete e meio.

Se estivéssemos na Idade Média, eu provavelmente já teria morrido.

TABELA DE TEMPERATURAS

11h45 — 37,4°

12h14 — 37,3°

13h27 — 37°

Essa droga desse termômetro deve estar com defeito!

14h05 — 37,2°

15h35 — 37,3°

Está na cara que, se continuar assim, não vou poder ir à entrevista com a Beverly Bellerieve no sábado.

OBAAA!!!!!!!

Ainda mais tarde na terça

Lilly acabou de dar um pulinho aqui e trouxe o dever de casa. Diz que eu estou com uma cara horrível, que minha voz parece a da Linda Blair no filme *O exorcista*. Eu nunca vi *O exorcista*, então não sei se é verdade ou não. Não gosto de filmes em que a cabeça das pessoas gira 360 graus e elas vomitam coisas em jatos. Gosto de filmes cheios de pessoas com visuais bem produzidos e muita dança.

Bom, mudando da água para o vinho, Lilly diz que a última novidade da escola é que o "Casal Vinte", Josh Richter e Lana Weinberger, voltou (um registro pessoal para ambos os pombinhos: da última vez que romperam, foi só durante três dias). Lilly diz que, quando passou pelo meu armário para pegar meus livros, Lana estava de pé por ali, de uniforme de líder de torcida, esperando Josh, cujo armário fica perto do meu.

Aí, quando Josh apareceu e tascou um beijão daqueles bem molhados na Lana, que Lilly jura que foi equivalente a um F5 na escala Fujimoto, que mede a intensidade da zona de sucção dos tornados, impedindo totalmente Lilly de fechar a porta do meu armário (Deus sabe como eu conheço esse problema).

Lilly resolveu a situação bem depressa, porém, enfiando a ponta do lápis número dois nas costas do Josh, numa de "sem-querer-querendo".

Pensei em contar a Lilly minha própria Grande Novidade: sabe, o negócio da minha mãe e o Sr. G. Quero dizer, ela vai descobrir mesmo.

Talvez tenha sido a infecção que estava dominando o meu organismo, mas eu simplesmente não consegui contar. Eu simplesmente não conseguia afastar a ideia do que Lilly poderia dizer com relação ao tamanho potencial do nariz do meu futuro irmão ou irmã.

No fim das contas, fiquei mesmo com um montão de dever de casa para fazer. Até mesmo o pai do meu futuro irmãozinho ou irmãzinha, de quem se poderia esperar um mínimo de compaixão de mim, me soterrou com milhares de exercícios. Juro que não tem refresco nenhum pelo fato de a mãe da gente estar noiva do nosso professor de álgebra. Nenhum mesmo.

Ou melhor, a não ser quando ele vem para o jantar e me ajuda a fazer o dever de casa. Só que ele não me dá as respostas, então eu só fico tirando 5.

E agora eu estou mesmo doente! Minha temperatura subiu para 37,7°! Logo vai estar beirando os quarenta!

Se isso fosse um episódio do *Plantão médico*, eles já teriam me colocado no respirador.

Não tem como eu ser entrevistada pela Beverly Bellerieve agora. NÃO TEM.

Minha mãe ligou o vaporizador, literalmente a todo vapor. Lilly diz que meu quarto está parecendo até o Vietnã, e fica me pedindo para pelo menos abrir uma frestinha da janela, pelo amor de Deus!

Nunca pensei nisso antes, mas Lilly e Grandmère têm muito em comum. Por exemplo, Grandmère ligou faz um tempinho. Quando eu disse que estava doente e que provavelmente não poderia dar a entrevista no sábado, ela simplesmente me passou um sermão!

É isso aí. Me deu a maior bronca, como se fosse culpa *minha* eu ficar doente. Depois começou a falar sobre o dia do casamento dela, que teve uma febre de 39 graus, mas por acaso isso a impediu de ficar de pé durante uma cerimônia de casamento de duas horas, ou de percorrer depois as ruas de Genovia acenando para a população em carro aberto e jantar *prosciutto* com melão na recepção, valsando até as quatro da madrugada?

Não, talvez não fiquem muito surpresos por saber a resposta. Não impediu não.

Isso, prosseguiu Grandmère, é porque uma princesa não usa seus mal-estares como desculpa para se esquivar dos seus deveres para com seu povo.

Como se o povo de Genovia estivesse ligado naquela porcaria de entrevista minha no *Twenty Four/Seven*. Eles nem mesmo assistem ao programa por lá. Quer dizer, só os que têm TV a cabo, talvez.

Lilly teve tão pouca compaixão quanto Grandmère. Aliás, Lilly não é uma visita lá muito consoladora para se ter por perto quando a gente está doente. Ela insinuou que talvez eu estivesse com pneumonia, exatamente como Elizabeth Barrett Browning. Eu disse que achava que era só uma bronquite de nada, e Lilly respondeu que devia ter sido isto que Elizabeth Barrett Browning pensou antes de morrer.

* DEVER DE CASA

Álgebra: problemas do final do capítulo 10

Inglês: no diário, fazer uma lista com seu programa de TV, filme, livro, prato etc. preferidos

Civilizações Mundiais: redação de mil palavras explicando o conflito entre Irã e Afeganistão.

S&T: até parece

Francês: *ecrivez une vignette amusant* (ah, me aguardem)

Biologia: sistema endócrino (pegar as respostas com Kenny)

Meu Deus do céu! O que estão querendo por lá, afinal? Me matar?

Quarta, 22 de outubro

Hoje de manhã minha mãe telefonou para o quarto do hotel onde meu pai está hospedado, o Plaza, e pediu para mandar a limusine para me levar ao médico. Isso porque, quando ela mediu minha temperatura depois que acordei, eu estava com 39 graus, exatamente como Grandmère no dia do casamento dela.

Só que, vou te dizer, não estava muito a fim de dançar valsa. Eu quase não consegui me vestir. Estava tão febril que acabei vestindo um dos modelitos que Grandmère comprou para mim. Assim, lá fui eu, de Chanel dos pés à cabeça, os olhos vidrados e com a pele toda brilhante de suor. Meu pai deu um pulo de uns dois palmos de altura quando me viu. Acho que porque pensou por um instante que eu fosse a própria Grandmère.

Só que eu sou bem mais alta do que ela, é claro. E meu cabelo é bem mais curto.

Acontece que o Dr. Fung é uma das poucas pessoas nos Estados Unidos que ainda não sabiam que sou uma princesa, de forma que eu tive que ficar esperando na antessala uns dez minutos antes de ele me atender. Meu pai passou os dez minutos conversando com a recepcionista. É que ela estava com a barriga de fora, mesmo sendo praticamente inverno.

E mesmo que meu pai seja completamente careca e use terno o tempo inteiro, em vez de trajes esportivos, como um pai normal, pode-se dizer que a recepcionista ficou caidinha por ele. Isso porque, apesar de todo aquele estilo europeu dele, meu pai é um cara muito atraente.

Lars, que é atraente num outro estilo (por ser grandalhão e peludo), sentou-se ao meu lado, lendo a revista *Pais e Filhos*. Podia jurar que ele teria preferido o exemplar mais recente de *Soldier of Fortune*, mas eles não têm assinatura dela na Clínica Familiar do SoHo.

Finalmente o Dr. Fung me pediu para entrar. Ele me examinou, mediu minha temperatura (38,7°) e verificou minhas amígdalas para ver se estavam inchadas (estavam). Aí tentou tirar material para uma cultura, para ver se eu estava com infecção estreptocócica.

Só que, quando ele enfiou aquele troço na minha goela, deu uma ânsia de vômito tão forte que comecei a tossir incontrolavelmente. Não conseguia parar de tossir, então disse a ele, entre os acessos, que ia beber um golinho de água. Acho que devia estar delirando, por causa da febre e tal, porque em vez de ir pegar água, saí direto do consultório, voltei para a limusine e disse ao motorista para me levar para o Emerald Planet imediatamente, para eu tomar um milk shake de fruta com iogurte.

Felizmente o motorista nem pensou em me obedecer e me levar a outro lugar sem meu guarda-costas. Disse alguma coisa pelo rádio, e aí Lars saiu e veio até a limusine com meu pai, que me perguntou onde eu estava com a cabeça.

Pensei em perguntar a ele exatamente a mesma coisa, só que em relação à recepcionista com piercing no umbigo. Mas minha garganta doía demais para eu conseguir falar.

O Dr. Fung acabou resolvendo tudo de uma forma bem razoável. Desistiu da cultura da garganta e só prescreveu um antibiótico e um xarope com codeína para tosse — mas só depois de uma de suas enfermeiras tirar uma foto de nós apertando a mão um do outro na limusine para pendurar na sua galeria de fotos com artistas e gente famosa. Ele tem fotos ali dele apertando a mão de outros pacientes famosos, como o Robert Goulet e o Lou Reed.

Agora que a febre alta passou, vejo que estava me comportando de forma totalmente irracional. Diria que aquela consulta médica foi provavelmente um dos momentos mais constrangedores da minha vida. É claro, já houve tantos que é difícil classificar esse em termos de grau de constrangimento. Eu acho que o colocaria em pé de igualdade com aquela ocasião em que acidentalmente deixei cair meu prato com o jantar na fila do bufê no bar-mitzvá da Lilly, e todos ficaram pisando em *gefiltefish* pelo resto da noite.

OS CINCO MOMENTOS MAIS CONSTRANGEDORES DA VIDA DE MIA THERMOPOLIS

1. Quando Josh Richter me beijou na frente da escola inteira enquanto todos me olhavam
2. Aquela vez em que eu tinha seis anos e Grandmère me mandou abraçar a irmã dela, a Tante Jean Marie, e eu comecei a chorar porque tive medo do bigode da Jean Marie, e a magoei
3. Quando eu tinha sete anos e Grandmère me obrigou a ir a um coquetel chatíssimo que ela deu para os amigos, e eu fiquei tão entediada que peguei um porta-copos de marfim em forma de jinriquixá e comecei a rodá-lo pela mesinha de centro, falando num chinês inventado, até todos os porta-copos caírem do pequeno jinriquixá e rolarem pelo assoalho, fazendo um

barulhão, e todos olharem para mim. (Parece ainda mais constrangedor quando me lembro disto agora, porque imitar chineses é uma indelicadeza, sem mencionar o lado politicamente incorreto da situação.)
4. Aquela outra, quando eu tinha dez anos, e Grandmère me levou para a praia com uns primos meus e eu esqueci a parte de cima do biquíni, e Grandmère não me deixou voltar ao castelo para pegá-la, disse que estávamos na França, pelo amor de Deus, e que eu fizesse topless como todo mundo, e mesmo não tendo nada para mostrar em termos de peito, além do que tenho hoje em dia, fiquei morta de vergonha, e não tirei a camiseta, e todo mundo ficou olhando pra mim, achando que eu estava com alguma alergia ou tinha algum sinal de nascença desfigurador ou talvez um feto de irmão gêmeo siamês atrofiado e murcho pendurado em mim
5. Quando eu tinha doze anos e tive minha primeira menstruação, e estava na casa de Grandmère, sendo obrigada a contar a ela porque não tinha absorventes comigo nem nada, e mais tarde, naquela noite, quando entrei para o jantar, entreouvi Grandmère contando a todos os amigos o que tinha acontecido, então durante o resto da noite todos só ficaram contando anedotas e piadinhas sobre as maravilhas da feminilidade.

Agora que estou pensando nisso, todos os meus momentos mais constrangedores tiveram alguma coisa a ver com Grandmère.

Me pergunto o que os pais da Lilly, que são psicanalistas, teriam a dizer sobre isso.

TABELA DE TEMPERATURAS

17h20 — 37,4°

18h45 — 37,3°

19h52 — 37,2°

É possível que eu esteja melhorando assim tão rápido? Que horror! Se eu melhorar, vou ser obrigada a encarar aquela entrevista pavorosa...

Isso exige medidas drásticas: esta noite eu estou decidida a tomar uma chuveirada e meter a cabeça para fora da janela com o cabelo molhado.

Eles vão aprender.

Quinta, 23 de outubro

Ai, caramba. Aconteceu uma coisa tão incrível que mal consigo escrever. Esta manhã, enquanto eu estava deitada no meu leito de enferma, minha mãe me entregou uma carta que disse ter vindo na correspondência ontem, só que ela esqueceu de me dar.

Não era como as contas de luz ou de TV a cabo de que a mamãe em geral esquece depois que chegam. Era uma carta endereçada a mim.

Mesmo assim, como o endereço do destinatário tinha sido datilografado, não suspeitei de nada fora do normal. Achei que era uma carta da escola, uma coisa assim. Tipo alguma comunicação dizendo que eu tinha recebido uma menção honrosa (HAHA!). Mas não havia endereço do remetente, e em geral as cartas da Escola Albert Einstein têm a cara pensativa do Einstein no cantinho esquerdo, junto com o endereço da escola.

Então dá pra imaginar minha surpresa quando abri o envelope e encontrei não um folheto me pedindo para mostrar meu espírito acadêmico fazendo docinhos para ajudar a levantar fundos para o time da casa, mas o seguinte... que, por falta de uma definição melhor, só posso classificar como carta de amor:

Querida Mia (dizia a carta)

Sei que vai achar estranho receber uma carta como esta. Eu estou me sentindo estranho ao escrevê-la. E mesmo assim sou tímido demais para lhe dizer cara a cara o que estou para lhe dizer agora: é que eu te acho a garota mais Josie que já conheci.

Só quero te revelar que tem uma pessoa, ao menos, que gostava de você muito antes de descobrir que você era princesa...

E vai continuar gostando de você, haja o que houver.

Sinceramente,

Um Amigo.

Ai, meu Jesus Cristinho!

Não dá pra acreditar! Eu nunca tinha recebido uma carta como essa antes. De quem seria? Eu não fazia ideia. Ela havia sido datilografada, assim como o endereço do envelope. Não em máquina de escrever, mas obviamente impressa em computador.

Assim, mesmo que eu quisesse comparar os tipos, digamos, com os de uma máquina de escrever suspeita (como Jan fez no episódio de *A família sol, lá, si, dó* em que desconfiou que a Alice a havia enviado aquele medalhão), não dava. Não se podem comparar os tipos de impressoras a laser, gente. São todas iguais.

Quem poderia ter me enviado uma coisa dessa?

Naturalmente, sei quem eu gostaria que tivesse me enviado a carta.

Mas as probabilidades de um cara como Michael Moscovitz gostar de mim mais do que como amiga são praticamente nulas. Sabem, se ele gostasse de mim, teria uma oportunidade perfeita de me dizer isso na noite do baile da Diversidade Cultural, quando fez a gentileza de me convidar para dançar depois de Richter me causar aquele constrangimento todo. E não dançamos apenas uma vez também. Dançamos algumas vezes. Músicas lentas, aliás. E depois fomos para o quarto dele no apartamento dos Moscovitz. Ele podia ter dito alguma coisa naquela ocasião, se quisesse.

Mas não disse. Não disse que gostava de mim.

E por que gostaria? Quer dizer, sou uma aberração total, sem seios, grandalhona, incapaz até mesmo de fazer um penteado estiloso, mesmo de longe.

Acabamos de estudar gente igual a mim na aula de biologia, aliás. Mutantes biológicos, é como somos chamados. Um mutante biológico ocorre quando um organismo mostra uma mudança acentuada em relação ao tipo normal ou herança genética dos pais, tipicamente quando ocorre uma mutação.

Sou eu dos pés à cabeça, uma descrição exata de mim. Quer dizer, se olharem para mim e depois para os meus pais, que são ambos atraentes, ficariam só dizendo: "Mas o que foi que aconteceu?"

Estou falando sério. Eu devia ir morar com os X-Men de tão mutante que sou.

Além do mais, Michael Moscovitz seria realmente o tipo de cara que diria que eu sou a garota mais Josie da escola? Ora, estou presumindo que o autor esteja se referindo a Josie, aquela cantora principal de *Josie e as gatinhas*, cujo papel é representado pela Rachael Leigh Cook no filme. Mas eu não lembro Rachael Leigh Cook. Quem dera. *Josie e as gatinhas* começou como um desenho animado sobre um grupo de garotas que desvenda crimes, como no *Scooby-Doo*, e Michael nem mesmo assiste ao *Cartoon Network*, que eu saiba pelo menos.

Michael só vê o canal educativo, o canal de ficção científica e *Buffy, a Caça-Vampiros*. Talvez se a carta dissesse "Acho que você é a garota mais *Buffy* que já conheci…"

Porém, se não é do Michael, de quem é essa carta?

Ai, isso é tão emocionante! Quero ligar para alguém e contar. Mas para quem? Todo mundo que eu conheço está na escola.

POR QUE EU TINHA QUE FICAR DOENTE????

Nada de meter a cabeça molhada pela janela. É melhor ficar boa logo para poder voltar à escola e descobrir quem é o meu admirador secreto!

TABELA DE TEMPERATURAS

10h45 — 37,3°

11h15 — 37,2°

12h27 — 37°

É isso aí! É ISSO AÍ!!! Estou melhorando! Obrigada, Selman Waksman, inventor do antibiótico.

14h05 — 37,2°

Não. Ah, não!

15h35 — 37,3°

Por que isso está acontecendo comigo?

Mais tarde na quinta

Esta tarde, enquanto eu estava deitada com bolsas de gelo debaixo das cobertas, tentando baixar a febre para poder ir à escola amanhã e descobrir quem é o meu admirador secreto, vi por acaso o melhor episódio de *S.O.S. Malibu* a que jamais tive oportunidade de assistir.

Juro.

Sabe, Mitch conhece uma garota com um sotaque francês fajuto durante uma corrida de barcos, e eles se apaixonam e ficam surfando com uma trilha sonora que é demais, e aí se descobre que a moça é noiva de um adversário do Mitch na corrida de barcos — e não para por aí —, ela era a *princesa de um pequeno país europeu do qual Mitch jamais tinha ouvido falar*. O noivo dela é um príncipe que o pai havia escolhido para ela quando ela nasceu!

Enquanto eu assistia ao episódio, Lilly chegou com meu dever de casa e começou a assistir comigo. Mas não conseguiu captar a profunda importância filosófica da história. Só dizia: "Cara, essa princesa podia dar um jeitinho nas sobrancelhas, né?"

Fiquei horrorizada.

"Lilly", sussurrei. "Será que não percebe que esse episódio do *S.O.S. Malibu* é profético? É perfeitamente possível que eu tenha sido prometida desde o meu nascimento a algum príncipe que jamais conheci e sobre o qual meu pai não me falou ainda. E poderia muito bem conhecer algum salva-vidas numa praia e me apaixonar perdidamente por ele, mas não poder me comprometer porque vou ter que cumprir meu dever e me casar com o homem que meu povo escolheu para mim."

Lilly disse: "Ei, peraí, quantas colheres daquele xarope você tomou hoje, hein? Diz uma colher *de chá* a cada quatro horas na receita, não colher *de sopa*, sua lerda."

Fiquei irritada com Lilly por ela não conseguir perceber as implicações da situação. Eu não podia contar sobre a carta que havia recebido, é claro. E se o irmão dela tivesse escrito a carta? Eu não ia querer que ele achasse que eu tinha espalhado para todo mundo que eu conhecia. Uma carta de amor é uma coisa muito íntima.

Mas, mesmo assim, parecia que ela seria capaz de encarar aquilo do meu ponto de vista.

"Você não entende", sussurrei. "De que adianta eu gostar de alguém, quando é perfeitamente possível que meu pai tenha arranjado um casamento para mim com algum príncipe que eu jamais conheci? Algum cara que mora, digamos, em Dubai, ou algum outro lugar, e que olha diariamente, com expressão sonhadora, o meu retrato e anseia pelo dia em que finalmente possa me fazer sua?"

Lilly disse que achava que eu andava lendo muitos romances da minha amiga Tina Hakim Baba. Vou admitir que foi mais ou menos desses livros que eu tirei essa ideia. Mas isso não vem ao caso.

"Sério, Lilly", disse. "Preciso evitar a qualquer custo me apaixonar por alguém como o David Hasselhoff ou seu irmão, porque no final talvez seja obrigada a me casar com o príncipe William." Mas, pensando bem, até que não seria um sacrifício tão grande assim...

Lilly levantou da minha cama e saiu pisando firme para a sala. Meu pai era o único que estava por lá, porque, quando veio me visitar, minha mãe de repente se lembrou de uma coisa qualquer que havia se esquecido e tratou de se mandar.

Só que não existia coisa nenhuma. Minha mãe ainda não havia contado ao papai sobre o Sr. G e a gravidez, e que os dois iam se casar e tal. Acho que tem medo de que o papai comece a gritar com ela por ser tão irresponsável (coisa que eu acho que ele vai fazer com certeza).

Portanto, para não contar, ela foge do papai, cheia de remorso, toda vez que o vê. Seria quase engraçado, se não fosse um comportamento patético para uma mulher de 36 anos. Quando eu tiver 36 anos, pretendo ser definitivamente autoconsciente para não me pegarem fazendo nada do que a mamãe vive fazendo.

"Sr. Renaldo", ouvi Lilly dizer, quando ela entrou na sala. Ela chama o meu pai de Sr. Renaldo, mesmo sabendo perfeitamente que ele é príncipe de Genovia. Não se importa, porque diz que estamos nos Estados Unidos e que ela não vai chamar ninguém de "Vossa Alteza". É fundamentalmente contrária às monarquias — e os principados, como Genovia, também se encontram nessa categoria. Lilly acredita que a soberania reside no povo. Nos tempos coloniais, ela provavelmente seria um dos "Whigs", os caras que acabaram dando origem ao Partido Liberal.

"Sr. Renaldo", ouvi-a perguntar ao meu pai. "Mia foi prometida a algum príncipe de algum lugar?"

Meu pai baixou o jornal. Eu ouvi o papel sendo amassado lá do meu quarto.

"Meu Deus, não", disse ele.

"Sua tola!", disse, quando voltou para o quarto, batendo os pés. "E embora eu possa entender por que você precisa evitar a todo custo se apaixonar pelo David Hasselhoff, que, aliás, tem idade para ser seu pai, e nem é gostoso, o que o meu *irmão* tem a ver com tudo isso?"

Tarde demais, percebi o que tinha dito. Lilly não faz ideia do que sinto pelo irmão dela, Michael. Aliás, eu não tenho a menor ideia do que sinto por ele também. Só que ele se parece muito com o Casper Van Dien sem blusa.

Ai, como eu quero que seja ele o cara que escreveu aquela carta. Eu quero, quero muito mesmo.

Mas não vou mencionar isso à irmã dele.

Em vez disso, disse que achava injusto da parte dela exigir explicações de coisas que eu havia dito sob a influência de um xarope à base de codeína.

Lilly fez aquela cara que faz às vezes quando os professores perguntam alguma coisa e ela sabe a resposta, mas quer dar a alguma outra pessoa na sala uma chance de responder, para variar.

Às vezes é mesmo desgastante ter uma melhor amiga com QI 170.

LISTA DE OPINIÕES DE MIA THERMOPOLIS E LILLY MOSCOVITZ SOBRE A AUTENTICIDADE DOS SEIOS DE ALGUMAS MULHERES FAMOSAS

Celebridade	Lilly	Mia
Britney Spears	Falsos	Autênticos
Jennifer Love Hewitt	Falsos	Autênticos
Winona Ryder	Falsos	Autênticos
Courtney Love	Falsos	Falsos
Jennie Garth	Falsos	Autênticos

Celebridade	Lilly	Mia
Tori Spelling	Falsos	Falsos
Brandy	Falsos	Autênticos
Neve Campbell	Falsos	Autênticos
Sarah Michelle Gellar	Autênticos	Autênticos
Christina Aguilera	Falsos	Autênticos
Lucy Lawless	Autênticos	Autênticos
Melissa Joan Hart	Falsos	Autênticos
Mariah Carey	Falsos	Falsos
Rachael Leigh Cook	Falsos	Autênticos

Ainda mais tarde na quinta

Depois do jantar, me senti bem o suficiente para sair da cama. E foi o que fiz. Fui conferir meus e-mails. Esperava que houvesse alguma mensagem do meu "amigo" misterioso. Se ele conhecia meu "endereço real", achei que conheceria meu "endereço virtual" também. Ambos estão na lista de endereços da escola.

Tina Hakim Baba foi uma das pessoas que me enviaram mensagens. Enviou desejos de melhoras. Shameeka também. Shameeka mencionou que estava tentando convencer o pai a dar uma festa de Dia das Bruxas e perguntando se eu poderia ir. Respondi que sim, claro, se não me sentisse muito fraca por causa da tosse.

Também recebi uma mensagem do Michael. Era uma mensagem desejando melhoras, mas animada, com um gif de gatinho que parecia o Fat Louie fazendo uma dancinha de melhoras. Muito bonitinho. Michael assinou assim: "Com amor, Michael."

Não "Atenciosamente".

Não "Carinhosamente".

Com amor.

Vi o gif umas quatro vezes, mas não consegui confirmar se tinha sido ele o remetente da carta. A carta, segundo observei, nem mencionava a palavra amor. Dizia que o remetente gostava de mim. E ele havia assinado "atenciosamente".

Só que não falava em amor. Nem um pouquinho de amor.

Aí vi uma mensagem de alguém cujo endereço não reconheci. Ai, caramba, seria meu admirador secreto? Meus dedos tremeram sobre o botão do mouse...

Aí a abri, e li a seguinte mensagem de JoCrox:

> **JoCrox:** Passando só pra dizer que espero que esteja melhor. Senti sua falta na escola hoje! Recebeu minha carta? Espero que tenha feito você se sentir pelo menos um pouco melhor, sabendo que alguém lá acha você demais. Melhore logo.
>
> Seu amigo

Meu Deus! É *ele*! O meu admirador secreto!

Mas quem é Jo Crox? Eu não conheço ninguém chamado Jo Crox. Diz que sentiu minha falta na escola hoje, o que significa que talvez a gente faça alguma aula juntos. Mas não tem nenhum Jo em nenhuma das minhas aulas.

Talvez Jo Crox não seja o nome verdadeiro dele. Aliás Jo Crox não parece um nome. Talvez queira dizer Joc Rox.

Mas também não conheço nenhum Joc. Quero dizer, não pessoalmente.

Ah, não, espera aí, já saquei!

Jo-C-rox!

Jo-sie Rocks! Josie arrasa! Ai, meu pai do céu! Josie, de *Josie e as gatinhas*!

Mas que fofura!

Mas quem? Quem seria?

Imaginei que só havia um meio de descobrir e decidi responder no ato:

> **FtLouie:** Querido amigo, recebi sua carta. Valeu mesmo. Obrigada também pelos desejos de melhoras.
>
> QUEM É VOCÊ? (Juro que não conto pra ninguém, viu?)
>
> Mia

Fiquei ali sentada meia hora, esperando que ele respondesse, mas ele não respondeu.

QUEM É??? QUEM É???

Eu PRECISO melhorar até amanhã para poder ir à escola e descobrir quem é esse Jo-C-rox. Senão vou ficar maluca, que nem a namorada do Mel Gibson em *Hamlet*, e terminar flutuando no Hudson, de camisola Lanz de Salzburgo com o resto do lixo hospitalar.

Sexta, 24 de outubro, Álgebra

Melhorei!!!!

Bom, na verdade não estou me sentindo tão bem assim, mas não importa. Não estou mais com febre, então mamãe não teve escolha senão me deixar ir à escola. Não havia como me segurar na cama mais um dia. Não com o Jo-C-rox escondido por lá em algum canto, talvez apaixonado por mim.

Mas até agora nada. Quero dizer, passamos pela casa da Lilly na limusine e a pegamos, como sempre, e o Michael estava com ela e tudo, mas pelo alô distraído que ele me deu, nem dava para imaginar que ele havia me enviado uma mensagem de melhoras assinada "com amor, Michael", muito menos me chamado da menina mais Josie que ele tinha conhecido na vida. Está na cara que ele não é o Jo-C-rox.

E aquele "Amor" no final da mensagem era só um amor platônico. Quero dizer, o "Amor" do Michael obviamente não significa que ele realmente me ama.

Mas ele me acompanhou, sim, até o armário. Isso foi bem legal da parte dele. É bem verdade que estávamos envolvidos em um debate acalorado sobre o episódio de terça de *Buffy, a Caça-Vampiros*, mas, mesmo assim, nenhum garoto jamais havia me acompanhado até o armário antes. Boris Pelkowski encontra a Lilly na frente da escola e vai com ela até o armário todo santo dia, e vem fazendo isto desde o dia em que ela concordou em namorar com ele.

Tá legal, eu admito que Boris Pelkowski é um cara que respira pela boca e continua enfiando o suéter dentro da calça, apesar dos meus frequentes toques de que nos Estados Unidos isto é considerado uma gafe em termos de moda, segundo a *Glamour*. Mas tudo bem, ele é um garoto. E é sempre legal um garoto — mesmo que use aparelho nos dentes — acompanhá-la até o armário. Sei que tenho Lars, mas é diferente o seu guarda-costas acompanhá-la até o armário e um garoto de verdade fazê-lo.

Acabei de notar que Lana Weinberger comprou capas novas para todos os cadernos. Acho que jogou fora as velhas. Tinha escrito "Sra. Josh Richter" em todas, depois riscou tudo quando brigou com Josh. Agora estão juntos de novo. Acho que ela está disposta outra vez a ter sua identidade ofuscada assumindo o nome do "marido", uma vez que já escreveu três "Eu Amo Josh" e sete "Sra. Josh Richter" só no caderno de álgebra.

Antes de a aula começar, Lana estava contando a todo mundo que prestasse atenção a ela que ia dar uma festa esta noite. Nenhum de nós foi convidado, é claro. É uma festa de um dos amigos do Josh.

Eu nunca sou convidada para festas como essas. Sabe, como nos filmes sobre adolescentes, em que os pais de alguém saem da cidade, e todos na escola trazem engradados de cerveja e fazem uma zona na casa?

Eu nem mesmo conheço alguém que more numa casa. Só em prédios de apartamentos. E se alguém começar a fazer tumulto e quebrar coisas em um apartamento, pode apostar que os vizinhos vão telefonar para o síndico e reclamar. Isso pode pegar mal com o condomínio.

Mas acho que Lana nunca parou para pensar nessas coisas.

A terceira potência de x é chamada o cubo de x.

A segunda potência de x é o quadrado de x.

Ode à vista da janela da minha aula de álgebra

Bancos de concreto aquecidos ao sol
Ao lado de mesas com tabuleiros de xadrez
E pichações deixadas por centenas
Antes de nós em
Tinta spray Day-Glo:

Joanne Ama Richie
Os Punks É que Mandam
Bichas e Sapatas contra a Energia Nuclear
E Amber dá pra todo mundo.

As folhas mortas e sacos plásticos se espalham
Ao vento vindo do parque
E homens de terno tentam cobrir com
Os últimos fios de cabelo
Suas carecas rosadas.
Carteiras de cigarros e chiclete mascado
Cobrem a calçada cinzenta.

E eu penso
De que importa o fato
De que uma equação não é linear se qualquer variável for
elevada a uma potência?
Todos vamos mesmo morrer.

Sexta, 24 de outubro, Civilizações Mundiais

FAÇA UMA LISTA DE CINCO TIPOS BÁSICOS DE GOVERNO

Anarquia
Monarquia
Aristocracia
Ditadura
Oligarquia
Democracia

FAÇA UMA LISTA DE CINCO PESSOAS QUE PODERIAM SER O JO-C-ROX

Michael Moscovitz (tomara!)
Boris Pelkowski (cruz-credo!)
Sr. Gianini (numa tentativa desajeitada de me animar)
Meu pai (idem)
Aquele garoto esquisito que vejo às vezes na lanchonete que fica muito perturbado quando servem chili com milho (Deus me livre e guarde!)

IIIIIIIRRRRRRRRRRRC!

Sexta, 24 de outubro, S & T

Acontece que, desde que eu fiquei doente, Boris começou a aprender umas músicas novas no violino. Neste exato momento ele está tocando um concerto de alguém chamado Bartók.

E, cá pra nós, a melodia soa igual ao nome do compositor. Mesmo que o tenhamos trancafiado com o violino no almoxarifado, está difícil de aturar. Não dá nem pra ouvir nossos pensamentos. Michael foi obrigado a ir à enfermaria para ver se descolava uns analgésicos.

Mas antes de ele sair tentei levar o papo para o e-mail. Sabe, assim como quem não quer nada e tal.

Só por via das dúvidas.

Bom, Lilly estava falando sobre o programa dela, *Lilly manda a real*, e perguntei se ainda recebe muita correspondência — um dos seus maiores fãs, o Norman, a persegue e manda presentes o tempo todo, com a condição de que ela mostre os pés descalços no ar: o negócio do Norman é pé, o cara é fetichista.

Aí mencionei que tinha recebido umas mensagens intrigantes recentemente...

Aí olhei para Michael bem de relance, para ver como ele reagia.

Mas ele nem ergueu os olhos do notebook.

E agora está voltando da enfermaria. A enfermeira não liberou analgésicos porque vai contra as normas de fornecimento de remédios da escola. Então dei a ele um pouco do meu xarope de codeína. Ele disse que aquilo acabou com a dor de cabeça dele num instante.

Mas também pode ter sido porque Boris derrubou uma lata de solvente de tintas com o arco e precisamos tirá-lo às pressas de dentro do almoxarifado.

COISAS PRA FAZER

1. Parar de pensar tanto em Jo-C-rox
2. Idem para o Michael Moscovitz
3. Idem para a minha mãe e suas questões reprodutivas
4. Idem para a minha entrevista amanhã com a Beverly Bellerieve
5. Idem para Grandmère
6. Ter mais autoconfiança
7. Parar de roer as unhas postiças
8. Me autorrealizar
9. Prestar mais atenção em álgebra
10. Lavar os shorts de Educação Física

Mais tarde na sexta

Paguei o maior mico! A diretora Gupta, de alguma forma, descobriu que eu tinha dado ao Michael uma colher do meu xarope de codeína e mandou me chamar no meio da aula de biologia para conversar sobre o meu tráfico de substâncias controladas nas dependências da escola!

Ai, caramba! Eu pensei que ia ser expulsa ali mesmo, naquela hora.

Contei a história do analgésico e do Bartók. Mas a diretora Gupta não demonstrou a mínima solidariedade comigo. Mesmo quando mencionei todos os meninos e meninas que ficam fumando na frente da escola. Eles por acaso são repreendidos por filar cigarros uns dos outros?

E as líderes de torcida e aquele Dexatrim delas?

Mas a diretora disse que os cigarros e o Dexatrim eram muito diferentes dos narcóticos. Ela confiscou meu xarope de codeína e me disse que eu poderia levá-lo para casa depois das aulas. E me pediu para não o trazer pra escola na segunda.

Ela nem precisa se preocupar. Eu fiquei tão sem graça com aquilo que estou pensando seriamente em nunca mais vir à escola, muito menos na segunda.

Não vejo por que não posso receber aulas particulares, como os meninos do Hanson. Olha só como eles se saíram bem.

* DEVER DE CASA

Álgebra: problemas da página 129

Inglês: descreva uma experiência que a comoveu profundamente

Civilizações Mundiais: Duzentas palavras sobre a ascensão do Talibã no Afeganistão

S&T: Pelo amor de Deus, nem me fale

Francês: devoirs — les notes grammaticales: 141-143

Biologia: sistema nervoso central

Diário de Inglês

Minhas Coisas Favoritas

COMIDA
Lasanha vegetariana

FILME
Meu filme preferido é um que vi pela primeira vez na HBO quando tinha doze anos. Continuou sendo meu predileto, apesar dos esforços dos meus amigos e da minha família para me apresentarem os chamados melhores exemplos da arte cinematográfica. Francamente, acho que *Dirty Dancing — Ritmo quente*, com Patrick Swayze e Jennifer Grey, antes da plástica do nariz, tem o que falta em filmes

que têm tudo, como *A força do amor* e *Setembro*, criados pelos supostos "auteurs" do meio. Por exemplo, *Dirty Dancing* se passa em uma colônia de férias. Filmes que se passam em colônias de férias (outros bons exemplos são *Cocktail* e *Aspen — Dinheiro, sedução e perigo*) são ligeiramente melhores, já notei, do que os outros filmes. Além disso, *Dirty Dancing* tem dança. É sempre ótimo ver dança nos filmes. Pensem em como os filmes que ganharam o Oscar, como *O paciente inglês*, seriam se houvesse dança neles. Eu me chateio muito menos quando vejo filmes em que há pessoas dançando na tela. Então preciso dizer às muitas e muitas pessoas que discordam de mim sobre *Dirty Dancing*: "Ninguém deixa a Baby de lado."

PROGRAMA DE TV

Meu programa de TV preferido é *S.O.S. Malibu*. Conheço gente que acha esse programa muito tosco e machista, mas na verdade não é nada disto. As sungas dos rapazes são tão sumárias quanto os biquínis das garotas, e nos últimos episódios, pelo menos, uma mulher está encarregada de toda a operação de salva-vidas. E a verdade da coisa é que, sempre que assisto a esse programa, me sinto feliz. É porque sei que, seja qual for a encrenca em que Hobie se meta, sejam enguias elétricas gigantes ou contrabandistas de esmeraldas, Mitch sempre o salva, e tudo é feito ao som de uma excelente trilha sonora, com tomadas fantásticas no mar. Gostaria que houvesse um Mitch na minha vida para sempre resolver tudo e fechar os meus dias com chave de ouro.

E também que meus seios fossem tão grandes quanto os da Carmen Electra.

LIVRO

Meu livro predileto se chama *QI 83*. Quem o escreveu foi o autor de sucesso de *O enxame*, Arthur Herzog. *QI 83* é sobre um bando de médicos que mexem com DNA e por imprudência causam um acidente que faz todos no mundo perderem um pouco de seus QIs e começarem a agir feito burros. Juro! Até o presidente dos Estados Unidos. Ele acaba babando feito um idiota! E cabe ao Dr. James Healey salvar o país. Esse livro jamais obteve a atenção merecida. Jamais foi transformado em filme!

É uma paródia literária.

Ainda mais tarde na sexta

O que eu devia fazer a respeito desse trabalho ridículo no diário de inglês, *Descreva uma experiência que a comoveu profundamente*? Não faço a menor ideia! Sobre o que vou escrever? Aquele dia em que entrei na cozinha e dei de cara com o meu professor de álgebra de pé ali, de samba-canção? Isso não me comoveu exatamente, mas não deixou de ser uma experiência.

Ou será que eu devia falar sobre o momento em que meu pai me revelou que sou herdeira do trono do principado de Genovia? Foi uma baita experiência, embora eu não saiba se foi profunda, e apesar de eu ter chorado, não acho que tenha sido porque eu me comovi. Simplesmente fiquei furiosa porque ninguém havia me contado antes. Quero dizer, acho que posso entender que seria constrangedor para ele ser obrigado a admitir ao povo de Genovia que tinha uma filha fora do casamento, mas esconder um fato desse durante 14 anos? Aí já é negação demais.

Kenny, meu parceiro de biologia, que também tem aula de inglês com a Sra. Spears, diz que vai escrever sobre a viagem da família dele à Índia no verão passado. Ele pegou cólera lá e quase morreu. Enquanto jazia no seu leito no hospital naquele distante país estrangeiro, percebeu que estamos neste planeta apenas por um breve momento, e que é fundamental que passemos cada momento que nos resta como se fosse o último. É por isso que Kenny está dedicando sua vida a encontrar a cura para o câncer e promover os desenhos animados japoneses.

Kenny tem sorte. Se ao menos eu pudesse contrair uma doença potencialmente fatal...

Estou começando a sacar que a única coisa profunda na minha vida é sua total e absoluta falta de profundidade.

Mercado Jefferson

Garantia de frutas e hortaliças fresquinhas
Entregas rápidas grátis

Pedido número 2.764

- ☐ 1 pacote de coalhada de soja
- ☐ 1 garrafa de germe de trigo
- ☐ 1 pacote de pão de forma integral
- ☐ 5 toranjas
- ☐ 12 laranjas
- ☐ 1 cacho de bananas
- ☐ 1 pacote de levedo de cerveja
- ☐ 1 litro de leite desnatado
- ☐ 1 litro de suco de laranja (fresco)
- ☐ 500 gramas de manteiga
- ☐ 1 dúzia de ovos
- ☐ 1 pacote de sementes de girassol sem sal
- ☐ 1 caixa de cereais integrais
- ☐ Papel higiênico
- ☐ Cotonetes

Endereço para entrega:
Mia Thermopolis, 1.005 — Thompson Street, número 4A

Sábado, 25 de outubro, 14h, Suíte da Grandmère

Estou aqui sentada, esperando a hora da minha entrevista. Além da minha dor de garganta, sinto como se fosse vomitar. Talvez minha bronquite tenha se transformado em gripe ou coisa assim. Talvez o *falafel* que eu pedi para o jantar ontem à noite tenha sido feito com ervilhas velhas ou coisa parecida.

Ou talvez eu só esteja uma pilha de nervos, já que essa entrevista vai ser transmitida para mais ou menos 22 milhões de lares na noite de segunda.

Embora eu ache muito difícil acreditar que 22 milhões de famílias possam estar interessadas em alguma coisa que eu tenha a dizer.

Li que, quando o príncipe William vai ser entrevistado, recebe as perguntas uma semana antes para ter tempo de pensar em respostas realmente inteligentes e incisivas. Ao que parece, os membros da família real genoviana não merecem a mesma cortesia. Não que, mesmo com uma semana de antecedência, eu pudesse pensar em alguma resposta inteligente ou incisiva. Quer dizer, talvez inteligente, mas, decididamente, não incisiva.

Mas talvez nem mesmo inteligente, dependendo das perguntas que fizerem.

Por isso, estou sentada aqui, sentindo como se fosse vomitar, e gostaria de poder me apressar e acabar logo com isso. Devia ter começado há duas horas.

Só que Grandmère não está satisfeita com a maquiagem que a especialista em estética usou em meus olhos. Diz que estou parecendo uma *poulet*. Isto quer dizer "prostituta" em francês. Ou galinha. Mas quando Grandmère usa essa palavra, sempre quer dizer prostituta.

Por que eu não posso ter uma avó normal e agradável, que faça *rugelach* e me ache maravilhosa, não importa o que use? A avó da Lilly nunca disse a palavra prostituta na vida, nem em iídiche. Tenho absoluta certeza disto.

Então a maquiadora precisou ir à loja de presentes do hotel para ver se tinham sombra azul. Grandmère quer azul porque diz que combina com meus olhos. Mas meus olhos são acinzentados. Acho que Grandmère é daltônica.

Isso explicaria muita coisa.

Conheci Beverly Bellerieve. A única coisa boa em tudo isso é que ela parece quase humana. Disse que se ela fizesse alguma pergunta que eu achasse muito pessoal ou constrangedora eu podia simplesmente dizer que não queria responder. Não é legal?

Além disso, ela é uma gata. Deviam ver como meu pai ficou. Já posso dizer que Beverly vai ser a namorada da semana. Bom, ao menos é melhor do que as mulheres com as quais ele costuma andar. Pelo menos Beverly parece ter um cérebro que ainda funciona.

Dessa forma, considerando que Beverly Bellerieve está se mostrando tão agradável e tal, eu não deveria estar tão nervosa.

E, na verdade, não tenho tanta certeza se é só a entrevista que está me fazendo sentir como se fosse botar tudo pra fora. No fundo, foi uma coisa que meu pai me disse quando entrei. Era a primeira vez que o via desde o tempo que ele passou no apartamento, enquanto eu estava doente. De qualquer maneira, ele me perguntou como eu me sentia e tudo, e eu menti, dizendo que estava bem, e aí ele perguntou: "Mia, o seu professor de álgebra..."

E eu imediatamente o interrompi: "O que tem meu professor de álgebra?", pensando que ele ia me perguntar se o Sr. Gianini estava me ensinando números paralelos.

Só que NÃO foi nada disso que ele me perguntou. Ao contrário, perguntou: "O seu professor de álgebra está morando aqui?"

Nossa, fiquei tão chocada que não soube o que dizer. Porque é claro que o Sr. Gianini não está morando lá. Não exatamente.

Mas vai estar. E provavelmente vai ser em breve.

Então eu simplesmente respondi: "Hã... não."

E meu pai pareceu aliviado! Ele realmente pareceu aliviado!

Então como ele vai ficar quando descobrir a verdade?

É muito difícil se concentrar no fato de que estou para ser entrevistada por essa jornalista de renome mundial, quando só consigo pensar no que o coitado do meu pai vai sentir quando descobrir que minha mãe vai se casar com meu professor de álgebra e também ter um filho dele. Não que eu ache que meu pai ainda ame minha mãe, nem nada. Só que, como Lilly afirmou uma vez, essa vida dele, pulando de cama em cama, é uma indicação clara de que ele não consegue lidar bem com essa coisa de intimidade.

E com Grandmère como mãe, até que faz sentido.

Acho que ele realmente gostaria de ter o que minha mãe tem com o Sr. Gianini. Quem sabe como ele vai receber a notícia do casamento iminente deles, quando minha mãe finalmente criar coragem para lhe contar? Talvez ele perca a cabeça. Talvez queira que eu vá morar com ele em Genovia para consolá-lo!

E é claro que vou ter que aceitar, porque ele é meu pai e eu o amo e tal.

Só que eu não estou nem um pouco a fim de ir morar em Genovia. Quero dizer, eu sentiria saudades da Lilly e da Tina Hakim Baba e de todos os meus outros amigos. E o Jo-C-rox? Como eu ia descobrir quem é ele? E o Fat Louie, o que seria dele? Me deixariam ficar com ele ou não? Ele é muito bem-comportado (a não ser por aquele negócio de ficar engolindo meias e a história da coleção de coisinhas brilhantes) e se houvesse ratos no castelo, ele acabaria com eles. Mas e se não fossem permitidos gatos no palácio? Sabem, não mandei arrancar as unhas dele, então se houver algum móvel valioso, ou alguma tapeçaria caríssima, coisas assim, podem ir dando adeus a elas...

O Sr. G e a minha mãe já estão resolvendo onde ele vai colocar as coisas dele quando se mudar para o nosso apartamento. E o Sr. G parece ter umas coisas bem maneiras. Tipo uma mesa de totó, uma bateria (quem diria que o Sr. G gosta de música?), uma máquina de fliperama E uma TV de tela plana de 36 polegadas!

Não estou brincando não. Ele é muito mais legal do que eu poderia imaginar.

Opa, a especialista em estética voltou com a sombra azul.

Juro que vou vomitar. Ainda bem que estive nervosa demais até agora para comer alguma coisa.

Sábado, 25 de outubro, 19h, a caminho do apartamento da Lilly

Ai, meu Deus, ai, meu Deus, ai, meu Deus, AI, MEU DEUS!!!! Estraguei tudo. Desta vez eu ESTRAGUEI TUDO mesmo.

Não sei o que me deu. Sinceramente, não sei. Tudo estava indo muito bem. Sabem, a tal Beverly Bellerieve, ela é tão... legal! Eu estava mesmo muito nervosa, e ela fez o máximo para tentar me acalmar.

Mesmo assim, acho que soltei a língua mais do que deveria.

Acho??? EU SEI que soltei.

Não fiz de propósito. Não fiz mesmo. Nem mesmo sei como deixei escapar aquilo. Estava tão nervosa e aflita, com todas aquelas luzes e o microfone e tudo na minha frente. Eu me senti... sei lá. Como se estivesse na diretoria do colégio, enfrentando a diretora Gupta e revivendo toda aquela situação do xarope de codeína outra vez.

Então, quando a Beverly Bellerieve perguntou: "Mia, não recebeu uma notícia empolgante recentemente?", entrei em pânico. Um lado meu disse: "Como ela descobriu?" E o outro lado pensou: "Milhões de pessoas vão ver isso. Demonstre alegria."

Então respondi: "Ah. Sim. É, estou mesmo muito animada. Sempre quis ser a irmã mais velha. Mas eles não querem chamar muita atenção, sabe. Vai ser só uma cerimônia discreta no prédio da prefeitura, e eu serei a testemunha..."

Foi aí que o meu pai deixou cair o copo de água que estava tomando. Em seguida, Grandmère começou a respirar descontroladamente, como se estivesse perdendo o fôlego, e foi obrigada a respirar dentro de um saco de papel para se acalmar.

E eu fiquei ali, em choque. Ai, meu Deus. Ai, meu Deus, o que eu fiz?

É claro que no fim Beverly Bellerieve não estava se referindo à gravidez da minha mãe. É claro que não. Como ela poderia saber disso?

O que ela queria saber mesmo, é claro, era sobre meu 0 em álgebra, que tinha melhorado para um 5.

Tentei levantar e ir até meu pai para consolá-lo, porque vi que ele tinha afundado numa poltrona e estava com a cabeça apoiada nas mãos. Mas eu estava toda enroscada em fios de microfone. Os técnicos de som tinham levado mais de uma hora para acertar os fios, e eu não queria tirá-los do lugar, nem nada, mas vi que os ombros do meu pai estavam balançando, e tinha certeza de que ele estava chorando, exatamente como sempre faz no final do filme *Free Willy*, embora tente fingir que é só alergia.

Beverly, ao ver isso, fez sinal de cortar com a mão para os câmeras, e muito gentilmente me ajudou a me desenroscar dos fios.

Só que quando eu finalmente cheguei perto do meu pai, vi que ele não estava chorando, mas certamente também não parecia estar muito bem. A voz dele também não estava muito boa, quando ele pediu, meio rouco, que alguém lhe trouxesse um uísque.

Depois de três ou quatro goles, porém, ele recuperou um pouco da cor. Não posso dizer o mesmo de Grandmère. Acho que ela nunca mais vai se recuperar. Da última vez que a vi, ela estava derrubando um Sidecar no qual alguém havia colocado comprimidos de AAS.

Nem mesmo quero pensar no que minha mãe vai dizer quando descobrir o que fiz. Quero dizer, mesmo que meu pai tenha me dito para não ficar chateada, que ele vai explicar tudo à mamãe, eu não sei não. Ele estava com uma cara meio esquisita. Espero que não esteja planejando dar uma surra no Sr. G.

Eu e essa minha boca grande. Minha boca ENORME, GROTESCA, DESPROPORCIONALMENTE DESCOMUNAL!

Não dá pra saber o que mais eu falei depois que a entrevista prosseguiu. Eu me assustei tanto com aquele início que não consigo me lembrar de uma única coisa que Beverly Bellerieve possa ter me perguntado.

Meu pai me garantiu que não tem nem um pouquinho de ciúme do Sr. Gianini, que está muito feliz pela minha mãe, e que acha que a mamãe e o Sr. G formam um casal e tanto. Eu acho que ele está dizendo a verdade. Ele parecia recomposto após o choque inicial. Depois da entrevista, notei que ele e Beverly Bellerieve estavam batendo o maior papo.

E tudo que digo é graças a Deus que vou direto para a casa da Lilly depois que sair do hotel. Ela está reunindo a galera para filmar o episódio da próxima semana do seu programa. Talvez, dessa forma, quando a minha mãe me vir amanhã, tenha tido tempo de processar tudo isso e possa até ter me perdoado.

Assim espero.

Domingo, 26 de outubro, 2h, Quarto da Lilly

Tá legal, eu só tenho uma pergunta: por que tudo sempre precisa ir de mal a pior para o meu lado?

Quero dizer, aparentemente, não basta:

1. Eu ter nascido sem qualquer tipo de crescimento nas minhas glândulas mamárias
2. Meus pés serem tão grandes quanto as coxas de uma pessoa normal
3. Eu ser a única herdeira do trono de um principado europeu
4. Minha média de pontos ainda estar caindo, apesar de tudo
5. Eu ter um admirador secreto que não se declara
6. Minha mãe estar grávida do meu professor de álgebra, e
7. O país todo saber disso depois da transmissão da minha entrevista exclusiva no *Twenty Four/Seven* na segunda à noite.

Não, além de tudo isso, eu sou a única entre as minhas amigas que ainda não deu um beijo de língua.

Falo sério. Para o episódio da semana que vem, Lilly insistiu em filmar o que ela chama de confessional *à la* Scorcese, no qual ela espera exemplificar o ponto de degradação total ao qual a juventude de hoje em dia se reduziu. Então nos fez confessar diante da câmera nossos piores pecados, e descobrimos que Shameeka, Tina Hakim Baba, Ling Su e Lilly, ou seja, TODAS já deram beijos de língua. Todas elas.

Menos eu.

Tudo bem, Shameeka não me surpreendeu. Desde que os seios dela começaram a aparecer, no verão, os garotos correm atrás dela como se ela fosse a versão mais recente da Lara Croft ou coisa assim. E Ling Su e aquele cara de Clifford que ela anda namorando já avançaram o sinal há muito tempo.

Mas Tina? Quero dizer, ela tem guarda-costas, como eu. Quando foi que ela conseguiu ficar sozinha com um garoto por tempo suficiente para ele enfiar a língua na sua boca?

E Lilly? Peraí, a Lilly, MINHA MELHOR AMIGA? Que eu pensei que me contasse tudo (mesmo que eu não possa dizer o mesmo sobre mim)? Ela já sabe como é o contato de uma língua de garoto na dela, e nunca pensou em me contar até AGORA?

Boris Pelkowski aparentemente é muito mais come-quieto do que se suspeitava, considerando-se todo aquele negócio do suéter.

Sinto muito, mas isso é simplesmente nojento. Nojento, nojento, nojento, nojento. Eu preferiria morrer uma solteirona seca e nunca beijada do que receber um beijo de língua do Boris Pelkowski. Quero dizer, sempre tem COMIDA grudada no aparelho ortodôntico dele. E não é qualquer tipo de comida, mas umas coisas geralmente esquisitas, multicoloridas, como jujubas e chicletes.

Ainda bem que, segundo Lilly, ele tira o aparelho quando eles se beijam.

Gente, eu estou mesmo jogada às traças. O único cara que me beijou na vida fez isto só pra aparecer no jornal.

É, até que ele quis enfiar a língua, sim, mas acreditem, eu mantive os lábios bem fechados.

E como nunca recebi um beijo de língua, e não tinha nada de bom para confessar no programa, Lilly resolveu me punir com um Desafio. Ela nem me perguntou se eu preferia Verdade.

Lilly me desafiou a jogar uma berinjela na calçada, da janela do quarto dela, no décimo sexto andar.

Eu disse que certamente aceitaria, mesmo que, é claro, não estivesse totalmente disposta a fazer isso. Achei uma ideia bem babaca. Alguém poderia se machucar gravemente. Sou a favor de se exemplificar o grau de degradação a que chegaram os adolescentes americanos, mas não quero que ninguém quebre a cabeça.

Mas o que eu podia fazer? Era um Desafio. Eu teria que cumpri-lo. Já é ruim demais nunca ter beijado de língua. Eu não quero que me tachem de repressora também.

E não podia exatamente ficar ali de pé e dizer: bom, tudo bem, talvez eu nunca tenha beijado de língua nenhum garoto, mas recebi uma carta de amor que certamente foi escrita por um. Um garoto, quero dizer.

Porque e se o Michael for o Jo-C-rox? Sei que ele provavelmente não é, mas... bom, e se for? Não quero que Lilly saiba — assim como também não quero que ela saiba sobre minha entrevista com Beverly Bellerieve, nem que minha mãe e o Sr. G vão se casar. Estou tentando de todas as formas ser uma menina normal, e, francamente, nada do que mencionei antes pode ser nem remotamente interpretado como normal.

Acho que o conhecimento de que em alguma parte do mundo há um garoto que gosta de mim me dá uma sensação de poder — algo que eu certamente poderia ter usado durante minha entrevista com Beverly Bellerieve, mas, cara, talvez eu não seja capaz de formar uma frase coerente quando há uma câmera de TV voltada para a minha direção, mas pelo menos sou capaz, resolvi, de jogar uma berinjela pela janela.

Lilly ficou chocada. Eu nunca havia aceitado um Desafio desse antes.

Não posso realmente explicar por que fiz isso. Talvez estivesse apenas tentando corresponder à minha reputação de uma garota muito Josie.

Ou talvez eu tivesse mais medo do que Lilly tentaria me obrigar a fazer se eu dissesse não. Uma vez ela me obrigou a correr pelada pelo corredor. Não o corredor dentro do apartamento dos Moscovitz, o corredor do prédio, o dos elevadores!

Quaisquer que tenham sido meus motivos, logo me vi passando pé ante pé pela sala, diante dos Drs. Moscovitz — que estavam descansando de calças de moletom na sala de estar, com pilhas de periódicos médicos importantes espalhadas por toda parte em torno das poltronas, embora o pai de Lilly estivesse lendo um exemplar da *Sports Illustrated* e a mãe, lendo *Cosmo* —, e esgueirando-me até a cozinha.

"Oi, Mia", disse o pai da Lilly, detrás da sua revista. "Como vai?"

"Hã", gaguejei, nervosa. "Bem."

"E como vai sua mãe?", indagou a mãe da Lilly.

"Vai bem", respondi.

"Ela ainda está saindo com seu professor de álgebra?"

"Hã, sim, Dr. Moscovitz", assenti. Mais do que o senhor imagina.

"E você ainda aprova a relação entre eles?", quis saber o pai da Lilly.

"Hã", murmurei. "Sim, Dr. Moscovitz." Não achei que seria o momento apropriado para mencionar o fato de que mamãe está esperando um filho do Sr. G. Quero dizer, eu estava no meio de um Desafio, afinal. Não dá pra parar e fazer psicanálise quando se está num Desafio.

"Bom, mande lembranças minhas", disse a mãe da Lilly. "Mal podemos esperar a próxima exposição dela. É na Galeria Mary Boone, não?"

"Sim, senhora", respondi. Os Moscovitz são grandes fãs do trabalho da minha mãe. Uma de suas melhores obras, a *Mulher apreciando um lanche rápido na Starbucks*, está pendurada na sala de estar deles.

"Estaremos lá", garantiu o pai da Lilly.

Ele e a esposa voltaram a ler suas revistas, então corri para a cozinha.

Encontrei uma berinjela na gaveta de legumes. Escondi embaixo da blusa para que os Drs. Moscovitz não me vissem me esgueirando para o quarto da filha deles com um legume ovoide gigante, algo que certamente causaria perguntas indesejáveis. Enquanto a transportava, pensei: *É assim que minha mãe vai estar dentro de alguns meses.* Não foi um pensamento muito consolador. Não acho que, enquanto estiver grávida, minha mãe vá se vestir de forma mais conservadora do que quando não grávida.

Quero dizer, não muito.

Depois, enquanto Lilly narrava gravemente no microfone como Mia Thermopolis ia aplicar um golpe nas meninas certinhas de toda parte e Shameeka filmava, abri a janela, vi bem se não havia vítimas inocentes em potencial, e aí...

"Lançando a bomba", disse, como nos filmes.

Foi *mesmo* bem legal ver aquela berinjela enorme e roxa — era do tamanho de uma bola de futebol americano — descer girando até a calçada. Há bastante postes de iluminação na Quinta Avenida, onde moram os Moscovitz, para que pudéssemos ver o legume mergulhando, mesmo sendo noite. A berinjela foi caindo, caindo, passando pelas janelas de todos os psicanalistas e banqueiros de investimentos (os únicos que podem pagar apartamentos no prédio da Lilly), até que de repente...

SPLASH!

Atingiu a calçada.

Só que não atingiu simplesmente a calçada. Explodiu na calçada, projetando pedaços de berinjela, que voaram para todos os lados — a maioria deles contra um ônibus da linha M1 que estava passando na hora, mas um bom pedaço sobre um Jaguar que passava devagarinho.

Enquanto eu estava debruçada na janela, admirando a mancha produzida pela polpa da berinjela na rua e na calçada, a porta do motorista do Jaguar se abriu e um homem saiu de trás do volante, exatamente quando o porteiro do edifício da Lilly saiu de baixo do toldo que tem diante da portaria e olhou para cima...

De repente, alguém me abraçou pela cintura e me puxou para trás, me erguendo do chão.

"Abaixa!", sussurrou Michael, me puxando para o assoalho.

Todos nos abaixamos. Quer dizer, Lilly, Michael, Shameeka, Ling Su e Tina se abaixaram. Eu já estava no chão.

De onde Michael tinha vindo? Eu nem sabia que ele estava em casa — e tinha perguntado, juro, por causa da tal coisa de correr pelada no corredor e tal. Só por via das dúvidas, essas coisas.

Mas Lilly tinha respondido que ele estava numa palestra sobre quasares na Universidade Columbia e levaria horas para voltar para casa.

"O que deu em vocês?", perguntou Michael. "Não sabem que, além de ser uma boa forma de se matar alguém, também é contra a lei jogar coisas pela janela em Nova York?"

"Ai, Michael", disse Lilly, desdenhando. "Vê se cresce. É só um vegetal como qualquer outro."

"Estou falando sério." Michael parecia furioso. "Se alguém visse Mia fazer isso que acabou de fazer, ela poderia ser presa."

"Não poderia não", disse Lilly. "Ela é menor de idade."

"Poderia parar no Juizado de Menores. É melhor não estar planejando mostrar isso no seu programa", disse Michael.

Caramba, Michael estava defendendo a minha honra! Ou pelo menos tentando evitar que eu fosse parar no Juizado de Menores. Foi uma coisa tão gentil da parte dele... Tão... bem, tão Jo-C-rox da parte dele.

Lilly prosseguiu: "Claro que vou mostrar."

"Bom, é melhor cortar as partes que mostram o rosto da Mia."

Lilly empinou o queixo.

"De jeito nenhum."

"Lilly, todo mundo sabe quem é a Mia. Se puser isso no ar, os jornais todos vão noticiar que a princesa de Genovia foi filmada atirando projéteis pela janela do apartamento da amiga, que fica num arranha-céu em Nova York. Vê se cai na real, garota."

Michael havia soltado a minha cintura, pelo que notei, com hesitação.

"Lilly, Michael tem razão", disse Tina Hakim Baba. "É melhor cortarmos essa parte. Mia não precisa de mais publicidade do que já tem."

E Tina nem ao menos sabia da entrevista do *Twenty-Four/Seven*.

Lilly levantou e voltou pisando firme para a janela. Começou a se debruçar — para ver, acho, se o porteiro do prédio e o dono do Jaguar ainda estavam por perto —, mas Michael a puxou para dentro.

"Regra Número Um", disse ele. "Se insistir em jogar coisas pela janela, nunca, jamais, vá ver se alguém está olhando para cima. Eles vão ver você olhando e calcular em que apartamento está. Porque ninguém, a não ser o culpado, vai olhar pela janela numa circunstância dessa."

"Uau, Michael", disse Shameeka, admirada. "Parece até que você já fez isso antes!"

Não era só isso. Ele parecia até o Dirty Harry.

Exatamente como senti quando atirei a berinjela pela janela. Me senti como Dirty Harry.

E tinha sido bom — mas não tão bom quanto ver o Michael me defender daquele jeito.

Michael disse: "Digamos que eu costumava me interessar muito por experiências com a força gravitacional da Terra."

Uau! Tem muita coisa que não sei sobre o irmão da Lilly. Como o fato de que ele já foi um delinquente juvenil!

Será que um gênio da informática/delinquente juvenil pode um dia se interessar por uma princesa sem peitos como eu? Ele realmente salvou a minha vida esta noite (tudo bem: ele me salvou de uma possível prestação de serviço comunitário).

Não é um beijo de língua, nem uma dança lenta, nem mesmo uma admissão de que ele é o autor daquela carta anônima.

Mas já é um começo.

Eu sei o que você está pensando:

Ele deu seis tiros, ou só cinco?

Francamente, naquela confusão toda,

Eu fiquei meio perdido

Mas você precisa se perguntar:

(batida)

Eu me sinto com sorte?

(longa pausa)

E aí?

(longa pausa)

Você se sente, moleque?

COISAS PRA FAZER

1. Diário de inglês
2. Parar de pensar naquela carta estúpida
3. Idem quanto ao Michael Moscovitz
4. Idem quanto à entrevista

5. Idem quanto à mamãe
6. Trocar a areia da caixa do gato
7. Deixar as roupas na lavanderia
8. Mandar o zelador instalar a tranca na porta do banheiro
9. Comprar:
    ↳ Detergente
    ↳ Cotonetes
    ↳ Cavaletes (para a mamãe)
    ↳ Aquela coisa que a gente bota nas unhas pra ficar com gosto ruim
    ↳ Uma coisa legal para o Sr. Gianini, para dar boas-vindas à família
    ↳ Uma coisa legal para o papai, para dizer "não se preocupe, um dia você também vai encontrar seu verdadeiro amor"

Domingo, 26 de outubro, 19h

Eu estava com muito medo de que, ao chegar em casa, minha mãe estivesse decepcionada comigo.

Não *gritar* comigo. Minha mãe não é mesmo do tipo que grita.

Mas ela fica decepcionada comigo, como quando eu faço uma besteira do tipo não ligar pra dizer onde estou se ficar fora até tarde (o que, dada minha vida social, ou falta dela, quase nunca acontece).

Mas dessa vez eu ferrei tudo, ferrei legal. Foi mesmo muito difícil sair do apartamento dos Moscovitz de manhã e vir para casa, sabendo o potencial de decepção que me aguardava lá.

Claro que é sempre difícil sair do apartamento da Lilly. Toda vez que eu vou lá é como tirar férias da minha vida real. Lilly tem uma família ótima, normal. Quer dizer, tão normal quanto dois psicanalistas cujo filho tem sua própria newsletter e cuja filha tem seu próprio programa de TV podem ser. Na casa dos Moscovitz, o maior problema é sempre de quem é a vez de levar o Pavlov, o cachorro deles, um pastor-de-shetland, para passear, ou se vão pedir comida chinesa ou tailandesa para viagem.

Na minha casa, os problemas sempre parecem um pouco mais complicados.

Só que, naturalmente, quando finalmente criei coragem de voltar para casa, minha mãe ficou toda alegre em me ver. Me deu um grande abraço e me disse para não me preocupar com o que tinha acontecido na gravação da entrevista. Disse que o papai havia falado com ela, e que ela entendia perfeitamente. Até tentou me fazer crer que tinha sido culpa dela por não ter contado nada a ele logo.

Sei que isso é mentira — a culpa na verdade é minha, minha e da minha boca grande —, mas foi legal ouvir mesmo assim.

Então tivemos uns momentos agradáveis planejando o casamento dela e do Sr. G para o Dia das Bruxas, porque a ideia de se casar é mesmo assustadora. Como ia ser na prefeitura, isto significava que eu provavelmente teria que faltar à escola, mas por mim, tudo bem!

E já que seria Dia das Bruxas, mamãe resolveu que, em vez do vestido de noiva, iria para o cartório vestida de King Kong. E quer que eu me vista de Empire State Building (Deus sabe que tenho altura para isto). Estava tentando convencer o Sr. G a se vestir de Fay Ray quando o telefone tocou, e ela disse que era Lilly, para mim.

Fiquei surpresa, porque tinha acabado de sair da casa dela, mas imaginei que devia ter esquecido a escova de dentes lá, ou coisa assim.

Só que ela não estava ligando por causa disso. Não era por isso que ela estava ligando — como descobri quando ela perguntou, azeda: "Que negócio é esse de você ser entrevistada pelo *Twenty Four/Seven* esta semana?"

Fiquei chocada. Cheguei a pensar que Lilly tinha sexto sentido, ou coisa assim, e tinha escondido isto de mim todos esses anos. Aí perguntei: "Como soube?"

"Porque tem comerciais anunciando a entrevista a cada cinco minutos na TV, sua lerda."

Liguei a TV. Lilly tinha razão! Em todos os canais havia comerciais dizendo para os telespectadores não perderem "amanhã à noite, a entrevista exclusiva de Beverly Bellerieve com a Realeza americana, a princesa Mia".

Ai, meu pai do céu. Minha vida virou mesmo do avesso.

"Então por que não me contou que vai aparecer na TV?", perguntou Lilly.

"Sei lá", confessei, sentindo de novo vontade de vomitar. "Aconteceu ontem, não tem essa importância toda."

Lilly começou a berrar, tão alto que eu tive que afastar o telefone do ouvido.

"COMO NÃO TEM ESSA IMPORTÂNCIA TODA? Você foi entrevistada pela Beverly Bellerieve e NÃO TEM ESSA IMPORTÂNCIA TODA? Não percebe que BEVERLY BELLERIEVE É UMA DAS MAIS POPULARES E MAIS DURONAS JORNALISTAS DOS ESTADOS UNIDOS, e que ela é MEU ÍDOLO E MODELO PROFISSIONAL?"

Quando ela finalmente se acalmou o suficiente para me deixar falar, tentei explicar que não fazia ideia dos méritos jornalísticos da Beverly, muito menos que era a ídolo e a heroína da Lilly. Ela só me pareceu, falei, uma pessoa muito atenciosa.

A essa altura, Lilly já não me aguentava mais. Disse: "O único motivo pelo qual não estou furiosa com você é que amanhã você vai me contar tudo, nos mínimos detalhes."

"Vou, é?"

Então fiz uma pergunta mais importante:

"Por que você deveria estar furiosa da vida comigo?" Eu realmente queria saber.

"Porque me deu direitos exclusivos para entrevistá-la", explicou Lilly. "Para o *Lilly manda a real*."

Não me lembro de ter dito isso, mas acho que deve ser verdade.

Grandmère, eu podia ver pelos comerciais, estava certa sobre a sombra azul. Coisa que me surpreendeu, porque ela nunca acertou em muita coisa.

AS CINCO COISAS PRINCIPAIS SOBRE AS QUAIS GRANDMÈRE ESTAVA ERRADA

1. Meu pai ia sossegar quando encontrasse a mulher certa
2. O Fat Louie ia tapar minha respiração e me sufocar enquanto eu dormia
3. Se eu não fosse para uma escola de meninas, ia contrair uma doença social
4. Se eu furasse as orelhas, elas se infeccionariam e eu morreria de septicemia
5. Eu ganharia corpo quando chegasse à adolescência

Domingo, 26 de outubro, 20h

Vocês não vão acreditar no que entregaram na nossa casa enquanto eu estava fora. Tinha certeza de que era engano, até ver o seguinte pedido anexo. Vou matar a minha mãe.

Mercado Jefferson

Garantia de frutas e hortaliças fresquinhas
Entregas rápidas grátis

Pedido número 2.803

- [ ] 1 pacote de pipoca de micro-ondas sabor queijo
- [ ] 1 caixa de achocolatado
- [ ] 1 vidro de azeitonas de coquetel
- [ ] 1 pacote de biscoitos recheados Oreo
- [ ] 1 pote de sorvete com cobertura de chocolate
- [ ] 1 pacote de salsichas
- [ ] 1 pacote de pães para cachorro-quente
- [ ] 1 pacote de palitinhos de queijo
- [ ] 1 pacote de gotas de chocolate ao leite
- [ ] 1 pacote de batatas fritas sabor churrasco
- [ ] 1 pacote de amendoins para comer com cerveja
- [ ] 1 pacote de biscoitos tipo cookies
- [ ] 1 pote de pepinos doces em conserva tipo *gherkin*
- [ ] Papel higiênico

☐ 3kg de presunto

Endereço para entrega:
Helen Thermopolis, 1.005 — Thompson Street, número 4A

Será que ela não desconfia como toda essa gordura saturada e todo esse sódio vão prejudicar seu bebê ainda não nascido? Já estou vendo que o Sr. Gianini e eu vamos precisar redobrar nossa vigilância durante os próximos sete meses. Já dei tudo, menos o papel higiênico, a Ronnie, nossa vizinha. Ronnie diz que vai dar todas as porcarias para as crianças fantasiadas que aparecerem pedindo doces no Dia das Bruxas. Ela precisa vigiar o peso desde a operação de readequação sexual. Agora que está tomando todas aquelas injeções de estrogênio, tudo vai direto para os quadris.

Domingo, 26 de outubro, 21h

Mais um e-mail de Jo-C-rox! Esse dizia:

> **JoCrox:** Oi, Mia. Eu acabei de ver o anúncio da sua entrevista. Você está linda.

Desculpe não poder te dizer quem eu sou. Estou surpreso por você ainda não ter adivinhado. Agora pare de ler seus e-mails e vá fazer sua lição de álgebra. Sei como se preocupa com isso. É uma das coisas de que mais gosto em você.
Seu Amigo
Tá legal, isso está me levando à loucura. Quem pode ser? Quem????
Respondi no ato:

> **FtLouie:** QUEM É VOCÊ??
> ??
> ??

Estava torcendo para ele finalmente se tocar, mas ele simplesmente não respondeu. Estava tentando lembrar, quem sabe, que sempre espero até a última hora para fazer o dever de álgebra. Infelizmente, acho que todos sabem disto.

Só que a pessoa que sabe melhor do que todo mundo é o Michael. Quer dizer, não é ele que me ajuda todo dia no meu dever de álgebra na aula de S & T? E ele está sempre me dando bronca por não colocar em linha reta os números que sobram nas contas de adição e tal.

Se AO MENOS o Jo-C-rox fosse o Michael Moscovitz... Se ao menos, se AO MENOS...

Mas tenho certeza de que não é. Isso simplesmente seria bom demais para ser verdade. E coisas realmente excelentes como essa só acontecem com garotas como a Lana Weinberger, nunca com garotas como eu. Conhecendo minha sorte, na certa é aquele cara esquisitão do chili. Ou algum cara que respira pela boca, como o Boris.

POR QUE EU?

Segunda, 27 de outubro, S & T

Infelizmente, acontece que Lilly não é a única que notou os anúncios do programa de hoje à noite.

Todos estão falando disso. Quero dizer, TODOS MESMO.

E todos estão dizendo que vão assistir à entrevista.

Isso significa que amanhã todos já vão estar sabendo da minha mãe e do Sr. Gianini.

Não que eu me importe com isso. Não é vergonha nenhuma. Absolutamente. A gravidez é uma coisa bela e natural.

Mas mesmo assim eu gostaria de me lembrar de mais coisas que rolaram enquanto eu e Beverly conversávamos. Porque tenho certeza de que o casamento iminente da mamãe não foi nosso único assunto. E estou morrendo de medo de ter dito outras coisas que possam ter parecido burrice.

Resolvi avaliar com mais carinho aquela ideia de estudar em casa, só por via das dúvidas...

Tina Hakim Baba me disse que a mãe dela, que foi supermodelo na Inglaterra antes de se casar com o Sr. Hakim Baba, costumava dar entrevistas o tempo todo. A Sra. Hakim Baba diz que, como cortesia, os entrevistadores lhe enviavam uma cópia da gravação antes que ela fosse ao ar, de forma que, se ela tivesse alguma objeção, podia cortar as partes indesejadas antes de a entrevista ser transmitida.

Essa me pareceu uma boa ideia e, por isso, na hora do almoço, liguei para o hotel do meu pai e perguntei se ele podia pedir a Beverly para fazer isso para mim.

Aí ele disse: "Espere um momentinho", e perguntou a ela. Então Beverly estava lá mesmo! No quarto de hotel do meu pai! Numa tarde de segunda!

Aí, para meu espanto total, Beverly Bellerieve em pessoa disse ao telefone: "Qual é o problema, Mia?"

Eu disse que ainda estava meio nervosa com a entrevista e perguntei se podia assistir a uma cópia da gravação antes de ela ir ao ar.

Beverly me disse um monte de baboseiras, que eu era um amor, que isso não seria necessário. Agora que estou pensando nisso, não lembro exatamente do que ela disse, mas simplesmente fiquei com uma sensação avassaladora de que tudo daria certo no final.

Beverly é uma dessas pessoas que fazem você se sentir muito bem consigo mesma. Não sei como ela consegue.

Não admira que o meu pai não quis que ela saísse do quarto de hotel dele desde sábado.

Dois carros, um indo para o norte a 64km por hora, e um para o sul, a 80km por hora, saem da cidade ao mesmo tempo. Em quantas horas eles estarão a 580 km um do outro?

Qual a importância disso? Quer dizer, fala sério!

Segunda, 27 de outubro, Biologia

A Sra. Sing, nossa professora de biologia, diz que é fisiologicamente impossível morrer de chateação ou constrangimento, mas eu sei que não é verdade, porque estou tendo um ataque cardíaco neste minuto.

Isso porque, depois de S & T, quando Michael, Lilly e eu estávamos andando juntos pelo corredor — porque Lilly ia para a aula de psicologia e eu para biologia, e Michael para a aula de cálculo, cujas salas ficam todas na frente uma da outra, no corredor —, Lana Weinberger veio direto para cima da gente, DIRETO PARA O MICHAEL E EU, apontou para nós, dizendo: "Vocês estão namorando?"

Eu juro que podia morrer agora, neste minuto. Vocês deveriam ter visto a cara que Michael fez. Parecia que a cabeça dele ia explodir de tão vermelho que ficou.

E tenho certeza de que eu também não fiquei nem um pouco normal.

Lilly não ajudou, soltando uma tremenda duma gargalhada equina e dizendo: "Até parece!"

Isso fez Lana e as amiguinhas dela explodirem em gargalhadas também.

Não vejo graça. Essas meninas obviamente nunca viram Michael Moscovitz sem camisa. Mas, acreditem em mim, eu vi.

Acho que, porque a coisa toda foi tão ridícula, Michael simplesmente ignorou o fato. Mas vou te falar uma coisa, está ficando cada vez mais difícil eu não perguntar se ele é o Jo-C-rox. Vivo procurando um jeito de meter *Josie e as gatinhas* na nossa conversa. Sei que não deveria, mas não dá pra segurar!

Não sei quanto tempo mais vou aguentar ser a única garota do primeiro ano colegial que não tem namorado!

* DEVER DE CASA

Álgebra: problemas da página 135

Inglês: "Dê o máximo que puder de si, pois é tudo que há em você" — Ralph Waldo Emerson. Escrever suas impressões sobre esta frase no diário

<u>Civilizações Mundiais</u>: perguntas do fim do capítulo 9

<u>S&T</u>: Nenhum

<u>Francês</u>: planeje um roteiro para uma viagem imaginária a Paris

<u>Biologia</u>: Kenny está fazendo para mim.

Lembrar mamãe de marcar uma consulta com um geneticista. Seria ela ou o Sr. G portador da mutação genética de Tay-Sachs? É comum em judeus vindos do Leste Europeu e em franco-canadenses. Será que há franco-canadenses na nossa família? DESCUBRA!

Segunda, 27 de outubro, depois da aula

Nunca pensei que diria isto, mas estou preocupada com Grandmère. Estou falando sério. Acho que agora ela perdeu a cabeça de vez.

Entrei na suíte do hotel para minha aula de princesa de hoje — porque devo ser oficialmente apresentada ao povo genoviano em uma data ainda não confirmada de dezembro, e Grandmère quer ter certeza de que não vou insultar nenhum dignitário, nem nada, durante a cerimônia — e adivinhem o que Grandmère estava fazendo?

Consultando o organizador de eventos genoviano sobre o casamento da mamãe.

Estou falando sério. Grandmère mandou o homem vir de avião lá de Genovia! Estavam os dois sentados à mesa de jantar com uma folha de papel imensa estendida diante deles, na qual havia um monte de círculos desenhados, e à qual Grandmère estava colando post-its. Ela ergueu a vista quando eu entrei e disse em francês: "Ah, Amelia. Ótimo. Entre e sente-se. Precisamos conversar muito, você, Vigo e eu."

Acho que meus olhos deveriam estar esbugalhados. Não acreditei no que estava vendo. Estava torcendo para aquilo ser… sabe, não o que eu estivesse vendo.

"Grandmère…", falei. "O que está fazendo?"

"Não é óbvio?" Grandmère olhou para mim com aquelas sobrancelhas desenhadas mais altas do que nunca. "Planejando um casamento, é claro."

Engoli em seco. Aquilo era ruim. RUIM DEMAIS.

"Hummm", resmunguei. "Casamento de quem, hein, Grandmère?"

Ela me olhou de um jeito sarcástico. "Adivinha", disse.

Engoli outra vez.

"Hum, Grandmère?", comecei. "Posso falar com a senhora um instante? Em particular?"

Mas Grandmère só agitou a mão e disse: "O que tiver que me dizer, pode dizer na frente do Vigo. Ele estava morrendo de vontade de conhecê-la. Vigo, Sua Alteza Real, a princesa Amelia Mignonette Grimaldi Renaldo."

Ela omitiu o Thermopolis. Como sempre.

Vigo pulou da cadeira e veio correndo até mim. Era bem mais baixo do que eu, mais ou menos da idade da minha mãe, e trajava um terno cinza. Ele parecia gostar de roxo, como a minha avó, pois usava uma camisa de cor lavanda de um tecido muito brilhante, com uma gravata igualmente brilhante, roxo-escuro.

"Vossa Alteza", disse, efusivo. "O prazer é todo meu. É maravilhoso finalmente conhecê-la." Ele disse a Grandmère: "A senhora tem razão, madame, ela tem o nariz dos Renaldo."

"Eu lhe disse, não disse?" A voz de Grandmère soou bem presunçosa. "Incomum."

"Positivamente." Vigo fez uma moldura com os dedos indicadores e polegares e me espiou através dela.

"Rosa", disse ele, decididamente. "Rosa, sem dúvida nenhuma. Eu adoro damas de honra vestidas de rosa. Mas as outras damas de honra vão estar de marfim, creio. Bem Diana. Também, Diana era sempre tão correta."

"É mesmo muito bom conhecê-lo", falei. "Mas o negócio é que acho que minha mãe e o Sr. Gianini estavam querendo uma cerimônia íntima na…"

"Prefeitura." Grandmère revirou os olhos. É bem assustador quando ela faz isto, porque, há muito tempo, ela fez maquiagem definitiva nas pálpebras para não perder seu precioso tempo se maquiando quando podia, sabem, estar aterrorizando alguém. "Sim, já sei de tudo isso. Ridículo, é claro. Vão se casar no Salão Branco e Dourado do Plaza, com recepção logo depois no Grande Salão de Baile, como convém à mãe da futura regente de Genovia."

"Hmm", falei. "Eu acho que eles não estão a fim disso."

Grandmère pareceu incrédula. "Mas por que não? Seu pai vai pagar, é claro. E fui muito generosa. Cada um deles pode trazer vinte e cinco convidados."

Olhei para a folha de papel à sua frente. Havia mais de cinquenta post-its nela.

Grandmère deve ter notado para onde eu estava olhando, porque disse: "Bom, eu, naturalmente, preciso de pelo menos trezentos."

Olhei espantada para ela.

"Trezentos o quê?"

"Convidados, é claro."

Percebi que não poderia enfrentá-la sozinha. Precisaria telefonar para pedir reforços se quisesse fazê-la desistir.

"Talvez", sugeri, "fosse melhor eu ligar para o papai e contar isso, para ver o que ele acha...".

"Boa sorte", disse Grandmère, bufando. "Ele saiu com a tal Bellerieve e ainda não tive notícias dele. Se não tomar cuidado, vai acabar na mesma situação que seu professor de álgebra."

Mas não havia possibilidade de o papai engravidar alguém, já que o motivo pelo qual eu me tornara herdeira, no lugar de um príncipe ou princesa legítimos, era ele ter ficado estéril devido às doses maciças de quimioterapia que curaram seu câncer no testículo. Só que Grandmère parece não ter sido capaz de digerir isto ainda, considerando a herdeira decepcionante que eu revelei ser.

Foi nesse ponto que um ganido estranho saiu de baixo da cadeira de Grandmère. Ambas olhamos para baixo. Rommel, o poodle toy de Grandmère, estava todo encolhido, com medo de mim.

Eu sei que sou horrorosa e tal, mas, francamente, é ridículo o medo que esse cachorro sente de mim. Eu adoro animais!

Mas até São Francisco de Assis teria dificuldade para gostar do Rommel. Antes de mais nada, ele recentemente desenvolveu um distúrbio nervoso (deve ser por conviver com minha avó), que fez todo o pelo dele cair, de forma que Grandmère usa suéteres e casaquinhos para ele não pegar um resfriado.

Hoje Rommel estava de bolero de pele de vison. Não estou brincando. Era tingido de lavanda para combinar com a pele de vison que estava pendurada nos ombros de Grandmère. Já é bem horrível ver uma pessoa usando peles, mas é mil vezes pior ver um animal usando a pele de outro.

"Rommel!", gritou Grandmère para o cão. "Pare de rosnar!"

Mas Rommel não estava rosnando. Estava ganindo. Ganindo de medo. Por me ver. A MIM!

Quantas vezes por dia eu devo ser humilhada?

"Ah, cachorro mais estúpido." Grandmère esticou o braço e ergueu Rommel, que ficou apavorado. Posso apostar que os camafeus de diamantes dela estavam pinicando a coluna do coitado (ele não tem gordura nenhuma ali, e, como não tem pelo, é especialmente sensível a objetos pontudos), mas, embora ele se contorcesse para se libertar, ela não o soltou.

"Agora, Amelia", disse Grandmère. "Preciso que sua mãe e esse Fulano que vai se casar com ela escrevam os nomes dos convidados e seus endereços hoje à noite para que eu possa enviar os convites amanhã. Sei que sua mãe vai querer convidar alguns daqueles amigos mais... como direi, de espírito livre dela, Mia, mas acho que seria melhor eles ficarem do lado de fora com os repórteres e turistas e acenarem enquanto ela entra e sai da limusine. Assim ainda terão a sensação de estarem participando, mas não incomodarão ninguém com seus penteados sem graça e vestes mal-ajambradas."

"Grandmère", falei. "Eu acho mesmo que..."

"O que acha desse vestido?" Grandmère me mostrou uma foto de um vestido de noiva Vera Wang com uma saia-balão que minha mãe não usaria nem morta.

Vigo observou: "Não, não, Alteza. Eu acho que é melhor esse." Aí mostrou uma foto de um vestido Armani justinho que minha mãe também não usaria nem morta.

"Ai, Grandmère", falei. "É mesmo muita gentileza sua, mas mamãe decididamente não quer um casamento grandioso. Juro. Definitivamente."

"*Pfuit*", disse Grandmère. *Pfuit* é "não" em francês. "Ela vai querer quando vir o *hors d'oeuvres* delicioso que vão servir na recepção. Conte a ela, Vigo."

Vigo disse, arrebatado: "Cabecinhas de cogumelos recheadas com trufas, pontinhas de aspargos envoltas por fatias de salmão finíssimas, vagens recheadas com queijo de leite de cabra, endívias com migalhas de queijo azul dentro de cada folhinha delicadamente enrolada..."

Interrompi: "Grandmère... Não, ela não vai gostar não. Acredite em mim."

Grandmère respondeu: "Bobagem. Confie em mim, Mia, sua mãe vai adorar isso. Vigo e eu vamos fazer do dia do casamento dela um evento que ela jamais esquecerá."

Eu não tinha a menor dúvida.

Tentei de novo: "Grandmère, mamãe e o Sr. G estavam mesmo planejando uma coisa bem informal e simples…"

Mas aí Grandmère me lançou um daqueles olhares dela — são mesmo assustadores — e disse, naquela sua voz mortalmente severa: "Durante três anos, enquanto seu avô estava fora, se divertindo pra valer na luta contra os alemães, eu mantive os nazistas — sem falar em Mussolini — à distância. Eles disparavam morteiros às portas do palácio. Tentavam atravessar nosso fosso com seus tanques. E eu perseverei, amparada apenas na minha força de vontade. Está me dizendo, Amelia, que não posso convencer uma mulher grávida a fazer o que acho melhor?"

Bom, não estou dizendo que minha mãe tenha algo em comum com Mussolini ou os nazistas, mas, em se tratando de oposição à minha avó, apostaria na minha mãe contra um ditador fascista fácil, fácil.

Eu vi que essa linha de raciocínio não ia ser eficaz nesse caso em particular. Então aceitei, ouvindo Vigo tagarelar sobre o cardápio escolhido, a música que havia selecionado para a cerimônia e, depois, para a recepção — até admirando o álbum do fotógrafo que ele havia escolhido.

Foi só quando eles me mostraram um dos convites que percebi uma coisa.

"O casamento é na próxima sexta?"

"É", disse Grandmère.

"Mas é Dia das Bruxas!" O mesmo dia do casamento da mamãe no civil. E também, por coincidência, a mesma noite da festa da Shameeka.

Grandmère fez cara de entediada. "E daí?"

"Bom, é que… sabe, é Dia das Bruxas."

Vigo olhou para minha avó. "Que negócio é esse de Dia das Bruxas?", indagou. Aí me lembrei que eles não comemoram muito o Dia das Bruxas em Genovia.

"Um feriado pagão", respondeu Grandmère, dando de ombros. "As crianças se fantasiam e pedem doces a estranhos. Uma tradição americana abominável."

"É em uma semana", observei.

Grandmère ergueu as sobrancelhas desenhadas.

"E eu com isso?"

"Bom, é que… Sabe, as pessoas… como eu… talvez já tenham outros planos."

"Não quero ser indelicado, alteza", disse Vigo, "mas queremos que a cerimônia aconteça antes que sua mãe... bem, antes que a barriga cresça".

Ótimo. Então o organizador de eventos real genoviano sabe que minha mãe está grávida. Por que Grandmère simplesmente não aluga o dirigível da Goodyear e anuncia isso logo para Deus e o mundo?

Aí Grandmère começou a me dizer que, já que estávamos falando de casamentos e tal, talvez fosse uma boa oportunidade para eu começar a aprender o que se esperava de quaisquer futuros consortes que eu viesse a ter.

Peraí. "Futuros *o quê*?"

"Consortes", disse Vigo, empolgado. "O esposo da monarca em exercício. O príncipe Philip é o *consorte* da rainha Elizabeth. Quem escolher para se casar com a senhorita, alteza, será seu consorte."

Pisquei para ele.

"Pensei que você fosse o organizador de eventos real genoviano", falei.

"Vigo não só planeja os eventos, como é também especialista em protocolo real", explicou Grandmère.

"Protocolo? Pensei que isso fosse coisa de militares..."

Grandmère revirou os olhos. "Protocolo é a forma de cerimônia e etiqueta observadas por dignitários estrangeiros nas funções de Estado. No seu caso, Vigo pode explicar as expectativas em relação ao seu futuro consorte. Só para não acontecer nenhuma surpresa desagradável mais tarde."

Aí Grandmère me fez escrever numa folha de papel exatamente o que Vigo dizia, de forma que, segundo ela me informou, dentro de quatro anos, quando eu estiver na faculdade e resolver namorar com alguém completamente inadequado, eu saiba por que ela está tão zangada.

Faculdade? Grandmère obviamente não sabe que estou sendo ativamente assediada por candidatos a consorte neste exato momento.

Tudo bem, eu nem sei o nome verdadeiro de Jo-C-rox, mas peraí, pelo menos já é alguma coisa.

Aí descobri o que, exatamente, os consortes precisam fazer. E agora estou duvidando que vá dar um beijo de língua em alguém tão cedo. Aliás, estou entendendo perfeitamente por que minha mãe não quis se casar com meu pai — se é que ele a pediu em casamento.

Colei o papel aqui no diário:

DEVERES DE QUALQUER CONSORTE REAL DA PRINCESA DE GENOVIA

O consorte pedirá a permissão da princesa antes de sair da sala

O consorte esperará a princesa terminar de falar antes de ele mesmo falar

O consorte esperará a princesa erguer o garfo antes de erguer o seu às refeições

O consorte não se sentará antes de a princesa ter se sentado

O consorte se levantará quando a princesa se levantar

O consorte não participará de nenhum esporte perigoso, como corridas automobilísticas ou de barcos, alpinismo, sky-diving etc. até ter concebido um herdeiro com a princesa

O consorte renunciará ao seu direito, no caso de anulação ou divórcio, à guarda de quaisquer filhos nascidos durante o casamento

O consorte renunciará à cidadania de seu país de origem e se tornará cidadão genoviano

Fala sério. Com que tipo de otário eu vou acabar casando?

Aliás, vou ter sorte se alguém quiser se casar comigo assim. Qual é o palerma que vai querer se casar com alguém que ele não pode interromper? Nem deixar falando sozinha durante uma discussão? Ou que o obrigue a renunciar à sua nacionalidade?

Tremo ao pensar no babaca total e absoluto com quem serei obrigada a me casar um dia. Já estou de luto pelo cara legal, que gosta de corridas de automóveis, alpinismo, *sky-diving*, que eu poderia ter tido se não fosse essa vida medíocre de princesa que sou obrigada a levar.

CINCO PIORES COISAS DE SER PRINCESA

1. Não poder me casar com Michael Moscovitz (ele jamais renunciaria à cidadania americana para se tornar cidadão genoviano)

2. Não poder ir a parte alguma sem guarda-costas (gosto do Lars, mas convenhamos: até o papa às vezes consegue rezar sozinho)
3. Precisar manter uma neutralidade sobre tópicos importantes, como a indústria de carne e o fumo
4. As aulas de princesa com Grandmère
5. Ainda ser obrigada a aprender álgebra, mesmo que não haja motivo para eu usar esses conhecimentos na minha futura carreira como governante de um pequeno principado europeu

Mais tarde na segunda, 27 de outubro

Assim que chegasse em casa, diria à mamãe que ela e o Sr. G precisariam fugir para casar, e imediatamente. Grandmère tinha trazido um profissional! Eu sabia que ia ser um saco, por causa da exposição da mamãe estreando em breve e tal, mas ou isso ou um casamento real como essa cidade não vê desde...

Bem, como nunca viu.

Mas, quando cheguei em casa, mamãe estava com a cabeça enfiada no vaso sanitário.

Parece que o enjoo matinal dela havia começado, e o pior é que não é apenas matinal. Ela vomita praticamente o tempo todo, não só de manhã.

Estava tão enjoada que não tive coragem de fazê-la se sentir pior contando o que Grandmère estava tramando.

"Não se esqueça de gravar", avisou mamãe, gritando do banheiro. Não sabia do que ela estava falando, mas o Sr. G sim.

Ela queria gravar minha entrevista. Minha entrevista com Beverly Bellerieve!

Eu tinha me esquecido completamente daquilo diante do que tinha acontecido com Grandmère. Mas minha mãe não.

Como ela estava indisponível, o Sr. G e eu nos acomodamos para ver o programa juntos — bem, de vez em quando eu corria ao banheiro para oferecer antiácido e uns biscoitinhos salgados para minha mãe.

Já estava pensando em contar ao Sr. G sobre Grandmère e o casamento no primeiro intervalo comercial — mas acabei esquecendo devido ao horror indiscutível que se seguiu.

Beverly Bellerieve — sem dúvida, tentando impressionar meu pai — realmente mandou uma fita e uma transcrição da entrevista. Vou incluir aqui partes da transcrição, para que, se algum dia pedirem para me entrevistar de novo, eu possa lê-la e saber exatamente por que nunca mais posso aparecer outra vez na TV.

TWENTY FOUR/SEVEN de segunda, 27 de outubro

A Princesa Americana

Beverly Bellerieve entrevista M. Renaldo

Ext. Thompson Street, sul de Houston (SoHo). World Trade ao fundo.

Beverly Bellerieve (BB):
   Imaginem, se puderem, uma adolescente comum. Bem, tão comum quanto uma adolescente que mora no Greenwich Village de Nova York, com a mãe solteira, a aclamada pintora Helen Thermopolis, pode ser.
   A vida de Mia era repleta das coisas normais que enchem a vida da maioria dos adolescentes: deveres de casa, amigos e um F ocasional em álgebra... até que um dia tudo mudou.

BB: Mia... Posso chamar você de Mia? Ou prefere que a chame de Vossa Alteza? Ou de Amelia?

Mia Renaldo (MR): Hum, não, pode me chamar de Mia.

BB: Mia. Conte-nos sobre aquele dia. O dia em que a vida como você a conhecia mudou completamente.

MR: Bom, hum, o que aconteceu foi que meu pai e eu estávamos no Plaza, sabe, e eu estava tomando meu chá, e fiquei com soluço, e todos começaram a olhar para mim, e o meu pai estava, sabe, tentando me dizer que eu era a herdeira do trono de Genovia, o país onde ele mora, e aí eu falei: olha, eu preciso ir ao banheiro, e fui, e esperei lá até meus soluços pararem e depois voltei à minha cadeira, e ele me contou que eu era uma princesa. Aí eu perdi a cabeça e corri para o zoológico, sentei e fiquei olhando os pinguins durante um bom tempo, sem acreditar naquilo, porque no sétimo ano nos fazem escrever sobre todos os países da Europa, mas eu não tinha sacado que meu pai era príncipe de um deles. E eu só conseguia pensar que ia morrer se o pessoal da escola descobrisse aquilo, porque não queria ser excluída como a minha amiga Tina, que precisa andar pela escola com um guarda-costas. Mas foi exatamente isso que aconteceu. Fui excluída, totalmente excluída.

[Esta foi a parte em que ela tentou salvar a situação:]

BB: Ah, Mia, não dá pra acreditar que seja verdade. Tenho certeza de que você deve ser muito popular.

MR: Não sou não. Não sou nem um pouquinho popular. Só os atletas são populares lá na escola. E as líderes de torcida. Mas eu não sou popular. Quero dizer, não ando com gente que é popular. Eu nunca sou convidada para nenhuma festa, nem nada. Quero dizer, as festas legais, onde tem cerveja, amassos, essas coisas. Quero dizer, não sou atleta, nem líder de torcida e nem uma das mais inteligentes...

BB: Ah, mas como você não é uma das mais inteligentes? Sei que uma das suas aulas se chama Superdotados & Talentosos.

MR: Sim, mas veja bem, S & T é só uma sala de estudos. Não fazemos literalmente nada nessa aula. Só ficamos matando o tempo, porque a professora nunca fica lá, vive na sala dos professores, do outro lado do corredor, e por isso nem tem ideia do que a gente faz. Que é ficar matando o tempo.

[Obviamente, ainda pensando que podia salvar a entrevista:]

BB: Mas não acho que tenha muito tempo para matar, tem, Mia? Por exemplo, estamos aqui na suíte da cobertura que pertence à sua avó, a famosa princesa viúva de Genovia, que, segundo me disseram, está orientando você para que conheça melhor a etiqueta real.

MR: Ah, sim. Ela me dá aulas de princesa depois das aulas. Quer dizer, depois das minhas aulas de reforço de álgebra, que já são depois das aulas.

BB: Mia, não recebeu alguma notícia empolgante ultimamente?

MR: Ah. Sim. É, estou mesmo muito animada. Sempre quis ser a irmã mais velha. Mas eles não querem chamar muita atenção, sabe. Vai ser só uma cerimônia discreta no prédio da prefeitura...

E tem mais. Aliás, muito mais. É torturante demais para que eu repita. Basicamente, eu fiquei ali tagarelando feito uma idiota, falando besteira durante mais dez minutos, enquanto Beverly Bellerieve tentava desesperadamente me fazer voltar para alguma coisa mais parecida com a resposta à pergunta que ela realmente havia me feito.

Só que de nada adiantaram suas impressionantes habilidades jornalísticas. Eu já estava viajando. Uma combinação de nervosismo e, desconfio, xarope de codeína me fez perder completamente o senso do ridículo.

Mas a Srta. Bellerieve continuou tentando. Isso eu preciso admitir. A entrevista terminou assim:

Ext. Thompson Street, SoHo.

MR: Ela não é atleta, não é líder de torcida. O que Amelia Mignonette Grimaldi Thermopolis Renaldo é, senhoras e senhores, vai além dos estereótipos sociais que existem nas instituições educacionais modernas. Ela é uma princesa. Uma princesa americana.

Mesmo assim, enfrenta os mesmos problemas e pressões que os adolescentes de todo o país enfrentam todos os dias... com uma pequena diferença: um dia, quando for adulta, vai governar um país.

E, na primavera, vai ser a irmã mais velha. Sim, o *TwentyFour/Seven* descobriu que Helen Thermopolis e o professor de álgebra da Mia, Frank Gianini — ambos solteiros —, estão esperando seu primeiro filho para maio. Após os comerciais, uma entrevista exclusiva com o pai de Mia, o príncipe de Genovia... a seguir, no *TwentyFour/Seven*.

Resumo da história: parece que preciso me mudar para Genovia.

Minha mãe, que finalmente saiu do banheiro, já no fim da entrevista, e o Sr. G tentaram me convencer de que não tinha sido tão ruim assim. Mas foi. Ah, pode crer que foi.

E eu soube que estava ferrada no minuto em que o telefone começou a tocar, logo depois desse bloco ter ido ao ar.

"Ai, meu Deus", disse minha mãe, lembrando de repente de alguma coisa. "Não atenda! É a minha mãe! Frank, eu esqueci de contar à mamãe sobre a gente!"

Na verdade, eu estava meio que torcendo que fosse a vovó Thermopolis. Vovó Thermopolis era infinitamente preferível, na minha opinião, a quem era na verdade: Lilly.

E, cara, ela estava fora de si.

"Que história é essa de nos tachar de um bando de excluídos?", berrou ela ao telefone.

Eu respondi: "Lilly, do que está falando? Eu não disse que você era uma aberração."

"Praticamente informou ao país inteiro que a população da Escola Albert Einstein se divide em várias panelinhas de acordo com suas características socioeconômicas, e que você e seus amigos são muito bregas para participar de qualquer delas!"

"Bom", falei, "somos mesmo".

"Fale por si! E o que disse sobre S & T, então?"

"Como assim o que eu disse sobre S & T então?"

"Acabou de dizer ao país inteiro que ficamos ali sentados matando o tempo porque a Sra. Hill vive na sala dos professores! Você não tem noção das coisas? Provavelmente arrumou problema pra ela."

De repente senti um aperto na barriga, como se alguém estivesse espremendo meus intestinos com muita, muita força.

"Ah, não", murmurei. "Acha mesmo isso?"

Lilly soltou um grito de frustração, depois rosnou: "Meus pais mandaram desejar boa sorte à sua mãe."

E depois desligou na minha cara.

Eu me senti pior do que nunca. Coitada da Sra. Hill!

Depois o telefone tocou de novo. Era Shameeka.

"Mia", disse ela. "Lembra que te convidei para minha festa do Dia das Bruxas na sexta?"

"Sim", respondi.

"Bom, agora meu pai não quer mais que eu dê a festa."

"*O quê?* Mas por quê?

"Porque graças a você ele está com a impressão de que a Escola Albert Einstein está cheia de tarados e alcoólatras."

"Mas eu não disse isso!" Não com essas palavras, pelo menos.

"Bom, foi isso que ele entendeu. Agora está na sala ao lado, procurando na internet uma escola para meninas em New Hampshire para a qual possa me transferir no semestre que vem. E está dizendo que não vai me deixar sair com um garoto outra vez até eu ter trinta anos."

"Ai, Shameeka", murmurei. "Foi mal, me perdoa."

Shameeka não respondeu nada. Aliás, precisou desligar, porque estava soluçando demais para poder falar.

O telefone tocou outra vez. Eu não queria atender, mas não tive escolha. O Sr. Gianini estava segurando o cabelo da mamãe enquanto ela vomitava de novo.

"Alô?"

Era Tina Hakim Baba.

"Caramba!", gritou ela.

"Me desculpe, Tina", falei, achando melhor começar a pedir desculpas a todos que ligavam, assim logo de cara.

"Como é? Está se desculpando por quê?" Tina estava praticamente sem fôlego. "Você disse meu nome na TV!"

"Hum... Eu sei." Eu também tinha chamado a Tina de excluída.

"Não posso acreditar!", berrou Tina. "Foi tão legal!"

"Você não está... Não está brava comigo?"

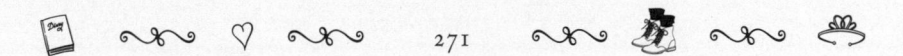

"E por que estaria? É a coisa mais fantástica que já me aconteceu. Nunca disseram meu nome na TV antes!"

Eu senti muito carinho e gratidão pela Tina Hakim Baba.

"Hum", respondi, perguntando cautelosamente: "E seus pais, assistiram à entrevista?"

"Assistiram! Também ficaram muito animados. Minha mãe pediu para te dizer que a sombra azul foi uma ideia genial. Não muita, só o suficiente para a luz realçar. Ela ficou muito impressionada. E também pediu para dizer à sua mãe que ela tem um creme excelente para estrias que trouxe da Suécia. Sabe, para quando a barriga dela começar a aparecer. Vou levar o creme para a escola amanhã, para você dar à sua mãe."

"E o seu pai?", perguntei cautelosamente. "Não está planejando te mandar para uma escola de meninas ou coisa assim?"

"Do que está falando? Ele adorou quando você mencionou meu guarda-costas. Agora acha que quem pensar em me raptar vai definitivamente pensar duas vezes. Opa, tem outra ligação na linha. Provavelmente é minha avó de Dubai. Eles têm TV a cabo. Tenho certeza de que ela ouviu você tocar no assunto. Tchau!"

Tina desligou. Legal. Até o pessoal de Dubai viu minha entrevista. Nem mesmo sei onde fica isso.

O telefone tocou mais uma vez. Era Grandmère.

"Ora, ora", disse ela. "Foi um desastre total, não foi?"

Eu respondi: "Tem algum jeito de eu pedir uma retratação? Porque não quis dizer que minha professora de S & T não faz nada e que minha escola está cheia de tarados. Não é isso, a senhora sabe."

"Não consigo imaginar o que aquela mulher estava pensando", disse Grandmère. Fiquei feliz por ela estar do meu lado pelo menos uma vez. Depois ela prosseguiu, e vi que o que ela estava dizendo não tinha nada a ver comigo. "Ela não mostrou uma única foto do palácio! E no outono é quando ele fica mais bonito. As palmeiras ficam magníficas. Vou te falar uma coisa: esse programa dela é uma piada. Uma piada. Não entende as oportunidades promocionais que foram desperdiçadas ali? Absolutamente desperdiçadas?"

"Grandmère, a senhora precisa fazer alguma coisa", reclamei. "Não sei se vou ser capaz de mostrar a cara lá na escola amanhã."

"O turismo anda em baixa lá em Genovia", Grandmère me lembrou; "desde que proibimos os navios de cruzeiro de ancorarem na baía. Mas excursionistas não nos interessam. Aquelas câmeras descartáveis, bermudas horrorosas. Se aquela mulher ao menos tivesse mostrado umas cenas dos cassinos... E as praias! Ora, nós temos as únicas areias naturalmente brancas da Riviera. Sabia disso, Amelia? O pessoal de Mônaco precisa importar a areia das praias de lá."

"Talvez eu pudesse pedir transferência para outra escola. Acha que tem alguma escola em Manhattan que aceitaria alguém com um 0 em álgebra?"

"Espere...", a voz de Grandmère ficou abafada. "Ah, não, olha só. O programa recomeçou e estão mostrando umas fotos simplesmente lindas do palácio. Ah, e da praia também. Simplesmente lindas. Aquela mulher pode ter algumas qualidades que a salvem, afinal. Acho que vou ter que deixar seu pai namorar com ela."

E desligou. Minha própria avó desligou na minha cara. Que tipo de rejeitada eu sou, afinal?

Fui para o banheiro da minha mãe. Ela estava sentada no chão, com uma cara de infeliz. O Sr. Giannini estava sentado na beirada da banheira. Parecia confuso.

Bom, quem poderia culpá-lo? Dois meses atrás, ele era apenas um professor de álgebra. Agora é pai do futuro irmão da princesa de Genovia.

"Preciso encontrar outra escola para mim", informei. "Acha que poderia me ajudar nisso, Sr. G? Quero dizer, tem algum contato na associação dos professores, uma coisa assim?"

Mamãe interveio:

"Ah, Mia, não foi tão ruim assim."

"Foi sim", discordei. "Você nem viu a maior parte da entrevista. Estava aqui vomitando."

"Sim", disse mamãe. "Mas ouvi. E o que disse não é verdade? As pessoas que se dão bem nos esportes são tratadas como deuses na nossa sociedade, enquanto pessoas brilhantes do ponto de vista intelectual costumam ser ignoradas ou, ainda pior, excluídas ou marginalizadas. Francamente, acho que os cientistas que trabalham na cura do câncer deviam receber os salários que os atletas profissionais recebem. Os atletas profissionais não salvam vidas, meu Deus. Eles divertem as pessoas. E os atores? Não venha me dizer que atuar é uma arte. Ensinar é que é uma arte. Frank devia estar ganhando o que o Tom Cruise ganha pela competência que demonstrou ensinando você a multiplicar frações."

Percebi que minha mãe provavelmente estava delirando por causa da náusea. Falei: "Bom, acho que agora é melhor ir para a cama."

Em vez de responder, mamãe se inclinou sobre a privada e vomitou outra vez. Vi que, apesar dos meus avisos sobre a periculosidade potencial dos crustáceos para um feto em desenvolvimento, ela tinha pedido camarões com molho de alho do Number One Noodle Son.

Fui para o quarto e entrei na internet. Talvez, pensei, pudesse me transferir para a mesma escola para a qual o pai de Shameeka ia mandá-la. Pelo menos eu já teria uma amiga — se Shameeka voltasse a falar comigo depois do que eu tinha feito, o que eu duvidava. Ninguém na Albert Einstein, com exceção da Tina Hakim Baba, que obviamente era uma alienada, voltaria a falar comigo.

Então uma mensagem surgiu na tela do meu computador. Alguém queria falar comigo.

Mas quem? Jo-C-rox??? Seria Jo-C-rox???

Não! Ainda melhor! Era Michael. Michael, pelo menos, ainda queria falar comigo.

Imprimi o histórico da nossa conversa e colei aqui:

    CracKing: Ei, acabei de ver sua entrevista na tv. Você arrebentou.

    FtLouie: Do que está falando? Eu paguei o maior mico. E a Sra. Hill? Provavelmente vão botá-la no olho da rua agora.

    CracKing: Bom, pelo menos o que você disse era verdade.

    FtLouie: Só que todas as pessoas que eu citei estão bravas comigo agora! Lilly está uma fera!

    CracKing: Ela só está com ciúme porque tinha mais gente assistindo à sua entrevista de um bloco de quinze minutos do que todas as pessoas que assistiram aos programas dela reunidos.

    FtLouie: Não, não foi por isso. Ela acha que traí nossa geração, ou coisa assim, revelando as panelinhas que existem na Albert Einstein.

CracKing: Bom, isso e o fato de que você alegou não pertencer a nenhuma delas.

FtLouie: Bom, não pertenço mesmo.

CracKing: Pertence sim. Lilly gosta de pensar que você pertence à panelinha exclusiva e altamente seletiva de Lilly Moscovitz. Só que você deixou de mencionar isso, e ela ficou furiosa.

FtLouie: Jura? Ela disse mesmo isso?

CracKing: Dizer não disse, mas sou irmão dela. Sei como ela pensa.

FtLouie: Talvez. Sei lá, Michael.

CracKing: Olha, você está legal? Estava horrível lá na escola hoje... embora agora eu entenda o motivo. Esse negócio da sua mãe e o Sr. Gianini é bem legal. Você deve estar na maior expectativa.

FtLouie: Acho que estou, sim. Mas, sabe, é meio constrangedor. Pelo menos dessa vez minha mãe vai se casar, como uma pessoa normal.

CracKing: Agora não vai precisar mais da minha ajuda para fazer seus deveres de álgebra. Vai ter professor particular em casa.

Eu não tinha parado para pensar naquilo. Que desgraça! Não quero professor particular. Quero que Michael continue me ajudando durante a aula de S & T! O Sr. Gianini é gente fina e tudo, mas certamente não é a mesma coisa que ter Michael do meu lado.

Escrevi rapidinho:

FtLouie: Bom, sei lá. Sabe, ele vai ficar bem ocupado durante um tempo, se mudando, e depois o bebê vai chegar e tal.

CracKing: Meu Deus. Um bebê. Não consigo acreditar. Não admira que você estivesse tão esquisita hoje.

FtLouie: É, estava sim. Esquisita, quero dizer.

CracKing: E aquele negócio da Lana hoje à tarde? Não deve ter ajudado muito. Mas foi bem engraçado ela achar que estávamos namorando, não?

Na verdade, não vi graça nenhuma naquilo. Mas o que eu ia dizer? Puxa, Michael, por que não experimentamos?
Até parece.
Em vez disso, eu disse:

FtLouie: É, ela é mesmo louca. Acho que nunca ocorreu a ela que duas pessoas de sexos opostos possam ser só amigos, sem envolvimento romântico.

Embora tenha de admitir que o que sinto pelo Michael — especialmente quando estou na casa da Lilly e ele sai do quarto sem camisa — é bem romântico.

CracKing: É. Escuta, o que vai fazer na sexta à noite?

Ele estava me convidando para sair? Será possível que Michael Moscovitz finalmente estivesse me convidando para SAIR?
Não. Era impossível. Não depois daquele tremendo mico em rede nacional que eu paguei.
Por precaução, resolvi tentar uma resposta que não fosse comprometedora, no caso de ele só estar perguntando aquilo porque ia me pedir para levar o Pavlov para passear porque os Moscovitz iam viajar ou coisa assim.

FtLouie: Não sei ainda. Por quê?

CracKing: Porque vai ser Dia das Bruxas, lembra? Pensei em chamar uma galera para irmos ver *The Rocky Horror Picture Show* lá no Village...

Ah, bom. Não era um encontro a dois.
Mas íamos nos sentar lado a lado em uma sala no escurinho do cinema! Isso já era alguma coisa. E o *Rocky Horror* é meio assustador mesmo; então, se eu me pendurasse nele, fingindo que estava com medo, talvez ele não estranhasse.

> **FtLouie:** Claro, isso vai ser...

Então me lembrei. Sexta era Dia das Bruxas, certo. Mas também era a noite do casamento real da minha mãe! Isto é, se a Grandmère conseguisse levar isso adiante.

> **FtLouie:** Posso confirmar isso depois? Pode ser que eu tenha um compromisso familiar nessa noite.
>
> **CracKing:** Claro. É só me dizer. Então até amanhã.
>
> **FtLouie:** É. Mal posso esperar.
>
> **CracKing:** Não esquenta. Você disse a verdade. Não pode se meter em encrenca por dizer a verdade.

Ah, tá! Isso é o que ele pensa. Não é à toa que eu minto o tempo todo, vocês sabem.

CINCO MELHORES COISAS DE ESTAR APAIXONADA PELO IRMÃO DA SUA MELHOR AMIGA

1. Vê-lo no seu hábitat natural, não apenas na escola, permitindo-lhe ter acesso a informações vitais, como a diferença entre sua personalidade escolar e sua personalidade real
2. Vê-lo sem camisa
3. Vê-lo o tempo todo
4. Ver como ele trata sua mãe, irmã e empregada (fortes indícios de como ele tratará uma possível namorada)
5. É conveniente: você pode curtir sua amiga e espionar seu objeto de desejo ao mesmo tempo

CINCO PIORES COISAS DE ESTAR APAIXONADA PELO IRMÃO DA SUA MELHOR AMIGA

1. Não posso contar a ela
2. Não posso contar a ele, porque ele pode contar a ela
3. Não posso contar a ninguém, porque podem contar a ele ou, pior ainda, a ela
4. Ele nunca vai admitir seus verdadeiros sentimentos porque você é a melhor amiga da irmã dele
5. Você é obrigada a conviver com ele, sabendo que ele jamais pensará em você como nada além da melhor amiga da irmã mais nova dele, até a morte, e mesmo assim você vai continuar nessa adoração até que cada fibra do seu ser suplique para estar com ele e você ache que provavelmente vai morrer, mesmo que sua professora de biologia diga que é fisiologicamente impossível morrer de coração partido.

Terça, 28 de outubro, Diretoria

Ai, meu Deus! Assim que eu entrei na Sala de Estudos hoje, me chamaram na diretoria!

Estava torcendo que fosse para a diretora ver se eu não estava trazendo nenhum vidro de xarope de codeína escondido para a escola, mas é mais provável que seja pelo que eu disse ontem à noite na TV. Especialmente, imagino, sobre a parte das divisões e panelinhas daqui.

Enquanto isso, todos da escola que nunca foram convidados para uma festa dada pelos populares se reuniram ao meu redor. É como se eu tivesse falado em nome dos marginalizados de todas as espécies ou coisa assim. No minuto em que eu entrei na escola hoje, os pichadores, os intelectuais, a galera do teatro, todos disseram: "É isso aí! Mandou bem, maninha!"

Ninguém tinha me chamado de "maninha" antes. Aquilo de certa forma foi bem animador.

Apenas as líderes de torcida me trataram do jeito de sempre. Enquanto ando pelo corredor, elas me olham de relance, da cabeça aos pés, e depois ficam cochichando e rindo.

Quer dizer, acho que é engraçado ver uma garota de quase 1,80m de altura, sem peitos e parecendo uma amazona rondando à solta pelos corredores. Estou surpresa que ninguém tenha jogado uma rede em cima de mim e me arrastado para o Museu de História Natural.

Dos meus amigos, apenas Lilly — e Shameeka, é claro — não gostou da minha entrevista de ontem. Lilly ainda está chateada por eu ter exposto a divisão socioeconômica na nossa escola. Mas essa chateação não a impediu de aceitar a carona para a escola na minha limusine hoje de manhã.

O interessante é que o jeito frio com que Lilly me tratou ontem só serviu para aproximar o irmão dela de mim. Hoje na limusine, a caminho da escola, Michael se ofereceu para ver meu dever de casa de álgebra e conferir os resultados das minhas equações.

Fiquei comovida com a oferta dele, e a sensação boa que tive quando ele declarou que todas as minhas questões haviam sido resolvidas de forma correta nada tiveram a ver com orgulho, mas sim com a forma como seus dedos roçaram nos meus quando ele me devolveu a folha. Seria possível que ele fosse o Jo-C-rox? Seria possível?

Ops! A diretora Gupta está me chamando.

Terça, 28 de outubro, Álgebra

A diretora Gupta está muito preocupada com minha sanidade mental.
"Mia, você está mesmo se sentindo tão insatisfeita assim aqui na Albert Einstein?"

Eu não queria ferir os sentimentos dela, nem nada, então disse que não. Mas a verdade é que provavelmente não estava nem aí para a escola na qual eu estudasse. Eu seria uma excluída de quase 1,80m de altura e sem peitos onde quer que eu estudasse.

Aí a diretora Gupta disse uma coisa surpreendente: "Estou perguntando porque na noite passada, na sua entrevista, você disse que não era popular."

Eu não sabia aonde ela estava querendo chegar com aquilo. Então só respondi: "Bom, eu não sou." E dei de ombros.

"Não é verdade", disse a diretora. "Todos na escola sabem quem você é."

Eu ainda estava querendo poupá-la, como se fosse culpa dela eu ser uma mutante, então expliquei, com toda a delicadeza: "Sim, mas isso é só porque sou princesa. Antes disso, eu era praticamente invisível."

A diretora Gupta respondeu:

"Isso simplesmente não é verdade."

Mas eu só conseguia pensar o seguinte: *"Como pode saber? Você não vai lá ver. Não sabe como é."*

E aí me senti ainda pior por ela, porque ela está obviamente vivendo no seu mundo fantasioso de diretora.

"Talvez", disse a diretora Gupta, "se participar de mais atividades extracurriculares, se sinta mais acolhida".

Isso me deixou boquiaberta.

"Diretora Gupta", falei, sem conseguir me conter, "eu vou passar raspando em álgebra. Passo todo o meu tempo livre em aulas de reforço para poder passar raspando com um 5".

"Bom", disse a diretora Gupta. "Eu sei muito bem disso…"

"Além disso, depois das minhas aulas de reforço, tenho aulas de princesa com minha avó, para que, quando for para Genovia, em dezembro, para minha apresentação ao povo que um dia vou governar, eu não faça papel de idiota como fiz ontem à noite na TV."

"Acho a palavra *idiota* meio forte", respondeu a diretora Gupta.

"Eu realmente não tenho tempo", prossegui, sentindo mais pena do que nunca dela, "para atividades extracurriculares".

"O comitê anual do livro se reúne apenas uma vez por semana", disse a diretora Gupta. "Ou talvez você possa participar da equipe de corredoras. Eles só vão começar a treinar na primavera, e a essa altura, espero, você já não estará mais tendo aulas de princesa."

Eu só pisquei para ela, de tão surpresa que fiquei. Eu? Correr numa pista de atletismo? Eu mal consigo andar sem tropeçar nos meus pés gigantescos. Deus sabe o que aconteceria se tentasse correr.

E o comitê anual do livro? Eu realmente tinha cara de alguém que quer se lembrar de qualquer coisa que vivi no ensino médio?

"Bom", disse a diretora Gupta, imagino que deduzindo pela minha cara que eu não estava nem um pouco tentada por nenhuma das duas sugestões. "Foi só uma ideia. Acho que podia ser bem mais feliz aqui na Albert Einstein se frequentasse algum clube. É claro que sei da sua amizade com Lilly Moscovitz, e às vezes me pergunto se ela talvez não possa ser... bom, uma influência negativa para você. Aquele programa de TV dela é bem deprimente."

Fiquei chocada com isso. A coitada da diretora Gupta é bem mais iludida do que eu pensava!

"Ah, não", disse. "O programa da Lilly na verdade é bem positivo. Não viu aquele episódio dedicado ao combate contra o racismo nas *delicatéssen* coreanas? Ou aquele sobre um monte de butiques que abastecem adolescentes e que têm preconceito contra garotas gordas, porque não têm roupas suficientes no tamanho 48, o tamanho médio da mulher americana? Ou aquele em que tentamos entregar meio quilo de biscoitos Vaniero no apartamento de Freddie Prinze Jr. porque ele estava parecendo magro demais?"

A diretora Gupta ergueu a mão.

"Vejo que está defendendo o programa com convicção", disse. "E devo dizer que estou gostando de ver. É bom saber que tem um sentimento forte por outra coisa, Mia, além da antipatia pelos atletas e líderes de torcida."

Então me senti pior do que nunca e disse: "Não sinto antipatia por eles. Eu só digo que algumas vezes... bom, às vezes parece que eles é que mandam na escola, diretora Gupta."

"Bem, posso lhe garantir", disse a diretora Gupta, "que isso não é verdade".

Coitadinha, coitadinha da diretora Gupta.

Mesmo assim, achei que precisava estourar aquela bolha de sabão na qual ela claramente vive, só um pouquinho.

"Hum...", murmurei. "Diretora Gupta, sobre a Sra. Hill..."

"O que tem ela?", indagou a diretora Gupta.

"Eu me expressei mal quando disse que ela vive na sala dos professores durante a aula de S & T. Foi um exagero."

A diretora Gupta sorriu para mim de um jeito muito frágil.

"Não se preocupe, Mia", disse. "Já cuidei da Sra. Hill."

Cuidou? O que ela quis dizer com isso?

Estou até com medo de perguntar.

Terça, 28 de outubro, S & T

Bem, a Sra. Hill não foi demitida.
Em vez disso, acho que deram uma chamada nela ou coisa assim. O resultado é que agora a Sra. Hill fica o tempo todo pregada na cadeira aqui no laboratório de S & T.

Isso significa que somos obrigados a ficar sentados nas carteiras e fazer as tarefas. E não podemos trancar Boris no almoxarifado. Vamos ter que ficar sentados enquanto ele toca.

Toca Bartók.

E não podemos conversar entre nós, porque temos que trabalhar, cada um em sua tarefa.

Cara, está todo mundo querendo me matar.

Mas Lilly é quem está mais furiosa comigo.

Acontece que Lilly anda escrevendo às escondidas um livro sobre as divisões socioeconômicas que existem dentro da Escola Albert Einstein. Juro! Ela não queria me contar, mas finalmente Boris desembuchou hoje no almoço. Lilly jogou uma batata frita nele e sujou seu suéter todo de ketchup.

Não posso acreditar que Lilly contou ao Boris coisas que não tenha me contado. Eu sou a melhor amiga dela, pelo menos achava que era. Boris é só o namorado. Por que ela está contando coisas legais pra ele, como o livro que está escrevendo, e não conta pra mim?

"Posso ler o livro?", supliquei.

"Não." Lilly está mesmo furiosa. Nem mesmo olha para Boris. Ele já a desculpou pelo ketchup, mesmo que provavelmente tenha que mandar lavar o suéter a seco.

"Posso ler só uma página?", pedi.

"Não."

"Só uma frase?"

"Não."

Michael não sabia do livro também. Disse logo antes de a Sra. Hill entrar na sala que ele tinha se oferecido para publicá-lo na sua newsletter, a *Crackhead*, mas Lilly disse, de um jeito meio irritado, que ia guardá-lo para que fosse publicado por um editor "de verdade".

"Eu estou nesse livro?", quis saber. "No seu livro? Estou nele?"

Lilly disse que, se as pessoas não parassem de encher o saco dela com aquele assunto, ela ia se atirar do alto da caixa d'água da escola. Está exagerando, é claro. Não temos mais acesso à caixa d'água, porque os alunos veteranos, para pregar peças nos calouros, anos antes, jogaram um monte de girinos lá dentro.

Não acredito que Lilly andou trabalhando num livro e nunca me contou. Quero dizer, eu sempre soube que ela ia escrever um livro sobre a vida dos adolescentes nos Estados Unidos pós-Guerra Fria. Mas não achei que ela ia começar antes de se formar. Se quiserem saber, esse livro não deve ser lá muito equilibrado. Porque ouvi dizer que as coisas melhoram muito no segundo ano.

Mesmo assim, acho que faz sentido contar a alguém cuja língua esteve na sua boca coisas que não necessariamente contaria à sua melhor amiga. Só que fico bolada quando penso que Boris sabe coisas sobre Lilly que eu não sei. Eu conto tudo a Lilly.

Bom, tudo, exceto o que sinto pelo irmão dela.

Ah, e sobre meu admirador secreto.

E sobre minha mãe e o Sr. Gianini.

Mas conto praticamente todas as outras coisas.

NÃO ESQUECER

1. De parar de pensar no M.M.
2. Diário de inglês! Momento profundo!
3. Ração para o gato
4. Cotonetes
5. Pasta de dentes
6. PAPEL HIGIÊNICO!

Terça, 28 de outubro, Biologia

Estou fazendo amigos e influenciando pessoas em todos os lugares aos quais vou hoje. Kenny acabou de me perguntar o que vou fazer no Dia das Bruxas. Eu disse que talvez tenha uma reunião familiar à qual precise comparecer, e ele disse que, se eu conseguir me livrar dela, ele e um grupo de amigos do Clube de Computação vão ver *Rocky Horror*, e que eu deveria ir com eles.

Eu lhe perguntei se um desses amigos não seria Michael Moscovitz, porque Michael é tesoureiro do Clube de Computação, e ele disse que sim.

Pensei em perguntar ao Kenny se ele ouviu Michael dizer alguma vez que gosta de mim ou não, sabe, de uma maneira especial, mas resolvi não fazer isso.

Porque Kenny pode pensar que eu gosto dele. Do Michael, quero dizer. E aí olha o mico que eu pagaria!

Ode ao M

Ó M,
Porque você não vê
Que a = você
E b = mim?
E que
Você e eu
= êxtase,
e junto C-ríamos
100% felizes?

Terça, 28 de outubro, 18h, voltando da suíte da Grandmère

Por causa de toda essa repercussão da minha entrevista no *TwentyFour/Seven*, esqueci completamente da Grandmère e do Vigo, o organizador de eventos de Genovia!

Estou falando sério. Juro que não lembrei de nada sobre Vigo e as pontinhas de aspargos, não até entrar na suíte de Grandmère esta noite para minha aula de princesa e encontrar um monte de gente correndo para um lado e para o outro, fazendo coisas como berrar ao telefone: "Não, são quatro mil rosas cor-de-rosa com hastes longas, não quatrocentas!" e escrevendo cartões com o nome das pessoas para identificar seus lugares, com caligrafia redondinha.

Encontrei Grandmère sentada no meio daquela loucura toda, provando trufas com Rommel — todo produzido com uma capinha de chinchila tingida de lilás — no colo dela.

Não estou brincando. Trufas.

"Não", disse Grandmère, colocando um bombom de chocolate mordido, com recheio escorrendo, na caixa que Vigo estendia para ela. "Acho que esse não. Cereja é muito vulgar."

"Grandmère." Não dava pra acreditar naquilo. Eu estava praticamente sem fôlego, do jeito que Grandmère ficou quando soube que mamãe estava grávida. "O que está fazendo? Quem são essas pessoas todas?"

"Ah, Mia", disse Grandmère, parecendo satisfeita em me ver. Mesmo que, pelos restos na caixa que Vigo segurava, ela tivesse comido muita coisa com recheio de nougat, porque os dentes dela estavam limpinhos. Esse é um dos muitos truques da realeza que Grandmère ainda está para me ensinar. "Querida. Sente-se e me ajude a decidir qual dessas trufas devemos pôr na caixa de lembranças que os convidados vão receber ao final da festa."

"Convidados do casamento?", afundei na poltrona que Vigo havia me oferecido, e deixei a mochila cair. "Grandmère, já falei. Mamãe não vai concordar com isso de jeito nenhum. Ela não ia querer uma coisa assim."

Grandmère simplesmente sacudiu a cabeça e disse: "As grávidas não são muito racionais."

Eu salientei que, a julgar pelas minhas pesquisas sobre o assunto, embora fosse verdade que os desequilíbrios hormonais costumam causar desconforto às gestantes, não via motivo para supor que tais desequilíbrios invalidassem os sentimentos da minha mãe a respeito do assunto — principalmente porque eu sabia que seriam exatamente os mesmos se ela não estivesse grávida. Mamãe não é uma mulher do tipo que sonha com um casamento real. Quero dizer, ela se reúne com as amigas para jogar pôquer e beber marguerita uma vez por mês.

"Ela", disse Vigo, "é a mãe da futura monarca regente de Genovia, alteza. Como tal, é vital que ela tenha direito a todos os privilégios e cortesias que o palácio pode oferecer".

"Então que tal lhe conceder o privilégio de planejar o casamento dela sozinha?", perguntei.

Grandmère deu uma boa gargalhada ao ouvir isso. Ela praticamente engasgou com o gole de Sidecar que tomava a cada mordida na trufa para limpar o paladar.

"Amelia", disse, quando acabou de tossir — algo que Rommel havia considerado extremamente alarmante, pelo jeito como ele revirou os olhos. "Sua mãe vai ficar eternamente grata a nós por todo o trabalho que estamos tendo em seu lugar. Você vai ver."

Eu entendi que não adiantava discutir com eles. Sabia o que tinha que fazer.

E o faria logo depois da aula de hoje, que foi sobre como escrever uma nota de agradecimento de princesa. Não acreditariam em todos os presentes de casamento e presentinhos para bebê que as pessoas começaram a enviar à minha mãe, aos cuidados da família real de Genovia, no Plaza Hotel. Estou falando sério. Coisa de louco. O lugar está entupido de panelas elétricas, formas de fazer *waffles*, toalhas de mesa, sapatinhos de bebê, touquinhas de bebê, roupinhas de bebê, fraldas para bebê, brinquedos para bebê, balanços para bebê, mesas para trocar fraldas, tudo que se possa imaginar para bebê. Eu não fazia ideia de que eram necessárias tantas coisas para se criar um bebê. Mas faço uma ideia muito boa de que minha mãe não vai querer nada disso. Ela não gosta de nada pastel.

Eu marchei até a porta da suíte do meu pai no hotel e bati energicamente.

Ele não estava! E quando perguntei à recepcionista do saguão se ela sabia aonde ele tinha ido, ela disse que não tinha certeza.

De uma coisa ela tinha certeza, porém: Beverly Bellerieve estava com meu pai quando eles saíram.

Bom, estou feliz porque meu pai encontrou uma nova amiga, eu acho, mas peraí. Será que ele não percebe o desastre iminente que está se desenrolando sob o seu nariz real?

Terça, 28 de outubro, 22h, em casa

Bom, aconteceu. O desastre iminente agora é oficialmente um desastre real. Porque Grandmère perdeu completamente o controle. Eu nem mesmo pude perceber até que ponto, porém, até chegar em casa depois da aula de hoje e ver uma família sentada à nossa mesa de jantar.

É isso aí. Uma *família* inteira. Bom, pelo menos eram uma mãe, um pai e um garoto.

Não estou brincando. A princípio pensei que fossem turistas que talvez tivessem se perdido — nosso bairro é muito procurado pelos turistas. Talvez pensassem que estavam indo para o Washington Square Park, mas acabaram seguindo um cara de entregas de restaurante chinês e foram parar no nosso apartamento em vez disto.

Aí a mulher que estava de calça de corrida cor-de-rosa — clara indicação de que era de fora da cidade — olhou para mim e disse: "Ai, meu Deus! Não me diga que seu cabelo é mesmo assim na vida real? Eu tinha certeza de que era só um penteado para a TV."

Meu queixo caiu. Finalmente falei: "*A avó Thermopolis?*"

"Vovó Thermopolis?", a mulher olhou bem para mim. "Acho que esse negócio de realeza realmente lhe subiu mesmo à cabeça. Não se lembra de mim, meu amorzinho? Eu sou a *Vovó!*"

Vovó! Minha avó materna!

E ali, bem ao lado dela — mais ou menos da metade do tamanho dela e de boné de beisebol —, estava o pai da minha mãe, o Vovô! O garoto grandalhão de camisa de flanela e macacão eu não reconheci, mas isto não vinha ao caso. O que os pais da minha mãe, que viviam afastados de nós e nunca tinham saído de Versailles, Indiana, em suas vidas, estavam fazendo no nosso apartamento do Village, no centro da cidade?

Uma rápida olhada para mamãe explicou tudo. Eu a encontrei seguindo o fio do telefone, primeiro até o quarto dela, depois até o closet, onde ela estava encolhida atrás da prateleira dos sapatos (vazia — todos os sapatos dela estavam no chão), conspirando aos sussurros com meu pai.

"Não me importa como vai fazer isso, Phillipe", reclamava ao telefone. "Diga a sua mãe que desta vez ela foi longe demais. *Meus pais*, Phillipe? *Sabe como me sinto em relação a eles.* Se não os levar embora daqui, Mia vai acabar me visitando através de uma fenda na porta, porque vou parar no Hospital Psiquiátrico Bellevue.

Eu ouvi meu pai murmurando palavras tranquilizantes ao telefone. Minha mãe percebeu minha presença e murmurou: "Eles ainda estão lá?"

Respondi:

"Hum, sim. Quer dizer que não os chamou?"

"Claro que não!" Seus olhos estavam arregalados. "Sua avó convidou-os para algum casamento maluco que pensa que vai organizar para mim e o Frank na sexta!"

Engoli em seco, me sentindo culpada. Ops!

Bem, tudo que posso dizer para me defender é que as coisas andaram muito agitadas ultimamente. Quero dizer, esse negócio de descobrir que a minha mãe está grávida, e depois ficar doente, e o lance todo do Jo-C-rox, e depois a entrevista…

Tá bom. Não tem desculpa. Sou uma filha desnaturada.

Minha mãe me entregou o telefone.

"Ele quer falar com você", disse.

Peguei o aparelho e disse: "Papai? Onde você está?"

"No carro", respondeu ele. "Escuta aqui, Mia, eu mandei a recepcionista reservar quartos para seus avós num hotel perto do seu apartamento, o SoHo Grand. Ouviu? Mande-os para lá na limusine."

"Ok, papai", concordei. "E Grandmère e esse casamento dela? Quero dizer, não dá pra controlar." Esse é o eufemismo do ano.

"Deixa que eu cuido da Grandmère", respondeu, parecendo muito com o capitão Picard, sabem, de *Jornada nas estrelas: a nova geração*. Tive a sensação de que Beverly Bellerieve estava ali no carro com ele, e ele estava tentando dar uma de príncipe na frente dela.

"Tudo bem", assenti. "Mas…"

Não é que eu desconfie do meu pai, nem nada, para tomar as rédeas da situação. É só que… bom, estamos falando da Grandmère. Ela pode ser bem assustadora quando quer. Até mesmo para o próprio filho dela.

Acho que ele deve ter adivinhado o que eu estava pensando, porque disse: "Não esqueça, Mia. Eu vou cuidar disso."

"Tudo bem", respondi, me sentindo mal por duvidar dele.

"Mia, tem mais uma coisa."

Eu já estava para desligar.

"O que é, pai?"

"Tranquilize sua mãe, diga que eu não sabia de nada disso. Eu juro."

"Tudo bem, pai."

Desliguei o telefone. "Não se preocupe", disse à mamãe. "Eu cuido disso."

Depois, endireitando os ombros, voltei para a sala. Meus avós ainda estavam sentados à mesa. O amigo fazendeiro, porém, tinha levantado. Estava na cozinha, espiando dentro da geladeira.

"É só isso que vocês têm para comer aqui?", indagou ele, apontando para a caixa de leite de soja e a tigela de vagens na primeira prateleira.

"Hum", murmurei. "Bom, sim. Estamos evitando produtos que possam causar dano a fetos em desenvolvimento."

Quando ele fez cara de confuso, eu disse: "Costumamos pedir delivery."

Ele imediatamente se animou, e fechou a geladeira. "Ah, na Domino's?", perguntou. "Legal."

"Hã", hesitei. "Bom, pode pedir comida do Domino's, se quiser, lá no hotel…"

"*Hotel?*"

Eu virei para trás. Vovó havia se esgueirado até a cozinha, atrás de mim.

"Hã, sim", confirmei. "Sabe, meu pai achou que vocês podiam se sentir mais à vontade em um hotel legal do que aqui no apartamento…"

"Ora, isso é um absurdo, não é?", disse Vovó. "Seu avô, Hank e eu viemos de longe para ver vocês, e vocês nos mandam para um hotel?"

Olhei para o cara de macacão com um interesse renovado. Hank? Meu *primo* Hank? A última vez que eu tinha visto Hank fora durante minha segunda — e última — viagem a Versailles, quando eu tinha uns dez anos, mais ou menos. Hank tinha sido deixado na casa dos Thermopolis um ano antes por sua mãe, que vivia viajando, a tia Marie, que minha mãe não suporta, antes de mais nada porque, como diz minha mãe, ela existe em um vácuo intelectual e espiritual (o que quer dizer que Marie é republicana).

Naquele tempo, Hank era uma coisinha esquelética e reclamou que tinha alergia a leite. Não estava mais tão magro quanto era antes, mas ainda parecia um pouco intolerante à lactose, se querem saber.

"Ninguém nos avisou que seríamos arrastados para um hotel caro de Nova York quando aquela mulher francesa ligou", disse Vovó, que havia me seguido até a cozinha, e agora estava de pé e com as mãos na cintura. "Ela disse que ia pagar tudo", disse Vovó, "deixou isso muito claro!"

Vi logo por que Vovó estava preocupada.

"Ah, bom, Vovó", falei. "Meu pai vai pagar a conta, é claro."

"Bom, aí tudo muda de figura", disse Vovó, sorrindo. "Então vamos!"

Achei que era melhor acompanhá-los para ver se iam chegar direitinho. Assim que entramos na limusine, Hank esqueceu de como estava faminto, encantado com os botões do painel. Ele se divertiu colocando a cabeça para fora pelo teto solar. A certa altura, colocou o corpo todo, abriu os braços e gritou: "Sou o rei do mundo!"

Graças a Deus as janelas das limusines são de vidro fumê, então acho que ninguém da escola teria me reconhecido, mas não pude deixar de sentir vergonha.

Por isso, podem entender por que, depois que os levei à recepção e os registrei no hotel e tudo, e a Vovó me perguntou se eu ia levar Hank até a escola comigo de manhã, eu quase tive um troço.

"Ah, você não vai querer ir comigo à escola, Hank", falei, mais do que depressa. "Quer dizer, está de férias. É melhor procurar uma coisa divertida para fazer." Tentei pensar em algo que pudesse parecer realmente divertido para Hank. "Como ir ao Harley Davidson Cafe."

Mas Hank respondeu: "Claro que não. Quero ir à escola com você, Mia. Sempre quis ver como é um autêntico colégio nova-iorquino." Ele baixou o tom de voz, para Vovó e Vovô não ouvirem. "Ouvi dizer que todas as garotas de Nova York usam piercing no umbigo."

Hank ia se decepcionar à beça se achava que ia ver umbigos com piercing na minha escola — usamos uniforme, e não é permitido nem amarrar as pontas das camisas, como a Britney Spears faz.

Mas eu não via como me livrar da companhia dele na escola. Grandmère vivia dizendo que as princesas devem ser gentis. Bom, acho que esse vai ser meu grande teste.

Então disse: "Tudo bem." O que não foi muito gentil da minha parte, mas o que mais poderia dizer?

Aí Vovó me surpreendeu me agarrando e me dando um abração para se despedir. Não sei por que fiquei tão surpresa. Era uma coisa bem de avó, é claro. Mas acho que, sendo Grandmère a avó com quem passo a maior parte do tempo, não esperava aquela demonstração de afeto.

Enquanto me abraçava, Vovó disse: "Ora, você está só pele e osso, não?" Sim, obrigada, Vovó. É verdade, eu não tenho peitos. Mas será que precisava berrar isto a plenos pulmões no saguão do SoHo Grand? "E quando vai parar de crescer tanto? Acho que está maior do que o Hank!"

Infelizmente, era verdade.

Aí Vovó mandou Vovô me abraçar para se despedir também. Achei Vovó muito fofa de se abraçar. Mas Vovô era o contrário, muito ossudo. Era meio espantoso essas duas pessoas conseguirem transformar a mulher forte e independente que minha mãe é em uma mulher confusa. Quero dizer, Grandmère costumava trancafiar o meu pai na masmorra do castelo quando ele era pequeno, e ele não ficou tão revoltado com ela quanto minha mãe com os pais dela.

Por outro lado, meu pai nega a realidade a todo custo e tem um complexo de Édipo mal resolvido. Pelo menos de acordo com Lilly.

Quando cheguei em casa, minha mãe tinha saído do closet e ido para a cama, onde estava rodeada por catálogos da Victoria's Secret e da J. Crew. Eu sabia que devia estar se sentindo um pouco melhor. Comprar coisas por correspondência é um dos seus passatempos prediletos.

Disse: "Oi, mãe."

Ela ergueu os olhos da edição de maiôs de primavera. O rosto dela estava todo inchado e manchado. Fiquei feliz porque o Sr. Gianini não estava por perto. Ele talvez pensasse duas vezes antes de casar com ela se desse uma boa olhada nela naquele momento.

"Ah, Mia", disse ela, quando me viu. "Venha cá e me deixe abraçá-la. Foi horrível? Desculpe por eu ter sido uma mãe assim tão má."

Eu me sentei na cama, ao lado dela. "Você não é uma mãe ruim", falei. "Você é uma ótima mãe. Só que não está se sentindo bem."

"Não", disse minha mãe. Estava fungando, e então entendi o motivo pelo qual ela parecia inchada e horrível: tinha chorado. "Sou uma pessoa péssima.

Meus pais vieram de tão longe, lá de Indiana, para me ver, e eu os mando para um hotel!"

Podia jurar que minha mãe estava sofrendo de um desequilíbrio hormonal e não se comportando de forma normal. Se estivesse, não teria hesitado em mandar os pais para um hotel. Ela nunca os perdoou por:

- não apoiarem sua decisão de ter sua filha
- não aprovarem a criação que ela me deu
- votarem em George Bush, o pai, e no filho dele

Desequilíbrio hormonal ou não, porém, a verdade é que minha mãe não pode passar por esse tipo de estresse. Esta devia ser uma ocasião feliz para ela. Já li em todos os sites sobre gravidez que a preparação para o nascimento de um filho deve ser uma época de alegria e comemoração.

E seria, se Grandmère não tivesse arruinado tudo, metendo o nariz onde não foi chamada.

Alguém precisava detê-la.

E não estou dizendo isso só por causa da vontade enorme de ir ao *Rocky Horror* na sexta com Michael.

Terça, 28 de outubro, 23h

Mais uma mensagem do Jo-C-rox! Esta dizia:

JoCrox: Querida Mia,

Passando só pra dizer que te vi ontem à noite. Você estava uma gata, como sempre. Sei que algumas pessoas na escola têm implicado com você. Não deixe que elas te ponham pra baixo. A maioria de nós te acha muito legal!

Seu Amigo

Não é uma fofura? Respondi na hora:

FtLouie: Querido amigo,

Valeu demais. POR FAVOR, pode me dizer quem é você? Juro que não vou contar a ninguém!!!!!!!!

Mia

Ele não respondeu ainda, mas acho que passei sinceridade, considerando todos os pontos de exclamação...

Estou vencendo a resistência dele aos pouquinhos, tenho certeza.

Diário de Inglês

Meu momento mais profundo foi
...

Diário de Inglês

Dê o máximo de si mesmo, pois é tudo que existe em você.
— Ralph Waldo Emerson

Acho que o Sr. Emerson estava se referindo ao fato de que só recebemos uma vida para viver, e por isso é melhor aproveitarmos ao máximo. Essa ideia é bem exemplificada num filme que vi no canal Lifetime enquanto estava doente. O filme se chamava *O destino de Julia*. Nele, Mare Winningham representa o papel de Julia, uma mulher que acorda um dia depois de um acidente e descobre que seu corpo foi completamente destruído, e o cérebro, transplantado para o corpo de outra pessoa, cujo corpo era perfeito, mas cujo cérebro deixara de funcionar. Como Julia era modelo e agora o cérebro dela está no corpo de uma dona de casa (o de Mare Winningham), ela fica compreensivelmente contrariada.

Começa a bater com a cabeça nas coisas porque não é mais loura, não tem mais 1,75m, nem pesa mais 50kg.

Mas, finalmente, através da dedicação incondicional do marido — apesar da sua nova aparência completamente diferente e um rápido sequestro pelo marido psicótico da dona de casa, que a quer de volta para lavar as roupas —, Julia percebe que ter o visual de uma modelo não é tão importante quanto estar viva.

Esse filme aborda uma questão inevitável: se seu corpo for destruído num acidente e tiverem que transplantar seu cérebro para o corpo de outra pessoa, em que corpo gostaria de estar? Depois de muito pensar, resolvi que adoraria ir para o corpo de Michelle Kwan, a patinadora olímpica, porque ela é muito bonita e suas habilidades são muito valorizadas.

Ou Michelle ou Britney Spears, para eu poder finalmente ter uns seios maiores.

Quarta, 29 de outubro, Inglês

Bom, uma coisa é certa:
Ter um cara como meu primo Hank seguindo você de aula em aula certamente desvia a atenção do mico que você pagou na TV no dia anterior.

Estou falando sério. Não que as líderes de torcida tenham esquecido totalmente o que eu disse no *TwentyFour/Seven* — ainda estão me fuzilando com os olhos no corredor de vez em quando. Mas assim que os olhares dela pousaram no Hank, depois de me observarem dos pés à cabeça, alguma coisa parece ter acontecido com elas.

Eu não entendi o que foi, a princípio. Pensei que só estivessem espantadas por verem um cara de camisa de flanela e macacão em plena Manhattan.

Aí comecei a entender que tinha alguma outra coisa. Acho que Hank é meio bronzeado e tem um cabelo louro legal, que cai bem com os olhos azuis de menino bonito dele.

Mas acho que é mais do que isso. Parece que Hank está liberando aqueles feromônios que estudamos em biologia ou algo do tipo.

Mas não consigo senti-los porque sou parente dele.

Assim que as garotas veem Hank, começam a perguntar para mim "Quem é ele?", enquanto observam atentamente os bíceps do Hank, que se destacam mesmo sob todo aquele tecido xadrez.

Lana Weinberger, por exemplo. Estava por ali, enrolando perto do meu armário, esperando Josh aparecer para os dois poderem praticar seu ritual matinal de desentupimento de pia boca a boca, quando Hank e eu chegamos. Os olhos da Lana — muito maquiados com Bobbi Brown — se arregalaram, e ela disse: "Quem é o seu amigo?", numa voz que eu nunca tinha ouvido antes. E olha que já a conheço faz um tempinho...

Respondi: "Não é meu amigo, é meu primo."

Lana disse a Hank, na mesma voz estranha: "Você pode ser meu amigo."

Hank respondeu, com um sorriso escancarado: "Puxa, obrigado, moça."

E não pensem que na aula de álgebra Lana não estava fazendo o possível para Hank olhar para ela. Ela esparramava toda aquela cabeleira loura dela em cima da minha carteira. Deixou cair o lápis umas quatro vezes. Ficou cruzando, descruzando e tornando a cruzar as pernas. Finalmente o Sr. Gianini disse: "Srta. Weinberger, está precisando ir ao banheiro?" Isso jogou um balde de água fria nela, mas só durante cinco minutos.

Até a Srta. Molina, secretária da escola, começou a dar uns sorrisinhos estranhos enquanto confeccionava um cartão de visitante para Hank.

Mas isso não é nada comparado à reação da Lilly ao entrar na limusine hoje de manhã, quando passamos para pegar ela e Michael. Ela olhou para a outra ponta, o queixo dela caiu, e o chiclete que estava mastigando caiu no chão. Nunca a vi fazer nada igual em toda minha vida. Lilly não costuma ter problemas para manter as coisas na boca.

Os hormônios são muito poderosos. Eles nos controlam mesmo.

Isso certamente explica todo esse negócio da minha fixação no Michael.

T. Hardy — enterraram o coração em Wessex, corpo em Westminster.

Hum, fala sério, **que coisa mais *repulsiva*.**

Quarta, 29 de outubro, S & T

Não dá pra acreditar. Sinceramente não dá.

Lilly e Hank sumiram.

É isso aí. Sumiram.

Ninguém sabe aonde foram. Boris está desesperado. Não para de tocar Mahler. Até a Sra. Hill concorda agora que trancá-lo no almoxarifado é a melhor forma de conservarmos nossa sanidade mental. Ela nos deixou entrar sorrateiramente no ginásio para roubar uns colchonetes e encostá-los na porta do almoxarifado para abafar o som.

Só que não está dando certo.

Acho que posso entender o desespero do Boris. Quero dizer, quando se é um gênio musical e a garota na qual se está dando beijos de língua regularmente de repente desaparece com um cara como Hank, é mesmo uma coisa desmoralizante.

Eu devia ter previsto. Lilly estava excessivamente sedutora na hora do almoço. Ela ficou fazendo umas perguntas ao Hank sobre a vida em Indiana. Se ele era o cara mais popular da escola e tal. O que naturalmente ele disse que era — embora eu pessoalmente não acredite que ser o cara mais popular da escola de Versailles (que no sotaque lá de Indiana se diz Ver-seiles, aliás) seja lá grande coisa.

Então ela se empolgou: "Você tem namorada?"

Hank ficou acanhado e disse que tinha, mas "Amber" tinha lhe dado o fora há umas semanas, por causa de um cara cujo pai é dono de uma churrascaria local. Lilly fez cara de espantada e disse que Amber devia estar sofrendo de algum distúrbio de personalidade limítrofe se não conseguia ver o indivíduo autorrealizado que Hank era.

Fiquei tão revoltada com essa exibição toda que mal consegui manter meu hambúrguer vegetariano no estômago.

Então Lilly começou a falar sobre todas as coisas fabulosas que existem para se fazer na cidade e como Hank realmente precisava aproveitá-las, em vez de ficar ali na escola comigo. Disse: "Por exemplo, tem o Museu do Trânsito, que é fascinante."

Tô falando sério. Ela disse *Museu do Trânsito*, e disse que era fascinante. *Lilly Moscovitz*.

Juro que os hormônios são muito perigosos.

Aí ela continuou: "E no Dia das Bruxas tem um desfile no Village, e depois vamos todos para o *The Rocky Horror Picture Show*. Já assistiu a esse filme antes?"

Hank disse que não, que nunca tinha assistido.

Eu devia ter percebido naquele instante que havia alguma coisa no ar, mas não saquei. A campainha tocou e Lilly disse que queria levar Hank ao auditório para lhe mostrar a parte do cenário de *My Fair Lady* que ela mesma havia pintado (um poste de iluminação). Sentindo que até mesmo uma suspensão temporária dos constantes comentários de Hank sobre nossa última temporada juntos — "Lembra daquela vez que deixamos as bicicletas no jardim da frente e você ficou preocupada, achando que alguém podia vir de noite roubá-las?" — seria um alívio, respondi: "Beleza."

E tinha sido a última vez que vimos os dois.

Estou me sentindo culpada. Hank aparentemente é atraente demais para ficar solto por aí no meio dessa galera. Devia ter percebido isto. Devia ter reconhecido que a atração por um garoto do campo, sem cultura, mas absolutamente lindo, seria mais forte do que a atração por um gênio musical sem tanto charme vindo da Rússia.

Agora tinha transformado minha melhor amiga em uma traidora *E* matadora de aula. Lilly jamais havia faltado a uma aula na vida. Se a pegarem, vai acabar na detenção. Imagino se ela vai achar que vale a pena ficar sentada na lanchonete por uma hora depois da aula com os outros delinquentes juvenis para ter os momentos fugazes de volúpia adolescente que está tendo com Hank.

Michael não está ajudando. Não está nem um pouco preocupado com a irmã. Aliás, parece estar achando tudo muito engraçado. Já o alertei de que, pelo que sabemos, Lilly e Hank podiam ter sido raptados por terroristas líbios, mas ele diz que acha isto improvável. Acha mais lógico presumir que eles estejam tendo uma tarde bem gostosa no cinema 360 graus Sony Imax.

Até parece. Hank tem uma tendência ao enjoo. Contou isso quando passamos pelo bondinho para a Roosevelt Island esta manhã no caminho da escola. O que a Vovó e o Vovô vão dizer quando descobrirem que perdi o neto deles?

CINCO LUGARES ONDE LILLY E HANK PODERIAM ESTAR

1. Museu do Trânsito
2. Saboreando uma carne em conserva na *delicatéssen* da Segunda Avenida
3. Procurando o nome de Dionysious Thermopolis no muro dos imigrantes da Ellis Island
4. Sendo tatuados no St. Mark's Place
5. Transando como dois animais no cio no quarto dele no SoHo Grand

AI, MEU DEUS!

Quarta, 29 de outubro, Civilizações Mundiais

Ainda nem sinal deles.

Quarta, 29 de outubro, Biologia

Nada ainda.
Claro! Quem consegue se concentrar no dever de casa quando sua melhor amiga está desaparecida na cidade de Nova York????

* DEVER DE CASA

<u>Álgebra</u>: Resolver os problemas números 3, 9 e 12 da página 147

<u>Inglês</u>: Momento Profundo !!!

<u>Civilizações Mundiais</u>: ler o capítulo 10

<u>S&T</u>: Deus me livre

<u>Francês</u>: 4 frases: *une blague, la montagne, la mer, il y a du soleil*

<u>Biologia</u>: perguntar ao Kenny

Quarta, 29 de outubro, Aula de Reforço de Álgebra

Lars diz que acha que seria precipitado ligar para a polícia a esta altura do campeonato. O Sr. Gianini concorda com ele. Diz que Lilly, no fundo, é muito sensata, e é irreal crer que ela possa ter deixado Hank cair nas mãos de terroristas líbios. Eu, naturalmente, estou apenas usando os terroristas líbios como exemplo do tipo de risco que os dois poderiam correr. Tem uma outra possibilidade muito mais perturbadora:

Suponhamos que Lilly tenha se apaixonado por ele.

É sério. Suponhamos que Lilly, contra todo o bom-senso, tenha se apaixonado perdidamente pelo meu primo Hank, e ele também por ela. Coisas mais estranhas já aconteceram neste mundo. Ou seja, Lilly está começando a perceber que Boris é um gênio, sim, mas ainda se veste mal e não consegue respirar pelo nariz. Talvez esteja disposta a trocar todas aquelas conversas intelectuais que costumava ter com Boris por um rapaz cujo único dote é o que comumente chamamos de traseiro.

E Hank talvez esteja encantado com o excepcional intelecto da Lilly. Sabem, o QI dela é uns 100 pontos maior do que o dele, tranquilamente.

Mas será que não conseguem ver que, apesar da atração mútua, esse relacionamento só pode levar à perdição? Quer dizer, suponhamos que eles

TRANSEM ou coisa assim? E suponhamos que, apesar de todos os anúncios da saúde pública na MTV, eles se esqueçam de usar camisinha, como minha mãe e o Sr. G? Vão ter que se casar, e aí Lilly vai ter que ir morar em Indiana, em um terreno para estacionamento de reboques, porque é onde todas as mães adolescentes moram. E vai usar vestidinhos caseiros do Wal-Mart e fumar enquanto Hank vai até a borracharia ganhar cinco dólares e cinquenta por hora.

Será que sou a única que pode ver onde tudo isso vai acabar? O que há de errado com os outros?

> Primeiro passo: agrupamento (avaliar com símbolos de agrupamento, começando com o mais interno)
> Segundo passo: avaliar todas as potências
> Terceiro passo: multiplicar e dividir, da esquerda para a direita
> Quarto passo: somar e subtrair em ordem, da esquerda para a direita

Quarta, 29 de outubro, 19h

Está tudo bem. Eles estão a salvo.

Aparentemente, Hank voltou para o hotel por volta das cinco, e Lilly apareceu no apartamento dela, de acordo com Michael, um pouco depois.

Eu gostaria muito de saber por onde eles andaram, mas tudo que disseram foi: "Fomos só dar uma voltinha."

Lilly acrescentou: "Caramba, você não podia ser um pouco menos possessiva?"

Dá pra acreditar?

Mas tenho coisas piores com que me preocupar. Bem na hora em que eu ia entrando na suíte da Grandmère no Plaza, para minha aula de princesa de hoje, o papai apareceu, meio nervoso.

Só duas coisas deixam meu pai nervoso. Uma é minha mãe.

E a outra é a mãe dele.

Disse baixinho: "Escuta aqui, Mia, sobre esse negócio do casamento…"

Eu disse: "Espero que tenha tido oportunidade de falar com Grandmère."

"Sua avó já mandou os convites. Para o casamento, quero dizer."

"*Como é que é?*"

Ai, meu Deus. Meu Deus do céu. Era um desastre. Um desastre!

Meu pai deve ter adivinhado o que eu estava pensando pela minha cara, porque continuou: "Mia, não se preocupa. Eu vou cuidar disso. Deixa comigo, tá?"

Mas como posso não me preocupar? Meu pai é um cara legal e tudo, pelo menos tenta ser. Mas estamos falando de *Grandmère*. GRANDMÈRE. Ninguém se opõe à Grandmère, nem o príncipe de Genovia.

E nada que ele tivesse dito a ela funcionou. Ela e Vigo estão mais concentrados do que nunca em seu planejamento nupcial.

"Já recebemos respostas de algumas pessoas aceitando o convite", informou Vigo a mim, orgulhoso, quando entrei. "Do prefeito, e do Sr. Donald Trump, e da Srta. Diane Von Furstenberg, e da família real da Suécia, além do Sr. Oscar de la Renta e do Sr. John Tesh, e a Srta. Martha Stewart…"

Eu não disse uma palavra. Porque só conseguia pensar no que minha mãe diria se, ao percorrer o corredor, visse John Tesh e Martha Stewart. Ela talvez saísse correndo da sala.

"Seu vestido chegou", informou Vigo, as sobrancelhas subindo e descendo sugestivamente.

"Meu o quê?"

Infelizmente, Grandmère me ouviu e bateu palmas tão alto que Rommel saiu correndo para se esconder, aparentemente pensando que tinham lançado um míssil nuclear ou coisa assim.

"Nunca mais diga *o que* outra vez", disse Grandmère, me fuzilando. "Diga, *perdão, como disse?*"

Olhei para Vigo, que estava prendendo o riso. Caramba! Vigo acha graça em Grandmère quando ela se zanga.

Se houver alguma medalha por bravura em Genovia, ele devia ser condecorado com ela.

"Perdão, como disse, Sr. Vigo?", perguntei, muito educadamente.

"Por favor, por favor", disse Vigo, sacudindo a mão. "Vigo apenas, nada desse negócio de senhor, Vossa Alteza. Agora me diga. O que acha disso?"

E de repente, tirou um vestido de uma caixa.

E no minuto em que o vi, fiquei apaixonada.

Porque era o vestido mais lindo que eu já tinha visto. Parecia exatamente com o vestido da Glinda, a Bruxa Boa, de *O mágico de Oz*, só que não era tão brilhante. Mesmo assim, era rosa, com uma grande saia-balão, e tinha umas rosinhas nas mangas. Eu nunca quis tanto um vestido quanto quis aquele no momento em que pus os olhos nele.

Eu tinha que experimentá-lo. Eu simplesmente não resisti.

Grandmère supervisionou a prova, enquanto Vigo pairava por ali, reabastecendo o copo dela com Sidecar. Além de apreciar seu coquetel favorito, Grandmère estava fumando um dos seus Gitanes, de forma que parecia ainda mais metida do que de costume. Ficava apontando com o Gitane e dizendo: "Não, assim não" e "Pelo amor de Deus, erga os ombros, Amelia".

Constataram que o vestido estava grande demais no busto (grande novidade) e teriam que fazer um ajuste ali. As alterações necessárias só permitiriam que o vestido ficasse pronto na sexta, mas Vigo garantiu que trataria de fazê-las a tempo.

E foi aí que lembrei para que serviria aquele vestido.

Caramba, que espécie de filha eu sou, hein? Sou mesmo terrível. Não quero que essa cerimônia aconteça. Minha mãe não quer que esse casamento aconteça. Então o que estou fazendo aqui, experimentando um vestido que deveria estar usando nesse evento que ninguém, a não ser Grandmère, quer que aconteça, e que, se meu pai tiver êxito, não vai acontecer mesmo?

Mesmo assim, achei que meu coração se partiria quando tirei o vestido e o recoloquei no cabide forrado de cetim. Era a coisa mais linda que eu já tinha visto, ainda mais usado. Não podia parar de pensar "Se ao menos Michael pudesse me ver com esse vestido…".

Ou até o Jo-C-rox. Talvez ele superasse aquela timidez dele e conseguisse dizer cara a cara o que conseguiu dizer antes por escrito… E, se ele não for o cara do chili, talvez possamos mesmo sair juntos.

Mas, se há um lugar adequado para se usar um vestido como esse, é um casamento. E por mais que eu quisesse usar o vestido, certamente não queria que fosse em um casamento. Minha mãe mal estava conseguindo conservar a sanidade mental. Um casamento ao qual John Tesh fosse comparecer — e no qual talvez até cantasse — poderia fazê-la perder a cabeça de vez.

Mesmo assim, nunca na vida me senti tão princesa como me senti experimentando aquele vestido.

É uma pena eu não poder usá-lo.

Quarta, 29 de outubro, 22h

Muito bem, eu estava mudando os canais da TV, sabem como é, para descansar um pouquinho do estudo e tal, porque estava muito cansada de tentar imaginar um momento profundo sobre o qual escrever no meu diário de inglês, quando, de repente, no canal 67, um dos canais abertos, vejo um episódio do programa da Lilly, o *Lilly manda a real*, que eu nunca vi antes. Estranho, porque o *Lilly manda a real* costuma ser nas noites de sexta.

Aí imaginei que, como esta sexta é Dia das Bruxas, talvez o programa da Lilly tivesse sido antecipado para que pudessem mostrar o desfile do Village ou coisa parecida.

Então fiquei sentada ali, assistindo ao programa, que é o episódio da festa do pijama. Sabe, aquele que gravamos no sábado, com todas as outras meninas confessando os beijos de língua, essas coisas, e o caso da berinjela atirada pela janela? Só que Lilly tinha cortado todas as cenas em que meu rosto aparecia, de forma que, se as pessoas não soubessem que Mia Thermopolis era a garota de pijama estampado de moranguinhos, jamais adivinhariam que era eu.

No geral, foi uma coisa bem fraquinha. Talvez algumas mães realmente bem puritanas se incomodassem com a história dos beijos de língua, mas não há muitas assim em Nova York, que é a região coberta pela empresa de TV a cabo que transmite o programa.

Aí a câmera se moveu de um jeito esquisito, e quando a imagem ficou nítida de novo, havia um close do meu rosto. Isso mesmo. MEU ROSTO. Eu estava deitada no chão, com o travesseiro debaixo da cabeça, falando com voz sonolenta.

Então me lembrei: na tal festa do pijama, depois que todos tinham dormido, Lilly e eu ficamos acordadas, batendo papo.

E acontece que ela me FILMOU O TEMPO TODO!

Eu estava deitada ali, falando: "O que eu mais quero fazer é criar um abrigo para animais perdidos e abandonados. Sabe, fui a Roma uma vez e vi uns oitenta milhões de gatos perambulando entre os monumentos. E teriam morrido, na certa, se umas freiras não tivessem alimentado eles e tudo. Então a primeira coisa que eu acho que vou fazer é criar um abrigo onde todos os animais perdidos de Genovia sejam bem tratados. Sabia? E nunca vou pôr nenhum deles para dormir, a menos que tenham alguma doença grave ou coisa assim. E vai ter muitos cachorros e gatos, talvez alguns golfinhos e jaguatiricas…"

A voz da Lilly, sem que ela aparecesse, disse: "Existem jaguatiricas em Genovia?"

Eu respondi: "Acho que sim. Talvez não, quem sabe. Mas seja lá como for… Todos os animais que precisarem de um lar podem ir morar lá. E talvez eu contrate uns treinadores de cães-guia, que podem treinar os cães para serem cães-guia. E aí poderemos dá-los para deficientes visuais que precisem deles. E podemos levar os gatos para hospitais e abrigos de pessoas da terceira idade e deixar os pacientes cuidarem deles, porque isto sempre faz as pessoas se sentirem melhor — a não ser gente como minha avó, que detesta gatos. Podemos arranjar cachorros para essas pessoas. Ou talvez uma jaguatirica."

A voz da Lilly: "E esse vai ser seu primeiro ato quando se tornar regente de Genovia?"

Eu respondi, sonolenta: "É, acho que sim. Talvez pudéssemos aproveitar e transformar logo o castelo em um abrigo de animais, sabe? E todos os animais perdidos da Europa poderiam ir morar lá. Até os gatos de Roma."

"Acha que sua Grandmère vai gostar disso? Quero dizer, de todos esses gatos perdidos pelo castelo?"

Respondi: "Até lá ela já terá morrido, então não estou nem aí."

Ai, caramba! Espero que não tenham acesso público pelas TVs lá do Plaza...

Lilly me perguntou: "O que você detesta mais? No fato de ser princesa, quero dizer."

"Ah, isso é mole de responder. Não poder ir à *delicatéssen* comprar leite sem ter que ligar antes e pedir ao guarda-costas que me escolte. Não ser capaz de vir aqui te visitar sem toda essa produção. Essa coisa toda das minhas unhas. Quero dizer, quem é que se importa com a aparência das minhas unhas, né? Por que isso tem alguma importância? Esse tipo de coisa."

Lilly continuou: "Está nervosa? Com a sua apresentação formal ao povo de Genovia em dezembro?"

"Bom, não estou exatamente nervosa, só que... sei lá. E se eles não gostarem de mim? Como as damas de companhia e tal? Sabe, ninguém lá na escola gosta de mim. Então, provavelmente, ninguém de Genovia vai gostar também.

"A galera da escola gosta de você", disse Lilly.

Então, na frente da câmera, eu peguei no sono. Ainda bem que não babei, nem, coisa pior, ronquei. Eu não seria mais capaz de dar as caras na escola amanhã.

Aí apareceram umas palavras percorrendo a tela: "Não acreditem na mídia convencional! Essa é a autêntica entrevista com a princesa de Genovia!"

Assim que terminou, corri ao telefone para ligar para Lilly e perguntei que diabos ela achava que estava fazendo.

Ela só respondeu, naquela voz convencida e irritante: "Só queria que as pessoas pudessem conhecer a verdadeira Mia Thermopolis."

"Não foi isso não!", retruquei. "Só queria que uma das grandes empresas visse para te pagar uma nota pela entrevista."

"Mia", disse Lilly, parecendo magoada. "Como pode pensar uma coisa dessa?"

Ela pareceu tão espantada que me manquei que não devia ter sido essa a intenção.

"Bom", reclamei. "Podia ter me avisado."

"Teria concordado em fazer isso?", indagou Lilly.

"Bem", falei, "não, provavelmente não".

"Então pronto", disse Lilly.

Até que acho que não paguei um mico tão grande assim na entrevista com Lilly. Eu só pareço uma excêntrica meio maníaca por gatos. Realmente não sei o que é pior.

Mas a verdade é que já estou começando a ignorar. Fico imaginando se isso não acontece com gente famosa. Talvez no início a gente realmente se importe com o que dizem na imprensa, mas, depois de algum tempo, a gente simplesmente ignora.

Imagino se Michael viu isso, e se viu, o que ele achou do meu pijama. Até que é um pijama bem bonitinho.

Quinta, 30 de outubro, Inglês

Hank não veio para a escola comigo hoje. Ligou de manhã cedo e disse que não estava se sentindo muito bem. Não me surpreendi nem um pouco. Na noite passada a Vovó e o Vovô ligaram querendo saber onde podiam encontrar um bom bife naquele corte típico de Nova York em Manhattan. Como eu não costumo frequentar restaurantes que sirvam carne, pedi uma sugestão ao Sr. Gianini, e ele reservou uma mesa numa churrascaria não muito famosa.

E aí, apesar das fortes objeções da minha mãe, ele insistiu em levar Vovó e Vovô, Hank e eu para jantar fora, para ele poder conhecer melhor seus futuros sogros.

Aparentemente, foi demais para minha mãe. Ela saiu da cama, colocou rímel e batom, botou um sutiã e saiu com a gente. Acho que foi mais para evitar que Vovó afugentasse o Sr. G com suas constantes referências ao número de carros da família que foram parar em pleno milharal enquanto mamãe aprendia a dirigir.

No restaurante, fico horrorizada de relatar, apesar do grande risco de doenças cardíacas e alguns cânceres aos quais se provou cientificamente que as gorduras saturadas e o colesterol estão ligados, meu futuro padrasto, meu primo e meus avós maternos — sem mencionar Lars, que eu não sabia que gostava tanto de carne, e a minha mãe, que atacou seu bife que nem a Rosemary atacou aquele naco de carne moída crua em *O bebê de Rosemary* (que eu nunca vi, mas do qual já ouvi falar) — ingeriram o que deve ter sido o equivalente a uma vaca inteira.

Isso me deixou muito transtornada, e eu senti vontade de alertá-los de que é desnecessário, bem como faz mal à saúde, comer coisas que já estiveram vivas e se movimentando, mas, lembrando das minhas aulas de princesa, simplesmente me concentrei na minha entradinha de legumes grelhados e não disse nada.

Mesmo assim, não me surpreendi nem um pouco por Hank não estar se sentindo bem. Toda aquela carne vermelha provavelmente está depositada, sem ter sido completamente digerida, atrás daqueles músculos abdominais que parecem tanque de lavar roupa, enquanto nós estamos aqui batendo nosso papinho (estou só presumindo que Hank tenha músculos abdominais que parecem tanque de lavar roupa, uma vez que, graças a Deus, eu não os vi ao vivo e em cores).

O interessante, porém, é que aquela foi a única refeição que a minha mãe conseguiu reter no estômago. Esse bebê não é vegetariano, disto podem ter certeza.

Bom, a decepção que a ausência do Hank gerou aqui na Albert Einstein é visível. A Srta. Molina me viu no corredor e perguntou, com ar de tristeza: "Não está precisando de outro cartão de visitante para seu primo hoje?"

A ausência do Hank também significa, aparentemente, que minha dispensa dos olhares malignos que as líderes de torcida andaram me endereçando está revogada: esta manhã Lana estendeu o braço, puxou e soltou a parte de trás do meu sutiã, para chamar a atenção, e perguntou na voz mais nojenta que pôde fazer: "Pra quê você usa sutiã? Não precisa."

Quem me dera estar num lugar onde as pessoas se tratam com cortesia e respeito. Infelizmente, isso não acontece nas escolas de ensino médio. Quem sabe em Genovia? Ou possivelmente naquela estação espacial que os russos construíram, aquela que está se desmantelando lá no espaço.

Parece que a única pessoa que está feliz com a infelicidade do Hank é Boris Pelkowski. Ele estava esperando Lilly na portaria da escola quando chegamos esta manhã, e assim que nos viu, perguntou: "Cadê o Honk?" (Por causa do sotaque russo forte dele, é assim que pronuncia o nome do Hank.)

"O Honk, quer dizer o Hank, está doente", informei a ele, e não seria exagero dizer que a expressão que se formou nas feições irregulares de Boris foi beatífica. Foi até meio comovente. A devoção canina do Boris a Lilly pode ser irritante, mas sei que só sinto essa irritação porque tenho inveja. *Eu* é que quero um cara ao qual pudesse contar meus segredos mais profundos. *Eu* é que quero um cara para me dar beijos de língua. *Eu* é que quero um cara que fique com ciúme se eu passar muito tempo com outro cara, mesmo um cara totalmente caipira feito Hank.

Mas acho que nem sempre conseguimos o que queremos, não é? Parece que só vou conseguir um irmão ou uma irmã e um padrasto que sabe muito sobre a fórmula das equações quadráticas e que está se mudando amanhã para a nossa casa com a mesa de totó dele.

Ah, e o governo de um país, um dia.

Grande coisa. Eu preferia um namorado.

Quinta, 30 de outubro, Civilizações Mundiais

COISAS A FAZER ANTES DA MUDANÇA DO SR. G

1. Passar o aspirador de pó
2. Limpar a caixa de areia do gato
3. Deixar a roupa suja na lavanderia
4. Tirar daqui o lixo reciclável, principalmente as revistas da mamãe que se referem a orgasmos na capa — muito importante!!!

5. Tirar os produtos de higiene feminina de todos os banheiros
6. Abrir espaço na sala de visitas para a mesa de totó, a máquina de fliperama e a TV grande
7. Verificar o armário de remédios: esconder o Atroveran, o Veet e o clareador de pelos — muito importante!!!
8. Retirar os livros *Nossos corpos, Nós mesmos* e *A alegria do sexo* das prateleiras da mamãe
9. Ligar para a operadora de TV a cabo. Acrescentar a Classics Sport Network e tirar o canal Romance.
10. Pedir à mamãe para parar de pendurar sutiãs na maçaneta do banheiro
11. Parar de roer as unhas postiças
12. Parar de pensar tanto em M.M.
13. Consertar a tranca da porta do banheiro
14. Papel higiênico!!!!

Quinta, 30 de outubro, S & T

Não dá pra acreditar.
Eles repetiram a dose.
Hank e Lilly desapareceram OUTRA VEZ!
Nem mesmo sabia a respeito do Hank até Lars receber uma ligação da mamãe. Ela estava muito chateada porque a mãe dela havia ligado para o estúdio, gritando histericamente porque Hank tinha sumido do quarto de hotel. Mamãe queria saber se Hank tinha aparecido na escola.
Que eu soubesse, não.
Aí, na hora do almoço, Lilly também não apareceu.
Ela nem mesmo tentou disfarçar. Estávamos fazendo o exame de Forma Física Presidencial, na Educação Física, e logo na hora de escalar a corda Lilly começou a reclamar de cãibras.
Cãibras uma ova! Lilly não está com cãibras. O mal dela é o tesão que ela está sentindo pelo meu primo!

A verdadeira questão é: quanto tempo conseguiremos esconder isso do Boris? Lembrando do Mahler que tivemos que aturar ontem, todos estão tendo o máximo cuidado para não comentar que coincidência era essa de Lilly estar doente e Hank ter desaparecido na mesma ocasião. Ninguém quer ser obrigado a recorrer aos colchonetes do ginásio outra vez. Eles eram muito pesados para carregar.

Como precaução, Michael está tentando manter Boris ocupado com um jogo de computador que ele inventou, chamado "Decapite um Backstreet Boy". Nele a gente precisa atirar facas e machados, coisas assim, nos integrantes da banda Backstreet Boys. A pessoa que cortar a cabeça do maior número de Backstreet Boys passa para o nível seguinte, em que decapita os caras do 98 Degrees, depois do N'Sync etc. O jogador que conseguir cortar mais cabeças pode gravar suas iniciais a ponta de faca no peito nu do Ricky Martin.

Não posso acreditar que Michael ganhou só um 8 nesse jogo na aula de informática. Mas o professor tirou pontos dele porque achou que o jogo não era violento o suficiente para o mercado atual.

A Sra. Hill nos deixou conversar hoje. Eu sei que é porque ela não quer ser obrigada a escutar Boris tocar Mahler, ou pior, Wagner. Cheguei para a Sra. Hill depois da aula ontem e pedi desculpas pelo que havia dito na TV, de ela estar sempre na sala dos professores, mesmo sendo verdade. Ela disse para eu não esquentar com isso. Com certeza foi porque meu pai lhe mandou um aparelho de DVD de presente, junto com um enorme buquê de flores, no dia depois da transmissão da entrevista. Ela vem sendo bem mais simpática comigo depois disso.

Sabem, acho todo esse negócio da Lilly com Hank muito difícil de engolir. Quer dizer, logo a *Lilly*, de todas as pessoas que eu conheço, virar assim uma refém da volúpia. Porque ela não pode estar genuinamente apaixonada pelo Hank. Ele é um cara bem legal e tudo — e gato —, mas, fala sério, ele não está lá com essa bola toda em matéria de cultura.

Lilly, por outro lado, é membro da MENSA — ou pelo menos podia ser, se não considerasse essa organização excessivamente burguesa. Além disso, Lilly não é exatamente uma supermodelo — quero dizer, até que ela é bonitinha, mas de acordo com a reconhecidamente limitada concepção do que seja "atraente" hoje em dia, não dá pra Lilly emplacar.

Então, o que uma garota como Lilly e um cara como Hank têm em comum, afinal?

Ai, meu Deus, não responde não, vai.

* DEVER DE CASA

<u>Álgebra</u>: página 123, problemas 1-5, 7

<u>Inglês</u>: no diário, descreva um dia da sua vida; não esquecer o momento profundo

<u>Civilizações Mundiais</u>: responder as perguntas do fim do capítulo 10

<u>S&T</u>: Trazer um dólar na segunda para comprar tapa-ouvidos

<u>Francês</u>: une description d'une personne, trente mots minimum

<u>Biologia</u>: Kenny disse para eu não me preocupar porque ele faz pra mim

Quinta, 30 de outubro, 19h, na limusine, voltando pra casa

Mais um tremendo choque. Se minha vida continuar assim nessa montanha-russa, talvez eu precise de um psiquiatra.

Quando cheguei na aula de princesa, lá estava a Vovó — a Vovó! — sentada em um dos minúsculos sofás cor-de-rosa de Grandmère, bebericando chá.

"Ah, ela sempre foi assim", dizia Vovó. "Teimosa como uma mula."

Logo vi que estavam falando de mim. Joguei a mochila no chão e gritei: "Sou *nada*!"

Grandmère estava sentada no sofá, diante da Vovó, com uma xícara de chá e o pires nas mãos. Ao fundo, Vigo corria para lá e para cá como um brinquedinho de corda, atendendo ao telefone e dizendo coisas como: "Não, as flores cor de laranja são para a festa do casamento, as rosas são para os centros de mesa" e "Mas *é claro* que as costeletas de cordeiro são aperitivos".

"Que jeito é esse de entrar numa sala?", queixou-se Grandmère em francês. "Uma princesa jamais interrompe os mais velhos, e nunca joga objetos no chão. Agora venha cá e me cumprimente como gente."

Eu me aproximei e a beijei nas duas faces, mesmo sem ter vontade. Depois fui até Vovó e fiz o mesmo. Vovó soltou risadinhas e exclamou: "Mas que coisa europeia!"

Grandmère disse: "Agora sente, e ofereça uma madalena à sua avó."

Sentei, para mostrar como posso ser dócil, e ofereci à Vovó uma madalena do prato que estava na mesa diante dela, como Grandmère tinha me ensinado a fazer.

Vovó tornou a soltar risadinhas e aceitou uma. Ergueu o dedo mindinho ao fazer isso.

"Ora, obrigada, querida."

"Agora", disse Grandmère em inglês, "onde estávamos, Shirley?"

Vovó disse: "Ah, sim. Bom, como eu dizia, ela sempre foi assim. Teimosa o tempo inteiro. Não me admira ela ter se oposto ao casamento. Não estou nem um pouco surpresa."

Ei, não era de mim que estavam falando, era da...

"Quero dizer, não posso dizer que ficamos encantados quando aconteceu da primeira vez. É claro que Helen nunca mencionou que ele era príncipe. Se soubéssemos, a teríamos incentivado a se casar com ele."

"É compreensível", murmurou Grandmère.

"Mas desta vez", disse Vovó, "bom, não podíamos ficar mais encantados. Frank é uma doçura".

"Então estamos de acordo", disse Grandmère. "Esse casamento precisa acontecer — e acontecerá."

"Ah, sem dúvida alguma", respondeu Vovó.

Eu meio que esperava que as duas cuspissem nas mãos e as apertassem depois, um velho costume de Indiana que aprendi com Hank.

Mas, em vez disto, elas tomaram cada uma um gole de sua respectiva xícara de chá.

Eu tinha certeza absoluta de que ninguém ali ia me dar atenção, mas pigarreei do mesmo jeito.

"Amelia", disse Grandmère, em francês. "Nem mesmo pense em fazer isso."

Tarde demais. Eu comecei: "A mamãe não quer..."

"Vigo", chamou Grandmère. "Está com os sapatos? Aqueles que combinam com o vestido de princesa?"

Como num passe de mágica, Vigo surgiu, trazendo o par de sapatos de cetim cor-de-rosa mais lindos que eu já tinha visto. Eles tinham rosinhas nas pontas para combinar com as do vestido de dama de honra.

"Não são uma graça?", disse Vigo, quando os mostrou para mim. "Não quer experimentá-los?"

Aquilo era maldade. Era golpe baixo.

Era bem típico da Grandmère.

Mas o que eu podia fazer? Não deu pra resistir. Os sapatos couberam perfeitamente, e devo admitir que ficaram deslumbrantes em mim. Davam aos meus pés, que pareciam esquis, a aparência de serem um número menor, talvez até dois números! Não via a hora de usá-los com o vestido. Talvez, se cancelassem o casamento, eu pudesse usá-los no baile de formatura. Se tudo desse certo com o Jo-C-rox, quero dizer.

"Seria uma pena termos que mandá-los de volta", disse Grandmère com um suspiro, "porque sua mãe está sendo tão teimosa".

"Será que não daria para guardá-los para outra ocasião?", indaguei, tentando jogar uma pequena indireta. Afinal, não custa nada tentar.

"Ah, não", disse Grandmère. "Rosa não serve para mais nada além de casamentos."

Por que eu?

Quando minha aula de princesa terminou — aparentemente hoje consistia em ficar ali sentada, ouvindo minhas duas avós reclamarem de como seus filhos (e netos) as detestam — Grandmère ficou de pé e disse à Vovó: "Então, estamos entendidas, Shirley?"

E Vovó respondeu: "Ah, sim, Alteza."

Isso me pareceu um mau sinal. Aliás, quanto mais eu pensava no caso, mais me convencia de que meu pai não tinha movido um dedo sequer para tirar mamãe do que certamente vai ser uma situação bem complicada. De acordo com Grandmère, uma limusine vai passar amanhã à noite para pegar mamãe, o Sr. Gianini e eu, e nos levar ao Plaza. Vai ficar bem claro pra todo mundo, quando minha mãe se recusar a entrar no carro, que não vai haver casamento algum.

Acho que vou ter que tomar as rédeas do destino nas minhas próprias mãos. Sei que papai me garantiu que tudo está sob controle, mas estamos falando de Grandmère. GRANDMÈRE!

Durante a viagem para o centro da cidade, tentei arrancar alguma informação da Vovó — sabem, o que Grandmère e ela quiseram dizer com um "entendimento" entre ambas.

Mas ela não disse uma palavra, a não ser que ela e Vovô estavam cansados demais por causa dos passeios que andaram fazendo pela cidade — e também estavam preocupados com Hank, do qual ainda não haviam tido notícia — para saírem para jantar esta noite, e iam ficar e pedir o serviço de quarto.

O que é ótimo. Tenho absoluta certeza de que se tiver que escutar mais alguém pronunciar as palavras "ao ponto" sou capaz de vomitar.

Ainda na quinta, 30 de outubro, 21h

Muito bem, o Sr. Gianini já trouxe todas as tralhas pra cá. Eu já joguei nove partidas de totó. Cara, meus pulsos estão estourados.

Não é exatamente estranho ele vir morar aqui, porque ele vivia por aqui mesmo antes. As únicas diferenças são a TV gigante, a máquina de fliperama, a mesa de totó e a bateria no canto onde normalmente colocamos o busto metálico do Elvis em tamanho real e folheado a ouro.

Mas a coisa mais legal é a máquina de fliperama. Se chama Gangue dos Motoqueiros e tem um monte de desenhos bem realistas de Hell's Angels tatuados, vestidos com roupas de couro. Também tem as namoradas dos Hell's Angels — que não usam muita roupa — debruçadas, mostrando os seios enormes. Quando a gente acerta a bola, a máquina de fliperama faz um barulho de motor de moto acelerando bem alto.

Mamãe deu uma olhada nela e ficou ali, de pé, sacudindo a cabeça.

Eu sei que é misógina e machista e tal, mas também é muito, muito irada.

O Sr. Gianini me disse hoje que achava que seria legal eu chamá-lo de Frank dali por diante, considerando o fato de que somos praticamente parentes. Mas eu não consigo. Então o chamo de *Ei*. "Ei, pode me passar o queijo parmesão?" e "Ei, viu o controle remoto?".

Viu? Não preciso usar um nome. Esperteza a minha, não?

Ok, não está tudo um mar de rosas. Tem o pequeno fato de que amanhã supostamente vai haver um enorme casamento cheio de convidados ilustres e famosos que eu sei que não foi cancelado, e ao qual também sei que a minha mãe ainda não tem a menor intenção de comparecer.

Mas, quando eu faço alguma pergunta sobre o assunto, em vez de perder o controle, ela só sorri de um jeito meio misterioso e diz: "Relaxa, Mia."

Mas como eu vou relaxar? A única coisa que está definitivamente fora de cogitação é a ida da mamãe e do Sr. G ao cartório. Perguntei se eles ainda queriam que eu fosse de Empire State Building, achando que eu já devia estar providenciando a fantasia e tal, e o olhar da mamãe simplesmente pareceu furtivo enquanto ela me dizia: "Por que não deixamos para discutir isso depois?"

Eu poderia jurar que ela não queria tocar no assunto, então fiquei quieta e resolvi ligar para Lilly. Achei que já era hora de ela me explicar o que estava acontecendo.

Só que, quando liguei, a linha estava ocupada. Portanto, havia uma boa chance de Lilly ou Michael estarem na internet. Resolvi arriscar e enviei uma mensagem pra Lilly, que respondeu na hora:

> **FtLouie:** Lilly, exatamente onde você e Hank foram hoje, hein? E não me venha dizer que não estavam juntos.
>
> **WmnRule:** Não é da sua conta.
>
> **FtLouie:** Bom, vamos dizer que, se quiser conservar seu namorado, é melhor arranjar uma boa explicação.

WmnRule: Eu tenho uma explicação excelente. Mas não acho que deva dá-la a você. Você iria direto contar a Beverly Bellerieve. Ah, e a 22 milhões de espectadores.

FtLouie: Que injustiça! Olha só, Lilly, eu estou preocupada com você. Você não é de faltar à escola. E o livro sobre a sociedade do ensino médio? Talvez tenha perdido dados importantes para colocar nele.

WmnRule: Ah, não diga! Aconteceu alguma coisa hoje digna de registro?

FtLouie: Bom, uns alunos mais adiantados se esgueiraram para dentro da sala dos professores e colocaram um feto de porco no frigobar.

WmnRule: Caramba, não vou me perdoar por ter perdido essa, cara! Mais alguma coisa, Mia? Porque estou tentando pesquisar uma coisa na internet neste exato momento.

Tem mais alguma coisa, sim. Então ela não sabe como é errado namorar dois caras ao mesmo tempo? Principalmente quando algumas não têm sequer *um* namorado? Não dava para ver como esse comportamento era egoísta e mesquinho?

Mas não respondi isso. Em vez dessas coisas, escrevi:

FtLouie: Bom, Boris estava bem chateado, Lilly. Sabe, ele está desconfiando de alguma coisa.

WmnRule: Boris precisa aprender que numa relação afetiva é importante estabelecer vínculos de confiança. Aliás, você também não pode se esquecer disso, Mia.

Percebi, é claro, que Lilly está falando da *nossa* relação, nossa amizade. Mas, se pensar bem, isto se aplica a mais do que apenas Lilly e Boris, e Lilly e eu, se aplica a mim e ao meu pai também. E a mim e a minha mãe. E a mim e... bom, todas as outras pessoas.

Será que esse, pensei, seria um momento profundo? Deveria pegar meu diário de inglês?

Foi logo depois disso que recebi uma mensagem de outra pessoa. Do próprio Jo-C-rox!

    JoCrox: E aí, vai ao *Rocky Horror* amanhã?

Ai, meu Deus, ai, meu Deus, AI, MEU DEUS!!!

Jo-C-rox vai ao *Rocky Horror* amanhã.

E Michael também.

Na verdade, só há uma dedução lógica que se pode fazer a partir daí: Jo-C--rox é o Michael. Michael é o Jo-C-rox. TEM que ser. Simplesmente TEM que ser.

Certo?

Não sabia o que fazer. Quis pular do computador e correr pelo quarto e gritar e rir ao mesmo tempo.

Em vez disso — e não sei onde arranjei a presença de espírito para tanto — respondi:

    FtLouie: Espero que sim.

Não dá pra acreditar. Não dá mesmo pra acreditar. Michael é o Jo-C-rox.

Certo?

O que eu vou fazer agora? O que eu faço?

Sexta, 31 de outubro, Sala de Estudos

Acordei com um pressentimento estranho. Por alguns minutos, não deu para entender por quê. Fiquei ali na cama, escutando a chuva bater na vidraça. Fat Louie estava aos pés da cama, amassando o acolchoado e ronronando alto.

Aí me lembrei: hoje, de acordo com Grandmère, é o dia em que minha mãe grávida deve se casar com meu professor de álgebra em uma cerimônia pomposa no Plaza, com acompanhamento musical, oferecido por John Tesh.

Fiquei ali deitada um minuto, desejando que minha temperatura tivesse subido para 38,8 graus outra vez para que eu não precisasse sair da cama e encarar o que certamente seria um dia de dramas e mágoas.

E aí lembrei da minha mensagem da noite anterior e pulei da cama na hora.

Michael é meu admirador secreto! Michael é Jo-C-rox!

E com alguma sorte, ao final da noite, ele terá me confessado isto, cara a cara!

Sexta, 31 de outubro, Álgebra

O Sr. Gianini não está aqui hoje. No lugar dele, veio uma substituta, chamada Sra. Krakowski.

É muito estranho o Sr. G não estar aqui porque tenho certeza de que ele estava no apartamento hoje de manhã. Jogamos uma partida de totó antes de Lars aparecer na limusine para me pegar. Até oferecemos ao Sr. G uma carona para a escola, mas ele disse que ia mais tarde.

Bem mais tarde, ao que parece.

Muita gente faltou hoje, aliás. Michael, por exemplo, não pegou carona com a gente esta manhã. Lilly diz que foi porque ele teve problemas de última hora para imprimir um trabalho que precisa entregar hoje.

Só que me pergunto se não seria porque ele está morrendo de medo de me encarar depois de admitir que é o Jo-C-rox.

Quer dizer, ele não admitiu exatamente. Mas admitiu, mais ou menos.

Não admitiu?

O Sr. Howell é três vezes mais velho que Gilligan. A diferença entre as idades deles é 48. Quais as idades do Sr. Howell e de Gilligan?

T = Gilligan
3T = Sr. Howell
3T - T = 48
2T = 48
T = 24

Ai, Sr. G, CADÊ VOCÊ?

Sexta, 31 de outubro, S & T

Muito bem.
Eu nunca subestimarei Lilly Moscovitz outra vez. Nem vou desconfiar de ela ter outros motivos que não os mais altruístas possíveis. Isso eu, por este instrumento, juro solenemente.

Foi na hora do almoço que tudo aconteceu.

Estávamos todos lá — eu, meu guarda-costas, Tina Hakim Baba e o guarda-costas dela, Lilly, Boris, Shameeka e Ling Su. Michael, é claro, senta com os colegas do Clube de Computação, então não estava com a gente, mas todos os outros personagens importantes estavam.

Shameeka estava lendo em voz alta para nós alguns folhetos que o pai dela tinha recebido das escolas para meninas em New Hampshire. Cada um deixava Shameeka mais apavorada, e me deixava mais envergonhada, por ter aberto minha boca enorme, antes de qualquer coisa.

De repente, uma sombra se projetou sobre a nossa mesa.

Olhamos para cima.

Vimos uma aparição de estatura tão divina que, por um minuto, acho que até Lilly acreditou que o Messias há tanto tempo esperado pelo povo dela havia finalmente aparecido.

Acontece que era só Hank — mas Hank com um visual que eu certamente nunca tinha visto antes. Estava com um suéter de caxemira preto, sob uma jaqueta de couro preto, e calça jeans preta que parecia nunca ter fim, cobrindo suas pernas longas e esguias. Exibia um corte e um penteado muito maneiros no cabelo dourado, e — juro por Deus — estava tão parecido com o Keanu Reeves em *Matrix* que eu teria acreditado que ele tinha fugido do set de filmagem se não fosse pelo fato de os pés dele estarem calçados com as botas de caubói. Botas pretas, com jeito de caras, mas botas de caubói mesmo assim.

Acho que não foi imaginação minha o murmúrio que ouvi de todo o povo da lanchonete quando o Hank sentou à nossa mesa, a mesa dos rejeitados, como já as ouvi chamarem muitas vezes.

"Oi, Mia", disse Hank.

Olhei-o espantada. Não eram apenas as roupas. Havia algo… diferente nele. A voz parecia mais grossa, de alguma forma. E o cheiro dele… estava delicioso.

"E aí?", perguntou Lilly a ele, enquanto tirava um pouco do recheio do seu bolinho com uma colher. "Como foi?"

"Bom", disse Hank, na mesma voz profunda. "Está olhando para o mais novo modelo de cuecas da Calvin Klein."

Lilly lambeu o recheio do dedo. "Hummm", disse ela, com a boca cheia. "Se deu bem, hein?"

"Devo tudo a você, Lilly", disse Hank. "Se não fosse você, eles jamais teriam me contratado."

Aí caiu a ficha. O motivo pelo qual Hank parecia tão diferente é que aquele jeito de falar arrastado de Indiana tinha sumido!

"Peraí, Hank", disse Lilly. "Nós já conversamos sobre isso. É sua habilidade natural que te fez chegar onde chegou. Eu só te dei um empurrãozinho, umas dicas."

Quando Hank virou para mim, vi que os olhos azul-celeste dele estavam úmidos. "Sua amiga Lilly", disse ele, "fez por mim uma coisa que ninguém jamais fez na minha vida".

Lancei um olhar acusador para Lilly.

Eu sabia. *Sabia* que eles tinham transado.

Mas então Hank disse: "Ela confiou em mim, Mia. Acreditou em mim o suficiente para me ajudar a realizar o meu sonho, um sonho que eu tinha desde que era garotinho. Um monte de gente, inclusive Vovó e Vovô — quero dizer, meus avós —, me disseram que era ilusão. Me disseram para desistir, disseram que jamais aconteceria. Mas quando contei meu sonho a Lilly, ela estendeu a mão" — Hank estendeu a mão para mostrar e todos nós — eu, Lars, Tina, Wahim, o guarda-costas da Tina, Shameeka e Ling Su — olhamos para aquela mão, cujas unhas haviam sido impecavelmente feitas — "e disse: venha comigo, Hank. Vou te ajudar a realizar seu sonho."

Hank abaixou a mão. "E sabem do que mais?"

Todos nós, menos Lilly, que continuou comendo, estávamos tão chocados que só conseguimos ficar parados olhando.

Hank não esperou a resposta. Disse: "Aconteceu. Aconteceu hoje. Meu sonho se realizou. Fui contratado pela Ford. Sou o mais novo modelo deles."

Todos piscamos para ele.

"E devo tudo", disse Hank, "a essa mulher aqui".

Então aconteceu uma coisa realmente chocante. Hank se ergueu de sua cadeira, foi até onde Lilly estava sentada, terminando inocentemente seu bolinho, sem suspeitar de nada, e a puxou e colocou de pé.

Depois, diante de todos na lanchonete — inclusive, eu notei, Lana Weinberger e suas seguidoras inseparáveis, na mesa das líderes de torcida —, meu primo Hank deu um beijão em Lilly Moscovitz, que eu pensei que fosse sugar todo aquele bolinho para fora outra vez.

Quando terminou de beijá-la, Hank a soltou. E Lilly, com cara de quem tinha acabado de levar um choque, lentamente voltou a se sentar na cadeira. Hank ajeitou as lapelas da jaqueta de couro e se virou para mim.

"Mia", disse ele. "Diga à Vovó e ao Vovô que vão ter que encontrar alguém para o meu lugar na loja de ferragens. Eu de jeito maneira — quer dizer, de jeito nenhum — vou voltar para Versailles. Nunca mais."

E, depois dessa, saiu a passos largos da nossa lanchonete, como um caubói se afastando de um duelo que acabou de vencer.

Ou creio que deveria dizer *começou* a sair da lanchonete. Infelizmente, para Hank, não conseguiu sair na velocidade necessária.

Porque uma das pessoas que estavam observando o beijo empolgado que Hank tinha dado em Lilly era nada mais, nada menos que Boris Pelkowski.

E foi Boris Pelkowski — Boris Pelkowski, com seu aparelho ortodôntico e o suéter enfiado na calça — que ficou de pé e disse: "Espera aí, gostosão."

Não sei se ele tinha acabado de assistir a *Top Gun* ou o quê, mas aquele *gostosão* saiu bem ameaçador, considerando o sotaque do Boris e tudo.

Hank continuou andando. Eu não sei se ele não tinha ouvido Boris, ou se não estava a fim de deixar algum gênio violinista estragar sua saída triunfal.

Aí Boris fez uma coisa completamente imprudente. Correu, agarrou Hank pelo braço enquanto ele andava e disse: "Foi na *minha* garota que você deu aquele beijo indecente, gracinha."

Juro que não estou brincando. Foram essas as palavras que ele usou, literalmente. Ah, como meu coração se encheu de emoção ao ouvi-las! Se ao menos algum cara (tá legal, o Michael) dissesse uma coisa dessa sobre mim... Não que eu fosse a garota mais Josie que ele já havia conhecido, mas a *sua* garota. Boris havia se referido mesmo a Lilly como *sua* garota! Nenhum cara jamais tinha se referido a mim como *sua* garota. Ah, eu sei tudo sobre feminismo e como as mulheres não são propriedade de ninguém e que é machista à beça reivindicá-las como tal. Mas, ai! Quem me dera que alguém (tá legal, o Michael) dissesse que eu era *sua* garota!

E o Hank só fez: "Hã?"

E aí, sem aviso, o punho do Boris voou na direção da cara do Hank. *Pou!*

Só que o barulho que ouvimos não foi esse. Pareceu mais um estalo. Então ouvimos um barulho horrível de ossos se quebrando. Todas as garotas ficaram preocupadas, achando que Boris tinha estragado o rosto perfeito de capa de revista do Hank.

Mas não precisávamos ter nos preocupado: foi da mão do Boris que saiu o som de ossos se quebrando, não do rosto de Hank. Hank escapou ileso. Boris é que arrebentou as articulações dos dedos.

E sabem o que isso significa:

Estamos livres do Mahler.

Vivaaa!!!

Não é nada nobre da minha parte, porém, regozijar-me com o infortúnio dos outros.

Sexta, 31 de outubro, Francês

Pedi emprestado o celular do Lars e liguei para o SoHo Grand entre o almoço e o quinto tempo. Quero dizer, achei que alguém devia contar à Vovó e ao Vovô que Hank estava bem. Bom, tinha virado modelo da Ford, mas estava vivo, pelo menos.

Vovó devia estar sentada ao lado do telefone, porque o atendeu no primeiro toque.

"Clarisse?", disse ela. "Ainda não tive notícia deles."

Esquisito. Porque Clarisse é o nome da Grandmère.

"Vovó?", perguntei. "Sou eu, Mia."

"Ah, Mia, minha filha", Vovó riu um pouco. "Desculpe, querida. Pensei que você fosse a princesa. Quero dizer, a princesa viúva. Sua outra avó."

Respondi: "Ah, sei. Bom, não sou. Sou eu. E estou ligando para a senhora só para avisar que tive notícias do Hank."

Vovó deu um grito tão alto que tive que afastar o celular do ouvido.

"ONDE ELE ESTÁ?", berrou. "DIGA A ELE QUE MANDEI DIZER QUE, QUANDO EU PUSER MINHAS MÃOS NELE, ELE VAI…"

"Vovó!", gritei. Foi meio constrangedor, porque todo tipo de gente no corredor escutou os gritos dela e olhou para mim. Tentei ficar invisível, me escondendo atrás do Lars.

"Vovó", expliquei, "Ele assinou um contrato com a Ford Models. Agora é o mais novo modelo das cuecas Calvin Klein. Vai ficar muito famoso, como…"

"CUECAS?", berrou Vovó. "Mia, diga àquele garoto para me ligar AGORA MESMO."

"Bom, não dá pra fazer isso, Vovó", falei, "porque…"

"AGORA MESMO", repetiu Vovó, "ou ele vai se ver comigo!".

"Hummm", resmunguei. O sinal já tinha tocado mesmo. "Tá legal, Vovó. Hã, ainda está tudo certo para… hã, o casamento?"

"Para o QUÊ?"

"O casamento", respondi, desejando que pudesse, só uma vez, ser uma garota normal que não tivesse que ficar perguntando às pessoas se o casamento real de sua mãe grávida e do seu professor de álgebra ainda ia acontecer.

"Bom, sim, é claro que sim", disse Vovó. "O que acha?"

"Ah", disse eu. "A senhora... hum, falou com a minha mãe?"

"Claro que falei", disse Vovó. "Está tudo combinado."

"Não brinca." Fiquei estupefata. Não podia imaginar minha mãe embarcando naquela história. Nem em um milhão de anos. "E ela disse que vai?"

"Bom, é claro que vai", disse Vovó. "É o casamento dela, não é?"

Cara... eu estou besta. Mas não disse isso à Vovó. "Tudo bem." E depois desliguei, me sentindo arrasada.

Por motivos totalmente egoístas também, devo confessar. Estava um pouco triste pela minha mãe, acho, porque ela realmente tinha tentado se opor à Grandmère. Quero dizer, ela tinha tentado mesmo. Não era culpa dela, é claro, que estivesse enfrentando uma força tão inexorável.

Mas me sentia triste principalmente por mim mesma. Eu *JAMAIS* escaparia a tempo para o *Rocky Horror*. Nunca, nunca, *nunca*. Quero dizer, sei que o filme só começa à meia-noite, mas as festas de casamento vão muito além disto.

E quem sabe quando Michael vai me convidar de novo? Quero dizer, ele não admitiu uma só vez hoje que ele é, de fato, o Jo-C-rox, nem mencionou o *Rocky Horror*. Nem uma única vez. Nem mesmo referindo-se a Rachael Leigh Cook.

E conversamos muito em S&T. MUITO MESMO. Isso porque alguns de nós que tínhamos visto o episódio de rompimento com os convencionalismos do *Lilly manda a real* ficamos compreensivelmente confusos por Lilly ter ajudado Hank a realizar seu sonho de se tornar supermodelo. O segmento era intitulado "Sim, Você como Indivíduo Pode Acabar com a Indústria de Modelos Racista e Cheia de Preconceitos de Idade e Tamanho" ("criticando propagandas que rebaixam as mulheres e limitam nossas ideias de beleza" e "encontrando formas de divulgar seu protesto junto às empresas anunciantes" e "dizendo aos meios de comunicação que você quer ver imagens mais variadas e realistas das mulheres". Além disto, Lilly nos incentivou a "fazer oposição a homens que julguem, escolham e descartem mulheres com base na aparência delas)".

Rolou o seguinte papo durante S & T (a Sra. Hill voltou à sala dos professores — permanentemente, espero), incluindo Michael Moscovitz, que, como verão, não mencionou NEM UMA VEZ Jo-C-rox, nem o *Rocky Horror*.

Eu: Lilly, eu pensei que achasse a indústria de modelos como um todo machista e racista e depreciadora da raça humana.

Lilly: Ah, é? Aonde está querendo chegar?

Eu: Bom, de acordo com Hank, você o ajudou a realizar seu sonho de se tornar um você-sabe-o-quê. Um modelo.

Lilly: Mia, quando eu reconheço uma alma humana que clama por autorrealização, não consigo evitar. Sou obrigada a fazer o que posso para garantir que o sonho dessa pessoa se realize.

[Pô, eu não notei Lilly fazendo tanta coisa assim para realizar meu sonho de dar um beijo de língua no irmão dela. Mas, por outro lado, também não confessei esse sonho pra ela.]

Eu: Hã, Lilly, eu não percebi que você tinha contatos na indústria da moda.

Lilly: E não tenho. Eu só ensinei ao seu primo como usar da forma mais eficaz possível os talentos que Deus lhe deu. Algumas aulinhas simples sobre elocução e moda e ele já conseguiu assinar aquele contrato com a Ford.

Eu: Bom, e por que tinham que manter tudo em segredo?

Lilly: Faz ideia de como o ego masculino é frágil?

[Aí Michael entrou na conversa:]

Michael: Opa, peraí!

Lilly: Desculpa, mas é a pura verdade. A autoestima do Hank já havia sido reduzida a pó graças a Amber, a Rainha do Milho de Versailles. Eu não podia permitir que nenhum comentário negativo arruinasse o restinho de autoconfiança que restava nele. Sabe como os garotos podem ser fatalistas.

Michael: Opa, peraí!

Lilly: Era vital que Hank pudesse perseguir seu sonho sem a menor influência fatalista. Senão, eu sabia, ele não teria a menor chance. E aí escondi nosso plano até dos meus entes mais queridos. Qualquer um de vocês, sem querer, podia ter detonado as chances do Hank com o mais casual dos comentários.

Eu: Ah, fala sério. Nós teríamos apoiado vocês.

Lilly: Mia, pensa bem. Se Hank te dissesse: "Mia, quero ser modelo", o que você teria feito? Fala sério! Você teria rido na cara dele.

Eu: Não teria não.

Lilly: Teria sim. Porque, para você, Hank é seu primo reclamão e com tendência à alergia lá da roça que nem sabe o que é um *bagel*. Mas eu, sabe, fui capaz de ver além disso, de ver o homem que Hank tinha potencial para se tornar...

Michael: É, um homem destinado a ter seu próprio calendário de fotos eróticas.

Lilly: Você, Michael, está só com ciúme.

Michael: Ah, sim. Eu sempre quis uma enorme foto minha de cueca pendurada em plena Times Square.

[Na verdade, acho que eu realmente gostaria de ver uma coisa assim, mas era ironia do Michael, é claro.]

Michael: Sabe, Lil, eu duvido muito que a mamãe e o papai fiquem impressionados com esse seu incrível ato de caridade a ponto de não darem importância ao fato de que você matou aula para concretizá-lo. Principalmente quando descobrirem que pegou detenção na semana que vem por causa disso.

Lilly: (com cara de resignada) Os mais altruístas são sempre os martirizados.

E pronto. Foi só isso que ele me disse, o dia inteiro. O DIA INTEIRO.

POSSÍVEIS MOTIVOS PELOS QUAIS MICHAEL *NÃO* ADMITE QUE É O JO-C-ROX

1. Ele é mesmo tímido demais para revelar seus verdadeiros sentimentos por mim
2. Ele acha que não sinto o mesmo por ele
3. Ele mudou de ideia e não gosta de mim, afinal
4. Ele não quer ter que suportar o estigma social de namorar uma caloura e está só esperando até o segundo ano, antes de me convidar para sair (só que aí ele vai ser calouro na faculdade e não vai querer aturar o estigma social de sair com uma garota do ensino médio).
5. Ele não é o Jo-C-rox, e estou obcecada com uma coisa escrita pelo cara da lanchonete que não gosta de milho.

Lembrete para mim mesma: procurar a palavra *altruísta*.

* DEVER DE CASA

Álgebra: não tem (o Sr. G está ausente!)

Inglês: terminar o Dia da Minha Vida! E também o Momento Profundo!

Civilizações Mundiais: ler e analisar uma matéria de atualidades do *Sunday Times* (no mínimo 200 palavras).

S&T: não esquecer do dólar!

Francês: página 120, *huit* frases (ex. A)

Biologia: perguntas no final do capítulo 12 — pegar as respostas com Kenny!

Diário de Inglês

Um Dia na Minha Vida
por Mia Thermopolis

(Resolvi escrever sobre uma noite, em vez de um dia. Tudo bem, Sra. Spears?)

SEXTA, 31 DE OUTUBRO

15h16 – Chego em casa do SoHo com o guarda-costas (Lars). Encontro-o ostensivamente vazio. Deduzo que mamãe provavelmente está cochilando (o que anda fazendo com frequência ultimamente).

15h18 – 15h45 — Jogo totó com o guarda-costas. Venço três de doze partidas. Resolvo que preciso começar a praticar totó no meu tempo livre.

15h50 – Curioso como o jogo barulhento de totó — sem mencionar uma máquina de fliperama incrivelmente barulhenta — não despertou a mamãe do cochilo. Bato de leve na porta do quarto. Fico ali na esperança de que a porta não se abra e revele a visão da mamãe na cama com o professor de álgebra.

15h51 – Bato com mais força. Deduzo que talvez não consigam me ouvir devido a uma movimentada sessão de sexo. Sinceramente espero não ser testemunha de nenhuma cena de nudez acidental.

15h52 – Depois de não obter nenhuma resposta a minhas batidas, entro no quarto da minha mãe. Não há ninguém lá! Uma olhada no banheiro da mamãe revela que coisas fundamentais, como rímel, batom e frasco de tabletes de ácido fólico, sumiram do armário de remédios. Começo a suspeitar que tem alguma coisa rolando.

15h55 – O telefone toca. Eu atendo. É o meu pai. Segue-se a seguinte conversa:

Eu: Papai? Mamãe sumiu. E o Sr. Gianini também. E ele nem foi à escola hoje.

Pai: Ainda está chamando o homem de Sr. Gianini mesmo depois de ele se mudar para a sua casa?

Eu: Papai. Aonde eles foram?

Pai: Não esquenta com isso.

Eu: Aquela mulher carrega minha última chance de ter um irmãozinho. Como posso não me preocupar com ela?

Pai: Tudo está sob controle.

Eu: Como vou acreditar nisso?

Pai: Porque eu disse que está.

Eu: Pai, eu acho que devia saber, tenho sérias restrições quanto a depositar minha confiança em você.

Pai: Por quê?

Eu: Bem, em parte pode ser pelo fato de que até um mês atrás você tinha mentido para mim a minha vida inteira sobre quem você é e o que faz.

Pai. Ah, bom.

Eu: Então me responda logo: CADÊ A MINHA MÃE?

Pai: Ela deixou uma carta para você. Só posso te entregar às oito.

Eu: Pai, o casamento deve começar às oito.

Pai: Eu sei.

Eu: Pai, não pode fazer isso comigo. O que eu vou dizer a...

Voz: Phillipe, tudo bem aí?

Eu: Quem é? Quem *é* essa, papai? É Beverly Bellerieve?

Pai: Tenho que desligar, Mia.

Eu: Pai, não, espera...

CLIQUE

16h00 – 16h15 — Reviro o apartamento, procurando pistas do lugar para onde minha mãe pode ter ido. Não encontro nada.

16h20 – O telefone toca. A avó paterna está na linha. Quer saber se mamãe e eu estamos prontas para ir ao salão nos embelezar. Informo a ela que mamãe já saiu (bom, é verdade, não?). Vovó fica desconfiada. Informo a ela que se tiver alguma pergunta a fazer, pergunte ao filho dela, meu pai. Vovó diz que certamente fará isso. Também diz que a limusine virá me pegar às cinco.

17h00 – A limusine chega. O guarda-costas e eu entramos. Dentro dela está a avó paterna (doravante chamada de Grandmère) e a avó materna (doravante chamada de Vovó). Vovó está muito alvoroçada com o evento nupcial que se aproxima — embora o alvoroço esteja meio amenizado pela deserção do meu primo para virar supermodelo. Grandmère, por outro lado, está misteriosamente calma. Diz que o filho (meu pai) informou a ela que a noiva resolveu fazer o penteado e a maquilagem por conta própria. Lembro da ausência dos tabletes de ácido fólico, mas não digo nada.

17h20 – Entramos no Chez Paolo.

18h45 – Saímos do Chez Paolo. Estou pasma de ver como Paolo conseguiu mudar a aparência da Vovó só modificando o penteado. Ela não parece mais mãe de um filme do John Hughes, mas uma senhora distinta, sócia de algum clube refinado.

19h00 – Chegamos ao Plaza. Papai atribui a ausência da noiva ao seu desejo de tirar um cochilo antes da cerimônia. Quando eu discretamente obrigo Lars a ligar para casa, porém, ninguém atende.

19h15 – Começa a chover outra vez. Vovó menciona que chuva em dia de casamento dá azar. Grandmère diz que não, que são pérolas. Vovó diz, não, chuva. Primeiro sinal de divisão nas fileiras unidas das avós.

19h30 – Sou levada para um quartinho logo antes do Salão Branco e Dourado, onde me sento com as outras damas de honra (as supermodelos Gisele, Karmen Kass e Amber Valetta, que Grandmère contratou devido ao fato de minha mãe se recusar a fornecer sua própria lista de damas de honra). Coloco meu lindo vestido rosa e os sapatos combinando.

19h40 – Nenhuma das outras damas de honra quer falar comigo, a não ser para comentar como eu estou "uma gracinha". Todas só conseguem falar de uma festa à qual foram na noite passada, onde alguém vomitou nos sapatos da Claudia Schiffer.

19h45 – Os convidados começam a chegar. Não reconheço meu avô materno sem o boné de beisebol. Ele até que está bem de smoking. Um pouco parecido com Matt Damon mais velho.

19h48 – Martha Stewart está de pé perto da porta, batendo papo com Donald Trump sobre os imóveis de Manhattan. Ela não consegue achar um edifício cujo condomínio a deixe manter em casa suas chinchilas de estimação.

19h50 – John Tesh cortou o cabelo. Quase não consigo reconhecê-lo. A rainha da Suécia pergunta se ele é amigo da noiva ou do noivo. Ele diz do noivo, por algum motivo inexplicável, embora eu tenha visto pelos CDs do Sr. Giannini que ele só tem Rolling Stones e umas coisinhas do The Who.

19h55 – Todos ficam em silêncio quando John Tesh se senta ao piano de meia-cauda. Rezo para minha mãe estar em outro hemisfério e não ver nem ouvir isso.

20h00 – Todos aguardam ansiosos. Exijo que meu pai, que veio ficar perto de mim e das supermodelos, me dê a carta da mamãe. Papai finalmente a entrega.

20h01 – Leio a carta.

20h02 – Preciso me sentar.

20h05 – Grandmère e Vigo estão cochichando. Parecem ter percebido que nem a noiva nem o noivo apareceram.

20h07 – Amber Valetta diz aos sussurros que, se a cerimônia não começar, ela vai se atrasar para um jantar marcado com Hugh Grant.

20h10 – Cai um silêncio sobre os convidados quando meu pai, parecendo excessivamente nobre de smoking (apesar da careca), avança a passos largos para a frente do Salão Branco e Dourado. John Tesh dá um tempo no piano.

20h11 – Meu pai faz o seguinte comunicado:

> Pai: Quero agradecer a todos vocês por encaixarem este evento em sua agenda sempre tão cheia. Infelizmente o casamento entre Helen Thermopolis e Frank Gianini não acontecerá... pelo menos não esta noite. O feliz casal nos passou uma rasteira, e hoje de manhã fugiu para Cancún, onde creio que planejam se casar diante de um juiz de paz.
>
> [Ouve-se um grito vindo do outro lado do piano. Acho que não foi o John Tesh, mas Grandmère.]
>
> Pai: Naturalmente estão convidados a se unir a nós no Grande Salão de Baile para o jantar. E, mais uma vez, obrigado por terem vindo.
>
> [Papai sai solenemente. Os convidados, incrédulos, reúnem seus pertences e saem em busca de coquetéis. Não se escuta um som sequer atrás do piano de meia-cauda.]
>
> Eu (para ninguém em particular): México! E nem me levaram?

20h20 — John Tesh começa a tocar. Pelo menos até Grandmère berrar: "Ai, pelo amor de Deus, chega!"

Teor da carta da mamãe:

Querida Mia,

Quando estiver lendo isto, Frank e eu já estaremos casados. Desculpe-me por não poder ter contado antes, mas, quando sua avó perguntar se sabe de alguma coisa (e ela vai perguntar), quero que você possa responder que não sabe sem ter que mentir, para que não exista nenhum ressentimento entre as duas.

[Ressentimentos entre Grandmère e eu? Quem ela pensa que está iludindo? Só há ressentimentos entre nós! Bom, pelo menos que eu saiba.]

Mais do que qualquer outra coisa, Frank e eu queríamos que você estivesse presente no nosso casamento. Então decidimos que, quando voltarmos, vamos fazer outra cerimônia: essa vai ser estritamente secreta e muito íntima, só nossa pequena família e nossos amigos!

[Bom, isso vai ser bem interessante, na certa. A maioria dos amigos da minha mãe é composta de militantes feministas ou artistas performáticos. Uma delas gosta de se apresentar pelada num palco e derramar calda de chocolate no corpo inteiro enquanto declama poemas.
    Imagino como vão se dar com os amigos do Sr. G, que aparentemente gostam um bocado de assistir a transmissões esportivas.]

Você vem sendo uma fortaleza em meio a tudo isso, Mia, e quero que saiba o quanto eu — bem como seu pai e o seu padrasto — somos gratos por isso. Você é a melhor filha que uma mãe poderia ter, e esse garotinho (ou essa garotinha) é o bebê mais sortudo do mundo por ter você como irmã mais velha.
    Já com saudades,

Mamãe

Sexta, 31 de outubro, 21h

Estou chocada. Juro que estou.

Não porque mamãe e meu professor de álgebra fugiram para casar. Isto é até bem romântico, se querem saber o que acho.

Não, é porque meu pai — *meu pai* — os ajudou a fazer isso. Ele chegou a enfrentar a mãe dele. DE VERDADE.

Aliás, por causa de tudo isso, estou começando a achar que meu pai não tem tanto medo assim da Grandmère! Acho que ele só não gosta de se aborrecer. Imagino que ele simplesmente ache mais fácil concordar com ela do que contrariá-la, porque contrariá-la é mesmo um transtorno.

Mas não desta vez. Desta vez ele bateu o pé mesmo.

E pode apostar que ele vai pagar por isso, e como vai.

Talvez eu nunca mais me recupere. Vou ter que rever tudo que já pensei a respeito dele. Mais ou menos como quando Luke Skywalker descobriu que o pai verdadeiro dele era Darth Vader, só que ao contrário.

De qualquer forma, quando Grandmère estava choramingando atrás do piano, cheguei para o papai e o abracei, dizendo: "Você conseguiu!"

Ele me olhou de um jeito curioso: "Por que está parecendo surpresa?"

Ops. Então eu disse, completamente envergonhada: "Ah, bom, você sabe por quê."

"Não sei não."

"Bom", falei. (POR QUÊ? POR QUE eu tenho essa boca assim tão grande?)

Pensei em mentir. Mas acho que meu pai deve ter adivinhado o que eu estava pensando, porque disse naquele seu tom de advertência: "*Mia…*"

"Ah, tá legal", falei, meio de má vontade, soltando-o. "Sabe, é que algumas vezes você me dá a impressão — só a impressão, veja bem — de ter um pouquinho de medo da Grandmère."

Meu pai estendeu um braço e passou-o ao redor do meu pescoço. Fez isso bem na frente de Liz Smith, que estava levantando para seguir os outros ao Grande Salão de Baile. Mas ela sorriu para nós como se achasse aquilo uma coisa muito fofa.

"Mia", disse meu pai. "Não tenho medo da minha mãe. Ela não é tão ruim quanto pensa. Só é preciso saber como lidar com ela."

Aquilo para mim era novidade.

"Além do mais", disse meu pai, "acha mesmo que eu te decepcionaria? Ou deixaria sua mãe na mão? Eu sempre vou estar ao lado de vocês duas".

Aquilo foi tão legal que fiquei com lágrimas nos olhos por um minuto. Mas talvez fosse a fumaça de todos aqueles cigarros. Havia muitos franceses naquela festa.

"Mia, não tenho te dado uma impressão assim tão ruim, tenho?", perguntou meu pai, de repente.

Fiquei surpresa diante da pergunta.

"Não, pai, claro que não. Vocês sempre foram pais muito legais."

Meu pai concordou com a cabeça.

"Entendo."

Logo vi que não tinha sido gentil o suficiente, então acrescentei: "Não, estou falando sério. Eu realmente não podia ter coisa melhor..." Não resisti a acrescentar: "Só que eu, provavelmente, preferiria viver sem essa história de ser princesa."

Ele deu a impressão de que teria estendido o braço e acariciado meu cabelo se não estivesse tão melado de musse que a mão teria grudado nele.

"Desculpe por isso", disse. "Mas acha mesmo que seria feliz, Mia, sendo uma Fulana Adolescente Normal qualquer?"

Hã... sim.

Mas não ia querer me chamar Fulana.

Talvez pudéssemos ter tido um momento realmente profundo sobre o qual eu pudesse escrever no meu diário de inglês se Vigo não tivesse aparecido justamente naquela hora. Ele parecia arrasado. E por que não estaria? O casamento dele estava se revelando uma catástrofe! Primeiro a noiva e o noivo não aparecem, e agora a anfitriã, a princesa viúva, havia se trancado na suíte do hotel e não queria sair.

"Como assim não sai?", indagou meu pai.

"Isso mesmo que eu disse, alteza." Vigo parecia estar à beira das lágrimas. "Nunca a vi tão furiosa! Ela diz que foi traída pela sua própria família e jamais vai poder mostrar a cara em público outra vez, de tão grande que foi o vexame."

Meu pai pareceu encantado.

"Vamos", disse ele.

Quando chegamos à porta da suíte da cobertura, meu pai fez um gesto para que Vigo e eu ficássemos calados. Depois bateu à porta.

"Mãe", chamou. "Mãe, é o Phillipe. Posso entrar?"

Nada. Mas eu poderia jurar que ela estava lá dentro. Dava para ouvir Rommel gemendo baixinho.

"Mãe", disse o papai. Tentou girar a maçaneta, e viu que estava trancada. Isso fez com que ele desse um suspiro bem profundo.

Bom, dava para entender por quê. Ele já tinha passado a maior parte do dia pondo de lado todos os planos bem traçados dela. Isso já tinha sido desgastante. E agora essa ainda por cima?

"Mãe", disse ele. "Quero que abra essa porta."

Ainda nada.

"Mãe", disse meu pai. "Chega dessa bobagem. Quero que abra essa porta neste exato momento. Se não abrir, vou pedir ao gerente que mande abri-la. Está tentando me obrigar a recorrer a isso? Está?"

Eu sabia que Grandmère preferiria nos deixar vê-la sem maquiagem do que permitir que um empregado do hotel tomasse conhecimento de nossos desentendimentos em família, então pousei a mão no braço do meu pai e sussurrei: "Papai, deixa eu tentar."

Meu pai deu de ombros e recuou, com uma cara de quem diz "Se acha que pode fazer alguma coisa".

Chamei-a, dizendo: "Grandmère? Grandmère, sou eu, a Mia."

Não sei o que esperava. Certamente não que ela abrisse a porta. Quero dizer, se ela não queria abrir nem para Vigo, que parecia amar de paixão, nem para o seu próprio filho, que, se não amava de paixão, pelo menos era o seu único, por que abriria para mim?

Mas só o silêncio respondeu atrás daquela porta. Salvo pelo ganido do Rommel, claro.

Mas me recusei a me dar por vencida. Elevei o tom de voz e disse: "Mil desculpas pelo comportamento da minha mãe e do Sr. Gianini, Grandmère.

Mas precisa admitir que te avisei que ela não queria esse casamento. Lembra? Eu lhe disse que ela queria uma cerimônia íntima. Talvez tenha percebido isso pelo fato de que não há uma única pessoa aqui que tenha sido convidada pela minha mãe. São todos seus amigos. A não ser a Vovó e o Vovô, quero dizer. E os pais do Sr. G. Mas corta essa. Minha mãe não conhece a Imelda Marcos, né? E a Barbara Bush, então? Tenho certeza de que ela é muito legal, mas não é uma das amigas mais chegadas da mamãe."

Ela continuava calada.

"Grandmère!", gritei pela porta. "Olha só, eu estou mesmo surpresa com você. Pensei que ensinasse sempre que uma princesa tem que ser forte. Pensei que tivesse dito que uma princesa, diante de qualquer tipo de adversidade, precisa fazer cara de forte e não se esconder atrás de sua riqueza, nem de seus privilégios. Bom, não é exatamente isso o que está fazendo agora? Não deveria estar lá embaixo agora, fingindo que foi exatamente assim que planejava que tudo acontecesse e fazendo um brinde ao feliz casal ausente?"

Pulei para trás quando a maçaneta do quarto da minha avó começou a girar lentamente. Um segundo depois, Grandmère saiu, uma visão trajada de veludo roxo e uma tiara de diamantes.

Depois disse, com uma tremenda dignidade: "É claro que pretendia voltar para a festa. Só subi para retocar o batom."

Meu pai e eu nos entreolhamos.

"Claro, Grandmère", concordei. "Se é o que diz."

"Uma princesa", disse Grandmère, fechando a porta da suíte atrás de si, "nunca deixa os convidados se virarem sozinhos".

"Falou", disse.

"Então, o que vocês dois estão fazendo aqui?", reclamou Grandmère, fuzilando-nos com o olhar.

"Estávamos, hã, só querendo saber como você estava", expliquei.

"Estou vendo." Então Grandmère fez uma coisa surpreendente. Me deu o braço. E depois, sem olhar para o meu pai, disse: "Venha comigo."

Vi meu pai revirar os olhos diante daquela situação.

"Só um instante, Grandmère", pedi.

Então dei o braço ao meu pai, de forma que nós três ficamos ali de pé no corredor, unidos por... bem, por mim.

Grandmère só fez um barulho com o nariz, sem dizer mais nada. Mas papai sorriu.

E sabem do que mais? Não sei não, mas acho que talvez esse tenha sido um momento profundo para todos nós.

Bom, tá legal. Pelo menos *para mim* foi.

Sábado, 1º de novembro, 14h

A noite não foi um desastre total.

Bastante gente parecia estar se divertindo. Hank, por exemplo. Ele acabou aparecendo bem a tempo para o jantar — sempre foi bom nisto —, absolutamente divino em um smoking Armani.

Vovó e Vovô ficaram maravilhados ao vê-lo. A Sra. Gianini, a mãe do Sr. Gianini, ficou impressionada com ele também. Devem ter sido os bons modos dele. Ele não tinha esquecido nenhuma das lições de elocução da Lilly, e só mencionou sua predileção por "atravessar um lamaçal num jipe" nos fins de semana uma vez. E depois, quando o baile começou, ele convidou Grandmère para a segunda valsa — papai ficou com a primeira —, consolidando na mente dela para sempre a ideia de que ele era o consorte real ideal para mim.

Graças a Deus, em 1907, proibiram os casamentos entre primos de primeiro grau em Genovia.

Porém as pessoas mais felizes com as quais conversei a noite inteira não estavam ali na festa. Não, por volta das dez, Lars me entregou o celular dele, e quando eu disse "Alô?", me perguntando quem seria, a voz da minha mãe, soando muito distante e falhada, respondeu: "Mia?"

Eu não quis dizer a palavra "mamãe" muito alto, porque sabia que Grandmère estava rondando por ali. E não acho provável que Grandmère vá perdoar meus pais tão cedo pelo bolo que levou deles. Eu me abaixei atrás de uma coluna e murmurei: "Ei, mamãe! O Sr. Gianini já conseguiu fazer de você uma esposa, foi?"

Bom, parece que já tinha conseguido sim. Já estavam casados (um pouco tarde, se querem saber, mas, peraí, pelo menos a criança não vai nascer com o estigma da ilegitimidade que eu tive que suportar a vida inteira). Eram apenas seis e pouco da manhã onde eles estavam, e os dois curtiam uma praia em algum lugar tomando *piña colada* sem álcool. Fiz minha mãe prometer que não ia beber mais nenhuma, porque não se pode confiar no gelo desses lugares.

"Podem existir parasitas no gelo, mamãe", informei a ela. "Tem umas minhoquinhas que vivem nos glaciares da Antártida, sabe, estudamos elas em biologia. Elas existem há milhares de anos. Então, mesmo que a água esteja congelada, a gente ainda corre o risco de pegar uma doença. Você só deve aceitar gelo feito de água engarrafada. Ei, por que não chama o Sr. Gianini ao telefone, para eu dizer a ele exatamente o que precisa fazer…"

Mamãe me interrompeu:

"Mia", disse. "Como eles…", pigarreou. "Como minha mãe reagiu?"

"Vovó?" Olhei na direção da Vovó. A verdade era que a Vovó estava se divertindo à beça. Estava adorando viver o papel de mãe da noiva. Até ali já tinha dançado com o príncipe Albert, que estava representando a família real de Mônaco, e o príncipe Andrew, que não parecia estar sentindo falta nenhuma da Fergie, se querem saber…

"Humm", falei. "A Vovó… tá furiosa com você!"

"É mesmo, Mia?", indagou ela, contendo a respiração.

"Ahan", concordei, olhando o Vovô girar a Vovó praticamente para dentro do chafariz de champanhe. "Provavelmente nunca mais vão falar com você."

"Ah", disse mamãe, toda satisfeita. "Não é uma pena?"

Às vezes minha capacidade natural de mentir acaba sendo útil.

Mas, infelizmente, justo nessa hora a ligação caiu. Bem, pelo menos a mamãe tinha ouvido meu aviso sobre a contaminação do gelo antes de perdermos o contato uma com a outra.

Quanto a mim, bem, posso dizer que me diverti à beça — quero dizer, a única pessoa que tinha quase a minha idade era Hank, e ele estava ocupado demais dançando com a Gisele para falar comigo.

Graças a Deus, lá pelas onze da noite, o papai começou: "Hã… Mia, não é Dia das Bruxas hoje?"

Eu respondi: "É sim, pai."

"Não há nenhum outro lugar onde preferia estar?"

Sabe, eu não havia me esquecido do *Rocky Horror*, mas achei que Grandmère ia precisar de mim. Às vezes as coisas de família são mais importantes do que as amizades — até do que o romance.

Só que assim que escutei aquilo, respondi logo: "Hã... sim."

O filme começava à meia-noite no cinema Village, a uns 50 quarteirões de distância dali. Se eu me apressasse, conseguiria chegar a tempo. Bom, Lars e eu chegaríamos a tempo.

Só havia um problema. Não estávamos fantasiados: no Dia das Bruxas, só deixam a gente entrar no cinema de fantasia.

"Como assim não está fantasiada?", disse Martha Stewart, que havia entreouvido nossa conversa.

Mostrei a saia do vestido.

"Bom", disse, duvidosa. "Acho que poderia passar por Glinda, a Bruxa Boa, mas não tenho varinha. Nem coroa também."

Não sei se Martha tinha tomado muitos coquetéis de champanhe ou se ela é assim mesmo, mas quando eu vi, ela já estava fazendo uma varinha para mim com bastões de cristal para mexer bebidas, que amarrou com uns raminhos de hera tirados do arranjo de centro da mesa. Depois fez uma coroa grandona para mim com uns cardápios e uma pistola de cola que tinha na bolsa.

E sabe do que mais? Ficou bom, igual à que aparece em *O mágico de Oz*! (Ela virou a parte impressa dos cardápios para dentro, para não aparecer.)

"Pronto", disse Martha quando acabou. "Glinda, a Bruxa Boa." Olhou para Lars. "E você é mole. Você é o James Bond."

Lars pareceu gostar. Podia-se dizer que ele sempre tinha sonhado em ser agente secreto.

Ninguém ficou mais feliz do que eu, porém. Minha fantasia de que Michael me visse naquele vestido lindo estava para se realizar. Ainda melhor, o traje ia me dar a confiança de que eu precisava para confrontá-lo com a história do Jo-C-rox.

Então, com as bênçãos do papai — teria parado para me despedir de Grandmère, mas ela e o Gerald Ford estavam dançando tango lá na pista (não estou brincando, não) —, eu saí de lá feito um raio...

E tropecei direto num mar de repórteres daqueles bem insistentes.

"Princesa Mia!", berravam. "Princesa Mia, qual sua opinião sobre a fuga da sua mãe?"

Eu estava pronta para deixar Lars abrir caminho para mim, para podermos entrar na limusine, sem dizer nada aos repórteres. Mas aí tive uma ideia. Agarrei o microfone mais próximo e declarei: "Eu só quero dizer a todos que estão me vendo que a Albert Einstein é a melhor escola de ensino médio de Manhattan, talvez da América do Norte, e que temos um excelente corpo docente, e o melhor corpo discente do mundo, e todos que não reconhecerem isso vão estar simplesmente se enganando, né, Sr. Taylor?"

(Sr. Taylor é o pai da Shameeka.)

Então empurrei o microfone de volta para o dono e entrei na limusine.

Quase não chegamos a tempo. Primeiro porque, por causa do desfile, o trânsito no centro da cidade estava horroroso. Em segundo lugar, porque a fila para entrar no Village dava a volta no quarteirão! Eu mandei o motorista da limusine ir acompanhando a fila, enquanto Lars e eu examinávamos a variedade de gente na multidão. Foi muito difícil reconhecer meus amigos, porque todos estavam fantasiados.

Mas aí vi um certo grupo de pessoas de aparência realmente esquisita, vestidos com uniformes da Segunda Guerra Mundial. Estavam todos cobertos de sangue falso, e alguns traziam tocos de borracha no lugar dos membros. Estavam carregando um cartaz bem grande onde se lia O resgate do soldado Ryan. Perto deles estava uma jovem com uma camisola preta de renda e uma barba postiça. E ao lado dela um rapaz vestido de mafioso, com um estojo de violino na mão.

O estojo de violino é que me chamou a atenção.

"Pare o carro!", gritei.

A limusine parou e Lars e eu saímos. A menina de camisola falou: "Caramba! Você veio! Você veio!"

Era Lilly. E perto dela, com um bolo enorme de intestinos saindo do uniforme militar, estava o irmão dela, Michael.

"Rápido", disse ele ao Lars e a mim. "Entrem na fila. Comprei dois ingressos extras para o caso de vocês conseguirem chegar, apesar de tudo."

Houve algumas reclamações vindas das pessoas atrás de nós quando Lars e eu furamos a fila, mas ele só precisou virar para mostrar a alça do coldre, e elas ficaram caladas bem depressa. A Glock do Lars, até por ser verdadeira e coisa e tal, era bem assustadora.

"Onde está Hank?", perguntou Lilly.

"Não deu para ele vir", menti. Não quis contar o motivo. Sabe, da última vez em que o vi, ele estava dançando com a Gisele. Não queria que Lilly pensasse que Hank preferia supermodelos a gente, sabe, como nós.

"Ele não pode vir. Beleza", disse Boris, firmemente.

Lilly lançou um olhar de advertência na direção dele. Depois, apontando para mim, perguntou: "E que fantasia é essa aí?"

"Ah", falei. "Sou Glinda, a Bruxa Boa."

"Eu sabia", disse Michael. "Você está mesmo... está mesmo..."

Ele parecia incapaz de continuar. Eu devo, percebi com o coração na mão, estar parecendo mesmo uma tonta.

"Você está glamourosa demais para o Dia das Bruxas", declarou Lilly.

Glamourosa? Bom, glamourosa era melhor do que tonta, acho. Mas por que Michael não tinha conseguido dizer isso?

Eu a encarei.

"Hã", disse. "E você, do que está fantasiada, exatamente?"

Ela tocou as alcinhas da camisola, depois afofou a barba postiça.

"Não sacou?", disse em voz bem sarcástica. "Sou um ato falho!"

Boris mostrou o estojo do violino. "E eu sou o Al Capone", disse ele. "Gângster de Chicago."

"Legal, Boris", elogiei, notando que ele estava de suéter, e, para variar, tinha metido o dito-cujo dentro da calça. Ele não consegue deixar de ser totalmente estrangeiro, acho.

Alguém deu um puxão na minha saia. Olhei em volta e vi Kenny, meu parceiro de biologia. Ele também estava de farda, sem um dos braços.

"Você conseguiu!", gritou ele.

"Consegui", comemorei. A empolgação no ar foi contagiante.

Então a fila começou a avançar. Os amigos de Michael e Kenny, do Clube de Computação, que formavam o restante do pelotão ensanguentado, começaram a marchar e a cantar: "Um, dois, três, quatro. Um, dois, três, quatro."

Bom, não dá pra evitar. Afinal de contas, eles são do Clube de Computação.

Foi só quando o filme começou que eu percebi que havia algo de estranho no ar. Espertamente dei um jeito, no corredor, para acabar me sentando ao lado do Michael. Lars devia se sentar do meu outro lado.

Mas de alguma forma afastaram Lars, e Kenny acabou se sentando do outro lado.

Não tinha lá tanta importância assim... naquele momento. Lars simplesmente se sentou atrás de mim. Eu nem percebi Kenny ali, muito embora ele ficasse tentando falar comigo, durante a maior parte do tempo sobre biologia. Eu até respondia, mas só conseguia pensar no Michael. Será que ele pensava mesmo que eu era burra? Quando devia mencionar que eu sabia que ele era o Jo-C-rox? Eu tinha ensaiado todo o meu discurso. Ia ser assim: olha só, tem visto algum desenho animado bom ultimamente?

Fraquinho, eu sei, mas de que outro jeito eu ia trazer o assunto à tona?

Mal podia esperar o fim do filme para poder lançar minha ofensiva.

O *Rocky Horror*, mesmo quando a gente mal pode esperar que ele acabe, é muito engraçado. Todos agem como lunáticos. As pessoas jogavam pão na tela e abriam guarda-chuvas quando chovia no filme, e requebravam. Realmente é um dos melhores filmes de todos os tempos. Quase destrona o *Dirty Dancing* como meu preferido, mas só que ele não tem o Patrick Swayze.

Mas só que eu esqueci que não há cenas que sejam realmente assustadoras. Então não tive uma chance adequada de fingir que estava apavorada para Michael poder passar o braço atrás dos meus ombros, nem nada.

Coisa chata, se a gente parar para pensar nisso.

Mas, pô, eu finalmente tinha conseguido me sentar ao lado dele, não tinha? Durante mais ou menos duas horas. No escuro. Isso já é um começo, né? E ele ficou rindo e olhando para mim para ver se eu estava rindo também ou não. Isso também é importante, certo? Quero dizer, quando alguém fica olhando para ver se você acha engraçadas as mesmas coisas que ele acha? Isso certamente é importante.

O único problema é que eu não pude deixar de notar que Kenny estava fazendo a mesma coisa. Sabe, rindo e depois olhando para mim para ver se eu também estava rindo.

Eu devia ter adivinhado.

Depois do filme, todos fomos tomar café da manhã no Round the Clock. E foi aí que as coisas ficaram mais estranhas ainda.

Eu já tinha ido ao Round the Clock antes, é claro — em que outro lugar de Manhattan a gente consegue comer panquecas por dois dólares? —, mas nunca assim tão tarde, e nunca com um guarda-costas. O coitado do Lars já estava caindo pelas tabelas àquela altura. Ficou pedindo xícaras e xícaras de café. Eu fiquei numa mesa, metida entre Kenny e Michael — engraçado como isto continuava acontecendo —, com Lilly e Boris e o Clube de Computação inteiro ao nosso redor. Todos estavam falando bem alto, ao mesmo tempo, e eu estava com uma enorme dificuldade para imaginar como ia falar na história do desenho animado quando, não mais que de repente, Kenny disse, direto no meu ouvido: "Recebeu alguma mensagem interessante ultimamente?"

Infelizmente, foi só aí que eu caí na real.

Eu já devia saber, é claro.

Não tinha sido Michael. *Michael não era o Jo-C-rox.*

Acho que uma parte de mim já sabia o tempo todo. Quero dizer, Michael não gosta desse negócio de anonimato. Ele não é do tipo que não assina o nome. Acho que eu estava sofrendo de um delírio daqueles bem extremos ou algo do tipo.

Um delírio daqueles BEM TERRÍVEIS mesmo.

Porque o Jo-C-rox era o Kenny.

Não que haja algo errado no Kenny. Não há mesmo. Ele é um cara realmente muito legal. Quero dizer, eu realmente gosto do Kenny Showalter. Gosto mesmo.

Mas ele não é Michael Moscovitz.

Olhei para Kenny depois de ele fazer essa pergunta de eu ter recebido alguma mensagem interessante ultimamente, e tentei sorrir. Tentei mesmo.

Disse: "Ah, Kenny. Você é o Jo-C-rox?"

Kenny sorriu.

"Sim", disse Kenny. "Não adivinhou?"

Não. Porque eu sou uma completa idiota.

"Ahan", murmurei, me obrigando a sorrir novamente. "Finalmente."

"Ótimo." Kenny parecia satisfeito. "Porque você realmente me faz lembrar da Josie, sabe. De *Josie e as gatinhas*, quero dizer. Sabe, ela é a cantora principal de uma banda de rock e também resolve casos policiais. É bacana. Como você."

Ai, meu Deus. *Kenny*. Meu parceiro de biologia. Totalmente desajeitado, 1,80m, que sempre me dá as respostas do dever de casa. Eu tinha esquecido de que ele era um tremendo fã de desenhos animados japoneses. Claro que ele assiste ao *Cartoon Network*. Ele praticamente é viciado nesse canal. *Batman* é seu filme predileto, acima de qualquer outro.

Ai, pelo amor de Deus, alguém me mata. Alguém me mata.

Sorri. Infelizmente meu sorriso foi fraco demais.

Mas Kenny nem ligou.

"E, sabe, nos últimos episódios", disse Kenny, incentivado pelo meu sorriso, "Josie e as gatinhas vão ao espaço. Então ela também é pioneira da exploração espacial".

Ai, meu Deus do céu, tomara que seja um pesadelo. Por favor, que seja um pesadelo, que eu acorde e que não seja verdade!

Eu só podia agradecer à minha estrela da sorte por não ter dito nada ao Michael. Podem imaginar se eu tivesse ido até ele e dito o que planejava dizer? Ele teria achado que eu tinha me esquecido de tomar meus remédios ou coisa assim.

"Bem", disse Kenny. "Quer sair algum dia desses, Mia? Comigo, quero dizer?"

Ai, cara. Eu odeio essas coisas. Odeio mesmo. Sabe, quando as pessoas perguntam "Quer sair comigo qualquer dia desses?", em vez de "Quer sair comigo na próxima terça?". Porque desse jeito a gente pode inventar uma desculpa. Porque a gente sempre pode dizer: "Ah, não, na terça tenho um compromisso."

Mas não dá para dizer: "Não, não quero sair com você NUNCA."

Porque isso seria muita crueldade.

E não dá pra ser cruel com Kenny. Eu gosto dele. Gosto mesmo. Ele é muito engraçado e carinhoso, essas coisas.

Mas será que quero deixá-lo enfiar a língua na minha boca?

Não tanto assim.

O que eu podia dizer? "Não, Kenny, não quero sair nunca com você, porque acontece que eu estou apaixonada pelo irmão da minha melhor amiga"?

Não dá para dizer isso.

Bom, algumas garotas dizem.

Mas eu não.

"Claro, Kenny", respondi.

Afinal, que mal haveria em me encontrar com Kenny? O que não mata, fortalece. É o que Grandmère diz, pelo menos.

Depois dessa, não tive escolha senão deixar Kenny passar o braço ao redor dos meus ombros — o único que tinha, já que o outro estava firmemente preso sob a farda para lhe dar a aparência de ter sido gravemente ferido em uma explosão de mina.

Mas estávamos tão apertados na mesa que o braço do Kenny, ao passar por trás dos meus ombros, esbarrou no Michael, e ele olhou para nós dois...

Depois olhou para Lars, bem de relance. Quase como se... sei lá...

Visse o que estava acontecendo e quisesse que Lars desse fim àquilo?

Não. Não, é claro que não. Não podia ser.

Mas é verdade que quando viu que Lars, que estava ocupado pondo açúcar na sua quinta xícara de café da noite, não ergueu o olhar, Michael ficou de pé e disse: "Bom, gente, estou morto. Que tal irmos pra casa agora?"

Todos olharam para ele como se tivesse ficado maluco. Quero dizer, alguns deles estavam terminando de comer ainda e tal. Lilly até disse: "Que bicho te mordeu, Michael? Precisa pôr seu sono da beleza em dia, é?"

Mas Michael tirou a carteira do bolso e começou a contar o dinheiro para pagar sua parte.

Então me levantei bem depressa e disse: "Eu também estou cansada. Lars, pode chamar o carro?"

Lars, encantado por finalmente poder ir embora, pegou o celular e começou a digitar o número. Kenny, ao meu lado, começou a dizer coisas do tipo "É uma pena você ter que sair tão cedo" e "Então, Mia, posso te ligar?".

Essa última pergunta fez Lilly olhar de mim para Kenny e depois para mim outra vez. Depois olhou para Michael. Aí também se levantou.

"Vamos, Al", disse ela, dando um tapinha na cabeça do Boris. "Vamos estourar essa espelunca."

É claro que o Boris não entendeu. "O que é uma espelunca?", indagou ele. "E por que vamos estourá-la?"

Todos começaram a procurar dinheiro para pagar a conta... E aí me lembrei de que não tinha. Grana, quero dizer. Nem mesmo tinha trazido uma bolsa para pôr o dinheiro dentro. Essa parte do meu traje de casamento a minha avó tinha esquecido.

Cutuquei Lars e cochichei: "Tem alguma grana aí? Estou meio dura no momento."

Lars fez que sim com a cabeça e pegou a carteira. Foi aí que Kenny, que notou a cena, disse: "Ah, não, Mia, eu pago suas panquecas."

Essa, obviamente, me deixou completamente apavorada. Eu não queria que Kenny pagasse minhas panquecas. Nem as cinco xícaras de café do Lars.

"Ah, não", falei. "Não precisa."

Mas isso não surtiu o efeito desejado, pois Kenny disse, todo rígido, "Eu insisto", e começou a jogar dólares na mesa.

Lembrando que eu devia me portar de forma digna, sendo princesa e tal, respondi: "Bom, então muito obrigada, Kenny."

Então Lars entregou ao Michael uma nota de vinte e disse: "Para pagar as entradas do cinema."

Só que Michael não aceitou também — tá legal, era o dinheiro do Lars, mas meu pai o teria reembolsado. Ele fez cara de estar completamente constrangido e disse: "Ah, não. Faço questão." Mesmo depois de eu tentar convencê-lo de todas as formas.

Então não pude deixar de dizer "Bom, muito obrigada, Michael", quando o que eu realmente gostaria de dizer era "Me tirem daqui!".

Porque se dois caras estavam pagando a minha conta, era como ter saído com os dois ao mesmo tempo!

Coisa que, de certa maneira, eu tinha feito.

Dá pra imaginar que eu fiquei muito empolgada com isso. Quero dizer, considerando que eu ainda não tinha saído com nenhum garoto, muito menos *dois* ao mesmo tempo.

Mas não tinha absolutamente *nenhuma* graça. Porque, para começar, eu não queria sair com um deles, de jeito nenhum.

E, além disso, ele era o que tinha confessado gostar de mim... mesmo anonimamente.

Aquele negócio todo era uma tortura, e eu só queria ir para casa, me enfiar na cama e puxar as cobertas por cima da cabeça, fingindo que nada daquilo tinha acontecido.

Mas não podia fazer isso porque, estando mamãe e o Sr. G em Cancún, eu teria que me hospedar no Plaza com Grandmère e o papai até os dois voltarem.

Justamente quando eu achava que as coisas estavam totalmente perdidas, enquanto todos se amontoavam na limusine (bem, alguns pediram carona para casa, e como eu poderia negar?), Michael, que acabou de pé ao meu lado, esperando a vez de entrar no carro, disse: "O que eu queria te dizer antes, Mia, era que você está... você está..."

Pisquei para ele à luz rosa e azul do letreiro do Round the Clock atrás de nós. É impressionante, mas mesmo banhado em néon rosa e azul, com intestinos falsos saindo de dentro da camisa, Michael ainda estava me parecendo absolutamente...

"Você está muito gata nesse vestido", disse ele, bem depressa.

Sorri para ele, me sentindo de repente exatamente como a Cinderela, sabe, no fim do filme da Disney, quando o Príncipe Encantado finalmente a encontra e calça nela o sapatinho, e os farrapos dela se transformam no vestido de baile outra vez, e todos os ratinhos aparecem e começam a cantar?

Foi assim que me senti, só por um segundo.

Aí uma voz bem atrás de mim disse:

"Como é, vocês não vão entrar?" E ao olharmos vimos Kenny enfiando a cabeça e o braço não decepado pelo teto solar da limusine.

"Hã", falei, me sentindo totalmente envergonhada. "Vamos."

E entrei na limusine como se nada tivesse acontecido.

E na verdade, se parar para pensar, nada aconteceu mesmo.

Só que pelo caminho inteiro de volta para o Plaza uma vozinha dentro da minha cabeça repetia: "Michael disse que eu estava uma *gata*, Michael disse que *eu* estava uma gata, *Michael* disse que eu estava uma gata."

E sabem de uma coisa? Talvez Michael não tenha escrito aquelas mensagens. E talvez ele não me ache a garota mais Josie da escola.

Mas ele achou que eu estava muito gata naquele vestido rosa. E é só isso que me importa.

E agora estou sentada aqui na suíte do hotel da Grandmère, cercada por pilhas de presentes de casamento e de bebê, com Rommel tremendo na outra extremidade da cama, de suéter de caxemira rosa. Eu devia estar escrevendo mensagens de agradecimento, mas, em vez disso, obviamente, estou escrevendo no meu diário.

Mas ninguém parece ter notado. Acho que é porque Vovó e Vovô estão aqui. Passaram para se despedir no caminho para o aeroporto antes de pegarem o avião de volta para Indiana. Neste exato momento, minhas duas avós estão fazendo listas de nomes de bebês e discutindo quem vão convidar para o batizado (ah, não, outra vez não), enquanto meu pai e o Vovô estão falando de rotação de alturas, pois este é um tópico importante tanto para os fazendeiros de Indiana quanto para os produtores de azeitonas de Genovia. Mesmo que, naturalmente, Vovô tenha uma loja de ferragens e o Papai seja príncipe. Mas deixa pra lá. Pelo menos estão *conversando*.

Hank está aqui também, para se despedir e para tentar convencer seus avós de que não estão errados em deixar que ele fique em Nova York — embora, pra falar a verdade, ele não esteja se esforçando muito, porque não parou de atender o celular um só segundo desde que chegou. A maioria das ligações parece ser de damas de honra do casamento de ontem.

E estou pensando que, no fim das contas, as coisas não estão tão mal assim. Quero dizer, vou ganhar um irmão ou irmã e consegui não só um padrasto que é excepcionalmente bom em álgebra, mas também uma mesa de totó.

E o meu pai provou que há pelo menos uma pessoa neste planeta que não tem medo da Grandmère... E até Grandmère parece um pouco mais afetuosa do que o normal, apesar de não ter conseguido ir a Baden-Baden.

Muito embora ela ainda não esteja falando com meu pai, a não ser quando tem absoluta necessidade disto.

E, sim, é verdade que hoje, mais tarde, vou me encontrar com Kenny no Village para uma maratona de desenhos animados japoneses, já que eu disse que ia e tal.

Depois disso, vou à casa da Lilly, e vamos trabalhar no episódio da semana que vem, que é sobre lembranças reprimidas. Vamos tentar hipnotizar uma à outra, e ver se conseguimos nos lembrar de nossas vidas passadas. Lilly está convencida, por exemplo, de que em uma de suas vidas passadas ela foi Elizabeth I.

Sabe de uma coisa? Eu, pelo menos, acredito nela.

Bom, depois disso, vou passar a noite lá na casa dela, e vamos alugar *Dirty Dancing* e assistir como em *Rocky Horror*. Pretendemos gritar respostas às falas dos atores e jogar coisas na tela.

E há uma chance muito grande de que, amanhã pela manhã, Michael venha para a mesa de café dos Moscovitz só de calça de pijama e roupão, e esqueça de amarrar o roupão, como já fez uma vez.

Isso daria um momento muito profundo, se querem saber.

Muito profundo mesmo.

Este livro foi composto na tipografia Minion Pro,
em corpo 10,5/15, e impresso em
papel off-white na Gráfica Corprint.